JN002092

スッキリわかる

証券外務員

二種

SAKU株式会社 監修
TAC出版編集部 編

TAC出版

TAC PUBLISHING Group

はじめに

　本書は、日本証券業協会が実施する二種外務員資格試験に合格するための試験対策書です。テキストと問題集を1冊にまとめ、最少の学習時間で効率的に合格できるよう、工夫しています。まずは本書のテキスト（解説）部分を読み、その後の問題演習にて学習効果の確認をしてください。

　本書を利用すれば証券外務員試験の学習のために何冊もの書籍を購入する必要はありません。また、初学者にも取り組みやすいように章立てしました。

　金融商品取引業（いわゆる証券業）には高い公共性が求められ、金融市場の仲介をする役割を担っています。ここで活躍する証券外務員には、法令・諸規則をしっかりと守ることや、金融商品に対する専門的な知識を持っていること、さらには豊富な経験が求められます。

　試験では証券用語など、普段は聞き慣れない言葉がいくつか登場しますが、本書では「用語」「参考」で理解が深められるように適宜記述しています。また、出題の頻度が高い事項や関連箇所から重点的に掲載するとともに、学習の参考になるように章内のセクションごとに重要度を1～3（最重要は3）で記述しています。

　本書は、2024年6月時点の法令等を基準として作成しています。

　本書の1章～5章では、金融商品取引業基礎試験に必要な知識を学習することができます。証券外務員試験への腕試しとして、金融商品取引業基礎試験の受験に活用してください。

＊　＊　＊

　いまや金融機関では必須ともいえる証券外務員資格をぜひとも取得し、あなたの活躍の場をさらに広げてください。

　あなたの毎日の隙間時間をフル活用し、短期間の学習で合格を手にしていただけますよう、心よりお祈り申し上げます。

2024年8月

監修　SAKU株式会社

本書の構成と学習の進め方

まずは**章扉**に注目

章扉には、これから学ぶ内容について書かれています。章全体の概要と学習の取り組み方を確認しましょう。●数字は関連するセクションを表示しています。

1〜3の重要度をチェック

章内のセクションごとに重要度を 1 〜 3（3が最重要）で示しました。重要度の高いものから重点的に学習をすすめていきましょう。

側注で理解を深める

用語解説や参考を記していますので、理解を深めるため、活用してください。

問題演習で理解度を確認

テキストを読んだら、問題を解いて、その時点での理解度を確認しましょう。弱点箇所はテキストを読んでおさらいしましょう。なお、知っている論点については問題から解き、解けなかったらテキストを確認するのも一つの使い方です。

もくじ

動画を使って、
スッキリ理解しよう！

本書は、資格の概要や重要論点
の問題演習に対する補足解説を
動画で用意しています。
動画を併用して効率よく勉強し、
合格を勝ち取りましょう！

このQRコードから
アクセス！

受験生のあらゆる疑問に答えます！

証券外務員 を徹底解剖！

資格を取ると何ができるの？
どんな試験なの？
学習方法が知りたい！

1 証券外務員とは？

金融商品の勧誘や販売に必要な証券外務員

証券会社
・株式
・債券
・投資信託

銀行
・債券
・投資信託
など

金融商品取引業者に所属

証券外務員とは、証券会社や銀行など「**金融商品取引業者等**」に所属し、お客さんに有価証券などの「**金融商品**」の勧誘や販売をするために持っていなければならない資格です。

証券外務員の資格を取得したあと、日本証券業協会の「**外務員登録原簿**」へ登録すると、外務員として活動することができます。

①証券外務員の資格取得

合格

②証券会社、銀行などに勤務し、「**外務員登録原簿**」に登録

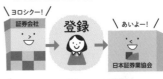
ヨロシク！　証券会社　登録　あいよー！　日本証券業協会

③証券外務員として金融商品の勧誘や販売をする！

債券　株式

証券外務員が所属する「金融商品取引業者等」には、主に、日本証券業協会の正会員である証券会社「金融商品取引業者」と、特別会員である銀行や生命保険会社などの「登録金融機関」があります。

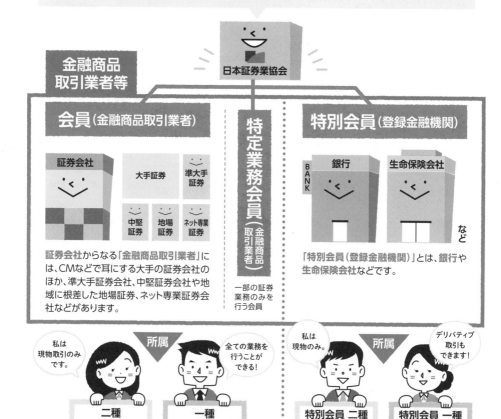

金融商品取引業者等

日本証券業協会

会員（金融商品取引業者）

証券会社

大手証券　準大手証券

中堅証券　地場証券　ネット専業証券

証券会社からなる「金融商品取引業者」には、CMなどで耳にする大手の証券会社のほか、準大手証券会社、中堅証券会社や地域に根差した地場証券、ネット専業証券会社などがあります。

特定業務会員（金融商品取引業者）

一部の証券業務のみを行う会員

特別会員（登録金融機関）

BANK　銀行　生命保険会社

など

「特別会員（登録金融機関）」とは、銀行や生命保険会社などです。

所属

私は現物取引のみです。

全ての業務を行うことができる！

二種
外務員の業務の一部
（株式・公社債・投資信託等）

一種
二種＋信用取引・先物・オプション

私は現物のみ。

所属

デリバティブ取引もできます！

特別会員 二種
公社債・投資信託 等

特別会員 一種
公社債・投資信託＋先物・オプション 等

証券外務員資格は、全ての金融機関で有効です。証券外務員の資格には一種と二種があります。一種と二種では扱える商品に違いがあり、一種では、二種外務員で扱う商品に加え、信用取引、デリバティブ取引、などを取り扱うことができます。

銀行などで商品を扱うときに「特別会員外務員」資格が必要になります。特別会員の従業員が受験できます。

2 証券外務員の業務

証券外務員の業務には、4つあります。
「新規発行証券を取り扱うか」「既発行証券を取り扱うか」「証券会社が責任を取るか」「仲介するだけか」「お客さんが誰か」によって、様々な業務を行っているのです。

業務その1 引受け（アンダーライター）

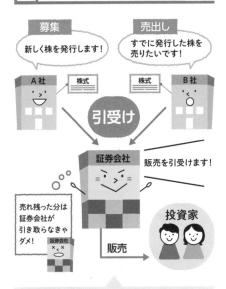

1つ目は、「引受け（アンダーライター）」で、募集や売出しにより発行された株式等の投資家への販売を、証券会社が引受けることです。

業務その2 募集・売出し（セリング）

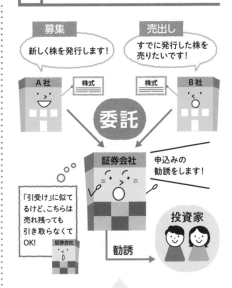

2つ目の「募集（セリング）」は、企業が新しく株式を発行するときに、委託されてその株式の売却をする業務です。
「売出し」は、すでに発行された株式につき、企業から委託され株式の売却を行う業務です。

「ホールセール」と「リテール」とは？

証券会社には、「ホールセール部門」「リテール部門」があり、ホールセール部門では、プロ（適格機関投資家）向けの大口の取引を行い、リテール部門では、個人投資家などとの取引を行います。

業務その3 委託売買（ブローキング）

3つ目は、「委託売買（ブローキング）」、いわゆるブローカーです。
株式を売買したい投資家に対して**仲介**し、その取引にかかる**手数料をもらう**業務です。

業務その4 自己売買（ディーリング）

最後は、「自己売買（ディーリング）」です。
証券会社が自社の資金を使って、**株式を運用することで利益（利ざや）を得る**業務です。

証券アナリスト

株や債券などにつき、証券アナ
リストが分析し、レポートを提供
するというイメージです。証券
アナリストは、情報の分析と投資
価値の評価を行い、投資助言や
投資管理サービスを提供します。

FP（ファイナンシャル・プランナー）

お客さんのライフプランやニー
ズに合わせ、お金に関する生涯
の計画（貯蓄、投資、保険、税務、
不動産、相続・事業承継等）を
立てて、アドバイスを行います。

DCプランナー（企業年金総合プランナー）

「DC」とは、確定拠出年金（＝
Defined Contribution)のこと。
年金制度の専門的な知識だけで
なく、投資やライフプランにつ
いての知識ももち、年金制度を
支えるプロフェッショナルです。

3 証券外務員試験の概要

日本証券業協会の協会員の役職員等の人は、所属する会社をとおして受験します。

ここでは、証券会社など日本証券業協会の協会員の役職員等以外の一般の人が受験する試験の概要をみていきましょう。

●二種外務員資格試験

受験資格	なし(年齢等の制限なし)
試験方式	PC試験
受験料	13,860円(税込み)
試験時間	2時間
試験会場	全国の主要都市に設置されている試験会場(テストセンター)
申込期間と試験日	試験日の60日前から試験日の5営業日前まで予約可能。
合格発表	試験終了後(試験当日) 不合格だったら30日後から再チャレンジできます!

試験問題	出題形式	出題数	配点
	○×方式	50問	各2点
	5肢選択方式	20問	1択は各10点 2択は各5点
合格点	300点満点の70%(210点)以上		

申し込みはプロメトリックへネット経由で申し込みます。

申込先 ▶ PROMETRIC(プロメトリック)
https://www.prometric-jp.com/examinee/test_list/archives/17

まず、**受験資格がない**ため、誰でも受けられます。また、PCで受験するため、平日であれば(土日、祝日、年末年始を除く)いつでも受験できます。

合否は試験終了後、試験会場にて。不合格となった場合には、受験日の翌日から30日間は受験できません。

出題数は、合計70問で、300点満点です。そして、**70%以上の得点(210点以上)で合格**となります。

持ち物とか、試験の詳細もここで確認してね!

4 証券外務員試験の出題範囲

証券外務員の学習分野は3つに分けられます。一番配点が多いのが、「商品業務」（約114点）です。そのほかの「法令・諸規則」で86点、「関連科目」で、100点になります。

学習分野	関連科目	この2つは一種でも二種でも一緒！
	法令・諸規則	
	商品業務	一種では少し内容が増える！

▼ 関連科目　　　　予想配点：100点

ここでは、証券外務員として金融の知識を理解するための「証券市場の基礎知識」と、関連科目「株式会社法概論」「経済・金融・財政の常識」「財務諸表と企業分析」「証券税制」「セールス業務」を学びます。また、金融市場の全体像や、証券市場の役割なども含まれます。

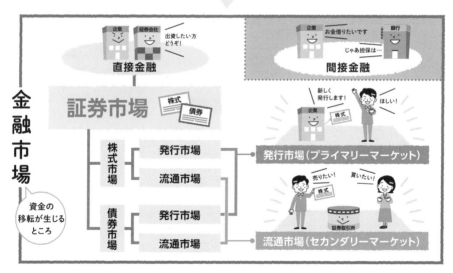

GDP（国内総生産）や景気動向指数、日銀短観など、ニュースでもよく耳にする「経済・金融・財政の常識」もここで学びます。

| 法令 | 法令のなかには、「**金融商品取引法及び関係法令**」と、「**金融商品の勧誘・販売に関係する法律**」などがあります。 |

金融商品取引法

金融商品の勧誘・販売に関する法律

金融サービス提供法

消費者契約法

有価証券取引に幅広く関わる法律

守ってください！

金融商品取引法

生命保険会社

企業　証券会社　証券取引所　銀行

金融商品に関わる者たち

商品を販売したり契約したりする際に関わる法律

ダメッ！ゼッタイ！！

金融サービス提供法

消費者を守ります！

不当な勧誘

消費者契約法

「**金融商品取引法**」は、有価証券取引に幅広く関わる法律です。ほとんどの有価証券や、一定のデリバティブ取引が対象です。株式を売り出す企業や、金融商品取引業者、取引所などが守らねばならないことが定められています。

「**金融商品の勧誘・販売に関係する法律**」には、「**金融サービス提供法**」「**消費者契約法**」があり、商品を販売したり、契約したりする際に関わってくる法律です。「**個人情報保護法**」と「**犯罪収益移転防止法**」についても学びます。

諸規則　そして、諸規則には日本証券業協会の「協会定款・諸規則」と、金融商品取引所の「取引所定款・諸規則」があります。

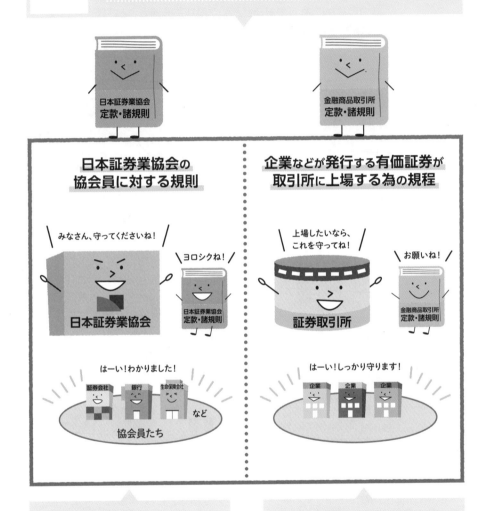

「日本証券業協会」の定款・諸規則では、日本証券業協会の協会員に対する規則が定められています。主に自主規制規則を中心に学びます。

そして、「金融商品取引所」の定款・諸規則では、企業等の発行する有価証券が取引所に上場するための有価証券上場規程などが定められています。

▼ 商品業務

一番配点が多い!

予想配点：**114点**

| 株式・債券・投資信託 | ここでは、「株式業務」と「債券業務」、「投資信託及び投資法人に関する業務」に関わる業務を学びます。株式や債券、または、投資信託を売買するための取引の方法などを学びます。 |

種類は何があるの?
どうやって注文するの?

株式業務
株式
債券
債券業務
¥
投資信託及び投資法人に関する業務

| 付随業務 | それに関連する業務として「付随業務」というのもあります。これも証券会社が、金融商品取引業を営むために欠かせない業務です。例えば、顧客に有価証券に関連する情報の提供または助言することも付随業務にあたります。 |

A社は近年、画期的なロボットの開発により利益を伸ばしているんですよ!

それはすごい!株価が上がるね!

A社

証券外務員　　　　　　　　投資家

デリバティブ取引

そして、一種は、二種で学ぶ内容に加えて、**信用取引**やデリバティブ取引も加わります。これらの取引には原則、期限が設けられていたり、証拠金が必要であったりなどの特徴があります。

株式業務

債券業務

投資信託及び投資法人に関する業務

まかせて！

信用取引

証拠金

デリバティブ取引

限月

スゴイ！

二種外務員

一種外務員

ちょっと**複雑な業務も**行えます！

法令や諸規則等の制度変更があった場合、試験問題は新制度に基づいて出題されます。TAC 出版でも変更があれば、そのつど、法改正情報として公開しますが（ TAC出版 検索 ）、より詳しい情報は、下記の WEB サイトでも入手できますので、参照してみてください。

日経225先物など、金融商品について調べるときにはここ！

日本取引所グループ
https://www.jpx.co.jp/

ここでは証券会社をめぐる状況についてわかるよ！

日本証券業協会
https://www.jsda.or.jp/

投資信託についてはここ！

投資信託協会
https://www.toushin.or.jp/

5 金融商品取引業基礎試験

近年の金融業は、暗号等資産関連店頭デリバティブ取引や電子記録移転有価証券表示権利等に関する業務など、第一種金融商品取引業の多元化が進んでいます。

金融商品取引業基礎試験は、こうした新たな業務や、第一種金融商品取引業に関する基礎的な知識を習得することを目的とした試験です。

なお、本試験に合格しても外務員として活動することはできません。外務員として金融機関で職務を行うためには、一種及び二種外務員資格試験に合格する必要があります。

●金融商品取引業基礎試験

受験資格	なし(年齢等の制限なし)
受験料	5,500円(税込み)
出題科目	・証券市場の基礎知識 ・金融商品取引法及び関係法令 ・金融商品の勧誘・販売に関係する法律 ・経済・金融・財政の常識 ・セールス業務
出題形式	○×方式及び五肢選択方式 解答の方法はPCへの入力方式
問題数	合計50問
試験時間	70分
試験会場	全国の主要都市に設置されている試験会場(テストセンター)
申込期間と試験日	試験日の60日前から試験日の5営業日前まで予約可能。
合否判定基準	140点満点の7割(98点)以上
申し込み	プロメトリック　https://www.prometric-jp.com/examinee/test_list/archives/18

本書の1〜5章を学習すると、出題科目が網羅できます!

第 1 章

特別会員
論点

証券市場の基礎知識

予想配点　10点／300点
出題形式
五肢選択方式…1問
（配点と出題形式はTACの予想です）

証券外務員の"キホンのキ"である「金融市場」や「証券市場」の仕組みや流れについて見ていきましょう。金融商品取引業の概要と関係機関から整理して覚えるのが、イメージを掴む近道です。

関連章　　　第2章

まずは、証券外務員が関わる「金融市場」❶や「証券市場」❷の世界を見ていきましょう。

関係する機関❹それぞれの業務、業界の目指すべき在り方❸❺などの要素をしっかりと把握することも必要です。

全体の流れを把握して、証券外務員が行う公正な取引のイメージを掴みましょう。

1. 直接金融と間接金融

直接金融と間接金融のしくみや相違点についておさえよう。

重要度 ★★★

1 「金融」とは

金融とは、「お金」を「融通」することであり、お金が余っているところからお金を必要とするところへお金を流すことである。

参考

お金は1ヶ所には留まらずに社会全体を循環する。金融は、血液となるお金を社会に循環させる心臓のような役割を果たしている。

2 「金融市場」

(1) 金融市場とは

政府や企業、病院や学校などから家計(個人)に至るまで、社会で活動する様々な経済主体は、経済活動を営むに当たり資金の調達・供給・運用を行っている。

これにより、資金の供給者(出し手)と需要者(取り手)との間で資金が取引され、資金の移転が生じる。この資金取引が行われる場が金融市場である。

(2) 金融市場の分類

金融市場は、取引参加者、取引の契約期間、取引される対象資産、取引形態などによりいくつかに分類される。

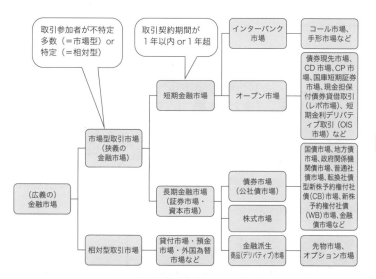

> **参考**
>
> 市場型取引市場を、狭義の金融市場という。

3 直接金融と間接金融

金融は、資金の流れ方によって、直接金融、間接金融に分類される。

(1) 直接金融

証券市場で、銀行などの金融仲介機関が介在しない資金の融通を、「直接金融」という。株式市場や債券市場は、直接金融に分類される。直接金融では、資金が不足している企業や国などの取り手が株券や債券を発行し、資金が余っている者がそれらを直接購入する。資金回収のリスクは、資金の最終的な出し手（投資家）が負わなければならない。

株券や債券など証券の発行 → 投資家Aが証券の取得 → 投資家Aが次の投資家Bに売買取引して流通する

リスクを負う投資家A

リスクを移転する（最終的な投資家B）

購入する

証券の売買（転売）

(2) 間接金融

銀行などの金融仲介機関が介在する資金の融通を、「間接金融」という。間接金融では、出し手から取り手に金融仲介機関を通じて資金が流れる。資金回収（資金の取り立て）のリスクは、金融仲介機関が負わなけ

> **用語**
>
> **市場型間接金融**
> 金融機関が資金の出し手から集めた資金を取り手に貸し付けるのではなく、市場での証券投資に振り向けることをいう。代表的なものに投資信託がある。

ればならない。

預金、信託、保険などの
金融商品への預入れを
する

企業、公共などへ資金を
貸し付けたり、金融機関
と取り引きをしたりする

銀行

貸付けなどの資金回収リスクは、
金融仲介機関が負う

資金の出し手

資金の取り手

● 金融市場全体のイメージ

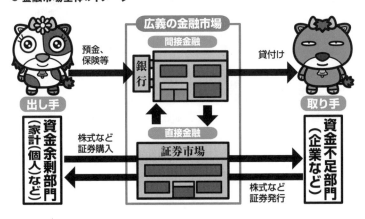

広義の金融市場

間接金融

出し手

預金、
保険等

銀行

貸付け

取り手

資金余剰部門
（家計（個人）など

株式など
証券購入

直接金融

証券市場

資金不足部門
（企業など）

株式など
証券発行

本番得点力が高まる! 問題演習

 問1　金融市場に関する次の記述のうち、正しいものには○を、誤っているものには×をつけなさい。

① 株式の発行による企業の資金調達は、間接金融に区分される。

② 株式市場や債券市場は直接金融である。

③ 間接金融は、銀行や保険会社などの金融機関を通じるものである。

④ 間接金融では、金融仲介機関が資金の回収リスクを負わない。

⑤ 市場型間接金融とは、金融機関が資金の出し手から集めた資金を市場で証券に投資することである。

解答

①× 株式や債券の発行による資金調達は、直接金融に区分される。

②○ 直接金融は、銀行などの金融機関が介在しない形で資金が流れる。

③○ 出し手から集められた資金が貸付けという形で金融機関である取り手に供給される。

④× 間接金融では、銀行などの金融仲介機関が資金の回収リスクを負う。

⑤○ 金融機関は、集めた資金を取り手に貸し付けるのではなく、市場での証券投資に振り向ける役割も担っている。

2.

発行市場と流通市場

証券市場全体の考え方をここでおさえておこう。

1 発行市場

発行市場は、プライマリーマーケットと呼ばれる。

参考

プライマリー (primary) とは、「初めの」という意味。

参考

発行市場は、当事者間での取引（相対取引）で、証券の売買が行われる。

新規に発行される株式などの証券が、企業などの発行者から直接に、あるいは金融商品取引業者（証券会社）などの仲介者を介して、発行者から投資者（投資家）に第1次取得される市場のことである。

2 流通市場

流通市場は、セカンダリーマーケットと呼ばれる。すでに発行された証券が、次の第2次、第3次投資者に転々流通する市場である。

発行市場と流通市場は密接な関係にある市場である。

この流通市場は、取引所有価証券市場（いわゆる取引所のこと）とそれ以外の市場に分けられる。取引所における売買取引を取引所取引といい、それ以外の市場には店頭市場における店頭取引、証券会社が営むPTS（私設取引システム）がある。

● **流通市場の取引**

名称	内容	特徴
取引所取引	金融商品取引所で行われる取引	・制度面や売買技術面で高度に組織化されている ・金融庁や金融商品取引所により厳しく監督されている ・取引所が定めた規則により取引される ・株式の流通市場は取引所取引が中心である
店頭 (OTC) 取引	取引所以外で行われる取引	・取引所の上場基準を満たさない株式などが取引される ・証券会社の店頭（カウンター）などで、証券会社間、または顧客と証券会社との相対で取引が行われる ・日本証券業協会の定めた規則により取引される
PTS	民間の証券会社が運営する証券取引システムのこと	

問1 次の文章は証券市場についての記述である。それぞれの（　）に当てはまる語句の組み合わせのうち、正しいものはどれか、1つを選びなさい。

証券市場は、証券を発行して最終的には市場で流通させるという観点から見て、（　イ　）と（　ロ　）に分けることができる。

（　イ　）は、投資者が、企業などの発行者が発行する証券を直接取得する市場である。

（　ロ　）は、すでに発行された証券が、次の第2次、第3次投資者へ転々と流通する市場である。

① イ：発行市場　　ロ：流通市場
② イ：流通市場　　ロ：発行市場
③ イ：発行市場　　ロ：外国市場

解答 正しいものは、①

証券市場は、証券を発行して最終的には市場で流通させるという観点から見て、（　発行市場　）と（　流通市場　）に分けることができる。

（　発行市場　）は、投資者が、企業などの発行者が発行する証券を直接取得する市場である。

（　流通市場　）は、すでに発行された証券が、次の第2次、第3次投資者へ転々と流通する市場である。

問2 流通市場に関する次の記述のうち、正しいものには○を、誤っているものには×をつけなさい。

① 流通市場には、取引所取引、店頭取引の他、PTSがある。
② 株式の流通市場の中心は、取引所取引である。
③ PTSは、証券会社の窓口などで相対で行われる取引である。

解答
①○ 流通市場は取得されて既発行となった証券が第1次投資者から、第2次、第3次の投資者に転々と流通する（売買される）市場である。
②○ 取引所取引で取引される株式は一定の上場基準を満たす株式である。
③× PTSは、証券会社が運営する証券取引システムのことである。

3. 投資者保護

預金者保護との違いを意識しながら「投資者保護」についておさえよう。

重要度
★★☆

1 投資者保護の理念

金融商品取引法上の投資者保護とは、以下の内容を基本とする。

・証券市場における価格形成が公正に行われること。
・投資家が投資の可否を判断できるよう、企業の財務内容など、証券投資に関する情報を正確かつ迅速に入手できること。
・不公正な取引の発生から投資者を回避させること。

　金商法上の投資者保護は、有価証券の価格を保証したり、株式の配当を約束するものではない。投資者の損失を補塡する約束をすることも投資者保護の観点からは不適切な行為である。投資者保護と預金者保護とは、まったく理念が異なることに注意が必要である。

● 自己責任原則

投資者は、自己の判断と責任で投資行動を行い、その結果としての損益はすべて投資者に帰属することになる、という原則。

2 預金者保護の理念

　預金者保護とは、銀行などが経営破綻に陥ったとき、預金が返済不能とならないようにすることである。また、万が一そうなったときには、銀行の合併や預金保険制度による元利金の保証を通じて預金の保護を図ることが約束されている。預金者等の保護や資金決済の履行の確保を図ることにより、信用秩序を維持することを目的としている。

用語

預金保険制度
預金等については、元本合計1,000万円とその利息等が、また、当座預金や利息の付かない普通預金等（決済用預金）については、全額保護される。

9

問1 金商法上の投資者保護に関する次の記述のうち、正しいものには○を、誤っているものには×をつけなさい。

① 投資者保護とは、投資者の有価証券の価格保証や株式の配当を約束するものである。

② 証券投資に関する情報を正確かつ迅速に投資者が入手できることは、投資者保護の基本である。

③ 自己責任原則とは、投資者が自己の判断と責任で投資行動を行い、その結果としての損益はすべて投資者に帰属するということである。

解答

①× 投資者保護は、預金者保護のように投資元本の保全を保証するものではない。

②○ また、不公正な取引の発生から投資者を回避させることも投資者保護の基本となる。

③○ 投資者は、リスクを十分理解したうえで自らの判断と責任の下で投資を行わなければならない。

4. 主要な証券関係機関

3つの自主規制機関は重要ポイント!その他の機関の業務についてもよく問われる。

重要度 ★★☆

1 自主規制機関

　自主規制とは、金融商品市場への信頼を確保するため、自ら策定した規則により、自らを律することをいう。自主規制機関には、各金融商品取引所、日本証券業協会、投資信託協会などがある。これらは金商法により、自主規制機関としての性格（権限）を付与されている。それらの規制は、金融庁による公的な規制と並び、金融商品取引業規制の大きな柱となっている。

参考

証券市場・金融市場には、自主規制機関と公的規制機関がある。

2 その他の証券関係機関

　その他の証券関係機関には、証券取引等監視委員会、証券保管振替機構、日本投資者保護基金、証券金融会社などがある。

（1）証券取引等監視委員会

　証券取引等監視委員会は、公的規制機関の1つである。金融庁に属し、インサイダー取引や金融商品取引業者による顧客の損失保証や補填などの違反行為について強制調査権があり、証券業界における規則の違反者の告発を行う。また、証券会社や自主規制機関に対し、取引ルールを遵守しているかを監視するための立入検査を行い、違反を摘発した場合には金融庁長官への行政処分の勧告をすることができる。

用語

インサイダー取引

会社の社員がその内部情報を知るべく立場を利用して、その情報が公的に公表される前にその会社の株式を売買することである。

（2）証券保管振替機構

　証券保管振替機構は、国債以外の有価証券の決済及び管理業務を集中的に行う日本で唯一の証券決済機関である。「社債、株式等の振替に関する法律」に基づき、株式、社債、投資信託といった有価証券の振替業務を運営している。

　振替制度の概要は次のとおり。

> ・新規発行、流通、株式分割等、償還などの処理すべてを振替口座簿の記録で電子的に行う。
> ・株式等の配当金の支払においては、全銘柄の配当金を同一の預金口座で受領する方法や、証券会社を通じて配当金を受領する方法を選択できる。
> ・一般債の元利金は、投資者の口座残高に応じて、口座管理機関を経由して支払われる。

(3) 日本投資者保護基金

　日本投資者保護基金とは、金融商品取引業者の破たんによって、金銭や有価証券を寄託する顧客が被る損失を補償するなどの業務を行うものである。基金の会員となる者は金融商品取引業者のみであり、第一種金融商品取引業者は必ずいずれか 1 つの基金に加入しなければならない。

① 日本投資者保護基金の補償対象債権

　日本投資者保護基金が補償する債権は、破綻した業者の一般顧客（適格機関投資家や国、地方公共団体等を除く）が所有する債権で、次のものを含む。

> ・先物取引の証拠金として預託を受けた金銭等
> ・株式の売買のような金融商品取引に係る一般顧客の金銭や有価証券（店頭デリバティブ取引等に係る取引を除く）
> ・保護預り対象の金銭や有価証券（金融商品取引業者が顧客から預かり、保管する金銭や有価証券）
> ・信用取引に係る保証金及び代用有価証券
> ・付随業務等により寄託を受けている金銭

② 基金の運営

　支払最高限度額は、一顧客当たり1,000万円である。

　日本投資者保護基金の会員である金融商品取引業者に登録取消し等の理由が生じ、顧客資産に係る債権のうち、会員自身による円滑な弁済が困難な場合は、1,000万円を限度として顧客からの請求に基づき所定の手続きを経て支払われる。

(4) 証券金融会社

　証券金融会社とは、金商法に基づく資本金 1 億円以上で内閣総理大臣の免許を受けた証券金融専門の株式会社である。

　主な業務には、以下がある。

① 貸借取引貸付…金融商品取引業者に対して、信用取引の決済に必要な金銭または有価証券を貸し付ける業務

② 公社債貸付…金融商品取引業者が、公社債の引受け・売買に伴い、一時的に必要とする資金を貸し付ける業務

③ 一般貸付…金融商品取引業者及びその顧客に対する貸付業務

④ 債券貸借の仲介…金融商品取引業者及び金融機関等の間での債券の貸借の仲介を行う業務

本番得点力が高まる! 問題演習

問1 主要な証券関係機関に関する次の記述のうち、正しいものには○を、誤っているものには×をつけなさい。

① 主な自主規制機関には、各金融商品取引所、日本証券業協会、投資信託協会などがある。

② 証券取引等監視委員会には強制調査権が付与され、証券業界における規制の違反者に対して捜査当局へ告発することができる。

③ 「社債、株式等の振替に関する法律」に基づき運営される振替制度では、株式の配当金の支払について、株主は証券保管振替機構から直接配当金を受領する方法を選択することができる。

④ 日本投資者保護基金の一般顧客に対する支払最高限度額は、一顧客当たり1,000万円である。

⑤ 金融商品取引上の投資者保護は、投資対象に株式の配当の支払を保証するものではない。

⑥ 日本投資者保護基金が補償する債権には、信用取引に係る保証金及び代用有価証券は含まれない。

⑦ 証券金融会社は、資本金5千万円以上で、内閣総理大臣の認可を受けた証券金融専門の株式会社である。

 解答

①○ 自主規制機関は、金商法によりその権限を与えられている。

②○ 証券取引等監視委員会は、違反者の告発、また、金融庁長官などへの行政処分の勧告をすることができ、その権限の一部は金融庁から与えられている。

③× 振替制度では株式の配当金の支払方法について、全銘柄の配当金を

同一の預金口座で受領する方法や証券会社を通じて配当金を受領する方法を選択できる。

④○ 会員自身（破綻業者）による円滑な弁済が困難な場合は、1,000万円を限度として顧客からの請求に基づき所定の手続きを経て支払われる。

⑤○ 日本投資者保護基金が補償する債権は、破綻した業者の一般顧客が所有する金銭や有価証券などの債権である。

⑥× 信用取引に係る保証金や代用有価証券も含まれる。また、先物取引の証拠金や付随業務等により寄託を受けている金銭なども同様に含まれる。

⑦× 証券金融会社は、資本金1億円以上で、内閣総理大臣の免許を受けた証券金融専門の株式会社である。

5.

> 持続可能な社会の実現のために金融面で支えるのがサステナブルファイナンスだ。

サステナブルファイナンス

重要度
★★★

1 サステナブルファイナンス

2006年に国連主導でPRI（Principle for Responsible Investment=責任投資原則）が発足し、機関投資家に「環境（Environmental）」、「社会（Social）」、「ガバナンス（Governance）」の3つの要素（ESG要素）を投資決定に組み込むことを求めている。このような投資をESG投資という。

2 サステナブルファイナンスの代表的な投資手法と金融商品

(1) ESG投資の7分類

ESG投資を推進する国際団体Global Sustainable Investment Alliance（GSIA）は資産運用にESG要素を考慮する手法として次のものをあげている。

①ESGインテグレーション
②コーポレートエンゲージメントと議決権行使
③国際規範に基づくスクリーニング
④ネガティブ/除外スクリーニング
⑤ポジティブ/ベストクラス・スクリーニング
⑥サステナビリティ・テーマ投資
⑦インパクト/コミュニティ投資

用語

ネガティブ/除外スクリーニング
規範や価値観に基づいた基準により、特定のセクターや国、企業などをファンドやポートフォリオから除外すること。

(2) ESG関連金融商品

ESG関連金融商品は次のようなものがある。

ESG要素を考慮した金融商品	サステナブルファイナンスの推進に資する金融商品
SDGs債	グリーンボンドやソーシャルボンド、サステナビリティボンドなど
トランジションボンド	気候変動分野において段階的な取り組みに必要な資金の調達
サステナビリティ・リンク・ボンド	KPI(重要業績評価指標)を投資家に明示し、SPT(s)を設定した上で達成型の性質を持つ資金使途を限定しない債券

3 証券業界とSDGs

証券業界でも、次の3つのテーマを設け、SDGsを推進している。

・サステナブルファイナンスの普及・推進に関する取り組み
・働き方改革・ダイバーシティ推進に関する取り組み
・子どもの貧困問題の解決に向けた取り組み

第2章

特別会員論点

金融商品取引法

予想配点　30点／300点
出題形式
○×方式…5問
五肢選択方式…2問
（配点と出題形式はTACの予想です）

　この章では、経済の健全な発展と投資者の保護を目的とした金融商品取引法（金商法）を学習します。
　金商法は金融システムの改革等により多様な金融サービスが誕生し、幅広い金融商品を対象とする新しい法律の枠組みが求められたことによって制定された法律です。

関連章　　第5章　第6章

金商法❶は、金融商品に関わる取引が安全で公正に行われるために作られた法律になります。

この章では、金融商品を取り扱う業者❷や関係機関❹、また取引自体に関する規定❸❼や適切な情報開示❻などについて学んでいきます。

当然ながら、不正な取引❺は許されません。しっかりと内容を理解して、様々なルール❽を正確に把握しましょう。

法律

1.

金商法、資本市場を機能させるために欠かせない法律。第1条「目的」もきっちりおさえよう。

金商法
（金融商品取引法）

重要度
★★★

参考

投資家は自己の判断と責任で投資行動を行い、その結果としての損益はすべて投資家に帰属する。金商法における「投資者保護」とは、投資家が投資対象に関する正確な情報を入手できるよう、発行会社に対して財務内容等の公開を求めることである。

1 金商法の目的

金商法の目的は、企業内容の開示制度や金融商品取引を行う金融商品取引業者、取引を行う場所である取引所等の規制といった、主要な制度の充実により、公正な価格が形成されるよう促すことである。

● **金商法　第1条**

> この法律は、企業内容等の開示の制度を整備するとともに、金融商品取引業を行う者に関し必要な事項を定め、金融商品取引所の適切な運営を確保すること等により、有価証券の発行及び金融商品等の取引等を公正にし、有価証券の流通を円滑にするほか、資本市場の機能の十全な発揮による金融商品等の公正な価格形成等を図り、もって国民経済の健全な発展及び投資者の保護に資することを目的とする。

2 金商法の規制対象となる主な有価証券

　金商法の規制対象となる有価証券とは、売買取引がしやすく、それ自体が値上がりや値下がりをするという性格を持つ投資物件や投資対象である。

● 金商法上の有価証券

第一項有価証券 （流動性の高い有価証券）	国債証券、地方債証券、**社債券**、株券または新株予約権証券、投資信託の受益証券、**貸付信託の受益証券**、CP（コマーシャル・ペーパー）、抵当証券、カバードワラント　等
第二項有価証券 （流動性の低い有価証券）	信託の受益権、合名会社・合資会社の社員権、合同会社の社員権、**集団投資スキーム**（ファンド）**持分等**のみなし有価証券とみなされるもの

　このほか、有価証券ではないが、有価証券から派生する市場デリバティブ、店頭デリバティブ、外国市場デリバティブ等、一定のデリバティブ取引も金商法の適用を受ける。

3 金商法の金融商品と金融指標

　金商法上の金融商品とは、次のものをいう。

①有価証券、②預金契約に基づく債権その他の権利等、③通貨、④暗号等資産、⑤標準物　等

　金商法上の金融指標とは次のものをいう。

①金融商品の価格・利率等、②気象庁などが発表する気象の観測の成果に係る数値　等

参考

デリバティブ取引とは、通貨や株式、債券などの有価証券そのものの取引ではなく、そこから派生した価格や変動率、信用度などが取引の対象となるものであり、代表的な取引は、先物、オプション、スワップ取引などである。

問1 次の文章は「金商法第1条」の記述である。それぞれの（　　　）に当てはまる語句の組み合わせのうち、正しいものはどれか、1つを選びなさい。

金融商品取引法は、企業内容等の開示の制度を整備するとともに、（　イ　）を行う者に関し必要な事項を定め、（　ロ　）の適切な運営を確保すること等により、有価証券の発行及び金融商品等の取引等を公正にし、有価証券の流通を円滑にするほか、資本市場の機能の十全な発揮による金融商品等の（　ハ　）等を図り、もって国民経済の健全な発展及び投資者の保護に資することを目的とする。

① イ：金融商品取引業　　　ロ：証券会社　　　　　ハ：公正な価格形成
② イ：投資　　　　　　　　ロ：金融商品取引所　　ハ：公正な取引
③ イ：金融商品取引業　　　ロ：金融商品取引所　　ハ：公正な価格形成
④ イ：投資　　　　　　　　ロ：証券会社　　　　　ハ：公正な取引

解答 正しいものは、③

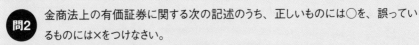

問2 金商法上の有価証券に関する次の記述のうち、正しいものには○を、誤っているものには×をつけなさい。
① 金商法上の有価証券には、国債証券は含まれない。
② 信託の受益権は、金商法の規制対象となる有価証券に含まれる。
③ 暗号等資産は、金商法上の金融商品には含まれない。

解答
①× 含まれる。金商法上の有価証券には、国債証券、地方債証券、社債などがある。
②○ 信託の受益権は、第二項有価証券として金商法の規制対象となる。
③× 暗号等資産は、金商法上の金融商品である。

2. 金融商品取引業者について

証券会社などの金融機関について学んでいこう。

1 金融商品取引業

　金融商品取引業とは、有価証券の売買、有価証券の引受け・売り出し、PTSの運営業務などをいう。金融商品取引業者は、原則、内閣総理大臣の登録を受け金融商品取引業を営む者のことである。

　なお、金融取引業に関する参入規制は、PTS運営業務を除き、登録制に統一されている。

(1) 金融商品取引業の主な業務

　金融商品取引業とは、次にあげるものをいう。

- ・有価証券の売買、市場デリバティブ取引または、外国市場デリバティブ取引
- ・有価証券の売買、市場デリバティブ取引または、外国市場デリバティブ取引の媒介、取次ぎ、または代理
- ・店頭デリバティブ取引またはその取引の媒介・取次ぎもしくは代理
- ・有価証券等清算取次ぎ
- ・有価証券の引受け
- ・投資信託の受益証券のうち委託者指図型投資信託の受益権に係るもの、外国投資信託の受益権などの募集または私募
- ・有価証券の売出しまたは特定投資家向け売付け勧誘等
- ・有価証券の募集もしくは売出しの取扱いまたは私募もしくは特定投資家向け売付け勧誘等の取扱い
- ・私設取引システム(PTS)運営業務
- ・投資顧問契約を締結し、その契約に基づき、助言を行う　等

2 金融商品取引業者とは

　金融商品取引業者とは、内閣総理大臣の登録を受け、金融商品取引業を営む者のことである。金融商品取引業者は4種類に分類され、それぞれに行える業務が異なる。

参考

PTSの運営業務を行うには内閣総理大臣の認可が必要だが、取引規模の大きくない非上場PTSの運営を行う場合は認可不要。

参考

銀行は、証券会社と異なり有価証券関連業や投資運用業は原則として行えないが、「登録金融機関」として内閣総理大臣の登録を受ければ、書面取次ぎによる有価証券の売買や投資信託の販売など、一部の業務を行うことができる。

金融商品取引法の分類	主な業務
第一種 金融商品取引業	保護預りを含む証券業・金融先物取引業等 次にあげるもののいずれかを業として行うことをいう。 ・有価証券の売買、市場デリバティブ取引または外国市場デリバティブ取引と、それらに関わるその取引の媒介、取次ぎまたは代理、あるいはその取引の委託の媒介、取次ぎまたは代理、有価証券等清算取次ぎ、売出し、募集・売出し・私募の取扱い ・商品関連市場デリバティブ取引の媒介、取次ぎもしくは代理、またはその委託の媒介、取次ぎもしくは代理、及びその有価証券等清算取次ぎ ・店頭デリバティブ取引、もしくはその媒介、取次ぎもしくは代理、またはその清算取次ぎ ・有価証券の引受け ・私設取引システム(PTS)運営業務 ・有価証券等管理業務
第二種 金融商品取引業	商品投資販売業、信託受益権販売業等
投資助言・代理業	投資顧問業等
投資運用業	投資一任契約に係る業務、投資法人資産運用業、投資信託委託業　等

● 電子募集取扱業務

　電子募集取扱業務は、電子情報処理組織を使用する方法、または、その他の情報通信の技術を利用する方法で有価証券の募集や売り出し等を行う業務である。

3 金融商品取引業者の行う主な業務内容

(1) 有価証券の売買、市場デリバティブ、外国市場デリバティブ取引

自己（証券会社）の名をもって自己の計算（証券会社のお金）で行う売買である。

(2)（1）の媒介、取次ぎまたは代理

一般の顧客は金融商品取引業者に注文を取り次いでもらい、金融商品取引業者が自己の名義で取引所市場において売買をする。誰のお金で、誰の名義で取引するのかによって、以下の3種類の取引形態がある。

● 媒介、取次ぎ、代理

媒介	他人間の取引のために尽力すること。取引の当事者とならないので取引結果について責任を負わない。
取次ぎ	自己の名義で委託者の計算により有価証券の売買を引き受けることである。
代理	委託者(顧客)の名義で、委託者の計算(顧客のお金)により有価証券の売買を引き受けることである。 媒介と違い、売買の取引の当事者となって、価格やその他の条件を決める権限がある。

参考

取次ぎは、顧客から売買の注文を受けて、金融商品取引業者が取引所市場で売買を成立させることである。

(3) 有価証券の引受け

有価証券の引受けとは、発行体（有価証券の発行元）、売出人に代わって有価証券の販売を引き受けることである。

引受けには、売出人等から有価証券の全部または一部をまず取得する買取引受け、売れ残りがあった場合に、残りのすべてを引き受けた金融商品取引業者が買い取ることを約束する残額引受けがある。また、発行者や売出人から直接引き受ける場合は元引受けという。いずれも売り出す有価証券の売れ残りリスクを金融商品取引業者が負担することになるため、高い引受審査能力が必要となる。元引受けを行うには第一種金融商品取引業者の登録を受けなければならない。

(4) 有価証券の募集、売出し等

● 募集、売出しの概要

	取引形態	該当するための条件
募集	新たに発行される有価証券の取得の申込みの勧誘をすること	・第一項有価証券は50名以上の多数を相手方として取引をする場合、募集や売出しに該当する。
売出し	すでに発行された有価証券の売付けの申込み(買付けの申込みの勧誘)をすること	・第二項有価証券は勧誘に応じることにより500名以上が所有することになる場合、募集や売出しに該当する。

　ただし、新たに発行される有価証券の取得を勧める場合であっても、取引の相手がいわゆるプロであったり、50名未満の少人数である場合などは、有価証券の「募集」に該当しない。適格機関投資家や特定投資家、少人数の一般投資家のみを対象として有価証券の取得を勧める場合は「私募」という。

　なお、第二種金融商品取引業の範囲にも、有価証券の募集・私募（政令で定めたもの）が含まれる。

(5) 有価証券の募集・売出しの取扱い、私募の取扱い

　有価証券の募集・売出しの取扱いとは、他人が有価証券の募集・売出しをする際に、取得の申込みの勧誘行為を引き受ける業務である。また、私募の取扱いとは私募の勧誘を引き受けることである。有価証券の募集・売出しの取扱いや私募の取扱いは、投資家に購入を勧誘するだけのため、引受けと違い、金融商品取引業者は有価証券の売れ残りリスクを負うことがない。

(6) 私設取引システム (PTS) の運営

　私設取引システム (Proprietary Trading System) の運営とは、金融商品取引業者が独自に開設する市場で、電子情報処理組織を使用して、同時に多数の者に対し、一定の売買価格の決定方法（オークション方式や相対取引など）によって有価証券の売買取引や取次ぎ等を行う業務である。運営を行うには原則、内閣総理大臣の認可が必要となる。

4 金融商品取引業以外の業務

　第一種金融商品取引業、投資運用業では、本業以外の業務についても業として行うことが認められている。

● 金融商品取引業以外の業務

分類	届出、承認の有無	業務内容
付随業務	本業と切り離すことが難しい業務で、内閣総理大臣への届出や承認を得ることなく行える。	・有価証券の貸借 ・信用取引に伴う金銭の貸付 ・投資信託の収益金等の支払い業務の代理等
届出業務	内閣総理大臣に届け出ることで行える。	・商品市場取引に係る業務 ・貸金業など金銭の貸借に係る媒介業務 ・宅地建物取引業等
承認業務	内閣総理大臣の承認を受けて行う。	・上記2つ以外の業務

5 金融商品取引業者の登録と認可

(1) 金融商品取引業の登録制

金融商品取引業の最低資本金及び営業保証金の額は、次のとおりである。

第一種金融商品取引業	5,000万円(ただし、元引受業務を行う場合で、主幹事は30億円、その他は5億円)
第二種金融商品取引業	1,000万円(個人が行う場合は営業保証金1,000万円)
投資運用業	5,000万円(ただし、適格投資家向け投資運用業を行う場合は1,000万円)
投資助言・代理業	営業保証金500万円
私設取引システム (PTS) 運営業務	3億円
第一種少額電子募集取扱業務	1,000万円
第二種少額電子募集取扱業務	500万円

(2) 商号等の使用制限

金融商品取引業者でない者は、金融商品取引業を行うかのような紛らわしい商号や名称を用いてはならない。

参考

第二種金融商品取引業、投資助言・代理業については、個人でも法人でも登録することができる。

25

(3) 役職員の兼職規制の撤廃

従来の証券会社等の役職員による兼職規制は撤廃されたが、金融商品取引業者の役職員が兼職を行う場合は内閣総理大臣に届出が必要である。

(4) 財務面の健全性の確保

登録を受けた金融商品取引業者は、自己資本規制比率が120%を下回らないように努める等、財務面での健全性を確保する必要がある。

6 外務員制度

(1) 外務員の登録

金融商品取引業者等が使用人等に外務員の職務を行わせる場合は、外務員の氏名、生年月日等といった所定の事項について、内閣府令で定める場所に備える「外務員登録原簿」に登録を受けなければならない。

ただし、外務員が次のいずれかに該当するときは、内閣総理大臣はその登録を拒否しなければならない。

・監督上の処分により外務員登録を取り消され、取消しの日から5年を経過しない者
・登録申請者以外の金融商品取引業者等や、金融商品仲介業者に所属する外務員として登録されている者
・金融商品仲介業者に登録されている者　等

(2) 外務員の法的地位

外務員は、所属する金融商品取引業者等に代わって、有価証券の売買等に関して一切の裁判外の行為を行う権限を有するとみなされる。すなわち、外務員は、有価証券の売買等に関して、訴訟を起こすなどの裁判上の行為を除く、すべての営業行為を自分の所属する金融商品取引業者等に代わって行うことが認められている。これを外務員の代理権という。金融商品取引業者等は、登録を受けた外務員以外の者に外務行為を行わせてはならない。

外務員の行為は、金融商品取引業者等が行ったものとみなされるため、金融商品取引業者等は、外務員の負った債務について直接履行する責任を負い、顧客に悪意がある場合を除いて、外務員の行為に対して監督責任がある。

金融商品取引業者等は、金商法に違反する悪質な行為を外務員が

用語

自己資本規制比率
資本金や準備金等から固定資産などを差し引いた額が、自己の保有する有価証券の価格変動などによる危険にどの程度対応できるかを表す比率である。

参考

外務員の二重登録は禁止されている。

行った場合にその行為が代理権の範囲外であることを理由としてその監督責任を免れることはできない。ただし、相手方である顧客に悪意があるときは免責される。

7 金融商品仲介業制度

（1）金融商品仲介業

金融商品仲介業とは、金融商品取引業者等と委託契約を結び、顧客に対して取引の媒介・代理を行うものである。

（2）金融商品仲介業の登録

銀行、協同組織金融機関など金融機関以外の者でも、内閣総理大臣の登録を受けることで、法人、個人を問わず金融商品仲介業を営むことができる。金融商品仲介業者の役員または使用人は、証券外務員資格を取得し、日本証券業協会に外務員登録をしなければ勧誘行為を行うことはできない。

（3）業務に関する規則等

金融商品仲介業者（金融商品取引業者である場合を除く）は、顧客に対し、所属する金融商品取引業者等（委託契約を結んだ相手の証券会社等）の委託を受けて行う金融商品仲介行為以外の行為を行ってはならない。また、いかなる場合であっても、仲介業に関しては顧客から金銭や有価証券の預託を受けることはできない（金銭等を顧客から預かってはならない）。

（4）金融商品取引業者等の責任

金融商品仲介業者の所属する金融商品取引業者等（委託契約を結んだ相手の証券会社等）は、金融商品仲介業者がその業務につき顧客に加えた損害の賠償責任を負う。

本番得点力が高まる! 問題演習

 問1 金融商品取引業に関する次の記述のうち、正しいものには○を、誤っているものには×をつけなさい。

① 金融商品取引業者が業務を営むには、内閣総理大臣の登録が必要である。

② 第一種金融商品取引業者は、店頭デリバティブ取引を行うことができない。

③ 有価証券の売買の取次ぎとは、自己の名義で、委託者の計算において有価証券の売買を行うことである。

④ 第二種金融商品取引業の範囲には、有価証券の募集・私募が含まれない。

⑤ PTSの運営を行うには、原則、内閣総理大臣の認可が必要である。

解答

①○ 金融商品取引業者として登録を受けていない者は、金融商品取引業者と紛らわしい商号や名称を用いてはならない。

②× 店頭デリバティブは、第一種金融商品取引業者の業務に該当し、登録により行うことができる。

③○ 一方、代理は委託者の名義で、委託者の計算により、有価証券の売買を引き受けることである。

④× 第二種金融商品取引業の範囲にも、有価証券の募集・私募(政令で定めたもの)が含まれる。

⑤○ PTSとは、私設取引システムのことであり、その運営を行うには原則、内閣総理大臣の認可が必要である。なお、有価証券の元引受け業務は、登録制である。

 問2 外務員制度に関する次の記述のうち、正しいものには○を、誤っているものには×をつけなさい。

① 金融商品取引業者等は、有価証券の売買の勧誘を行う者について、必ず外務員の登録をしなければならない。

② 金融商品取引業者等は、登録を受けた外務員にしか外務行為を行わせてはならない。

③ 外務員の行為の効果は、直接外務員にあるので本人が賠償責任を負う。

④ 外務員は、その所属する金融商品取引業者に代わり、有価証券の売買その他の取引等に関し、金銭等を預かることはできるが、一切の裁判外の行為を行う権限までは有しない。

解答

①○　営業所の内外を問わず、外務行為を行う者は、外務員の登録を受けなければならない。

②○　登録を受けた外務員以外の者は、いかなる場合も外務員の職務を行うことはできない。また、外務員の二重登録は禁止されている。

③×　外務員の行為の効果は、直接、金融商品取引業者等に帰属する。金融商品取引業者等は、顧客に悪意がある場合を除いて、外務員の行った行為に対する監督責任を免れることはできない。

④×　外務員は、その所属する金融商品取引業者に代わり、有価証券の売買その他の取引等に関し、一切の裁判外の行為を行う権限を有するものとみなされる。

問3　金融商品仲介業制度に関する次の記述のうち、正しいものには○を、誤っているものには×をつけなさい。

①　銀行、協同組織金融機関その他政令で定める金融機関以外の者は、内閣総理大臣の登録を受ければ、法人のみならず個人も金融商品仲介業を営むことができる。

②　金融商品仲介業者は、顧客に対し、所属する金融商品取引業者等の委託を受けて行う金融商品仲介行為以外の行為をしてはならない。

③　金融商品仲介業者は、顧客からの申し出があった場合に限り、顧客から金銭等の預託を受けることができる。

④　金融商品取引業者等は、所属する金融商品仲介業者がその業務につき顧客に加えた損害について、賠償責任は負わない。

 解答

①○　金融商品仲介業者は、法人・個人を問わず業務を営むことができる。

②○　ただし、自身が証券会社などの金融商品取引業者である場合は、金融商品仲介行為以外の行為を行うことが可能である。

③×　金融商品仲介業者は、いかなる場合であっても顧客から金銭等の預託を受けることができない。

④×　金融商品取引業者等は、所属する金融商品仲介業者がその業務につき顧客に加えた損害の賠償責任を負う。

第2章　金融商品取引法／金融商品取引業者について

3. 金融商品取引業に関する規制

ルールを守ることが大切なんだ！

1 一般的な義務

金商法では、金融商品取引業者が業務を行う上での決まり（行為規制）を幅広く規定している。

売買取引以外の一般的な行為規制には以下のようなものがある。

（1）広告規制

● 広告規制の概要

・金融商品取引業者等が、自身の行う業務について広告表示する場合は、一定の表示が義務づけられている。
・利益の見込み等について著しく事実に相違する表示や顧客を誤認させるような表示はしてはならない。
・特にリスクについての情報は、広告で使用される最も大きな文字等と著しくは異ならない大きさで表示しなくてはならない。

（2）書面交付義務

業者と利用者の情報格差を改善するため、金融商品取引業者等には以下のような書面交付義務がある（ただし、内閣府令で公益または投資者保護に支障がない場合として定める場合、書面交付は免除される）。

● 書面交付義務の概要

契約締結前の書面交付義務	金融商品取引業者等は、金融商品取引契約を締結しようとする際は、あらかじめ顧客に対して、一定の事項を記載した契約締結前交付書面を交付しなければならない。
契約締結時の書面交付義務	金融商品取引業者等は、金融商品取引契約が成立したときは、遅滞なく書面を作成し、顧客に交付しなければならない。

（3）電子募集取扱業務に係る情報提供義務

金融商品取引業者等は、一定の有価証券について電子募集取扱業

参考

広告には、金融商品取引業者等の名称をはじめ、登録番号、取引の内容、顧客の判断に影響を及ぼす重要事項は必ず表示しなければならない。
同様の内容のものを大勢の人に送るという情報の提供行為である電子メールやビラ・パンフレットも規制対象である。

務を行うときには、契約締結前交付書面に記載する事項のうち、判断に重要な影響を与えるものとして内閣府令で定める事項について、その業務を行う期間中、閲覧することができる状態に置かなければならない。

(4) 説明義務

金融商品取引業者等は、「取引のしくみのうちの重要な部分」、「当初元本を上回る損失が生ずるおそれ」など顧客に対し説明しなければならない。

(5) 取引態様の事前明示義務

金融商品取引業者等は、顧客から注文を受けた場合に、あらかじめ仕切注文か、委託注文かを明らかにしなければならない。

仕切注文	自己(金融商品取引業者)が取引の相手方となって売買を成立させる取引である。
委託注文	媒介、取次ぎ、代理により売買を成立させる取引である。

(6) 適合性の原則の遵守義務

金融商品取引業者等は、金融商品取引を行う場合は、顧客の知識、経験、財産の状況、金融商品取引契約を締結する目的に照らして、適切な勧誘を行わなければならない。

(7) 最良執行義務

金融商品取引業者等は、有価証券の売買等に関する顧客の注文については、顧客にとって最良の取引の条件で執行するための方針及び方法(最良執行方針等)を定め、あらかじめ顧客に対し書面で交付しなければならない(電子交付も可能である)。

(8) 受託契約準則の遵守義務

金融商品取引業者等は、顧客の売買等の注文を取引所市場で執行する場合、その売買等の受託についてその金融商品取引業者の所属する取引所の定める受託契約準則に従わなければならない。

(9) 分別管理義務

金融商品取引業者等は、顧客から預かった有価証券や金銭は、自己の財産と分別して保管し、金融商品取引業を廃止した場合などに顧客に返還すべきお金を「顧客分別金」として信託会社等に信託しなければならない(自社で自己の財産と一緒に保管してはならない)。

用語

受託契約準則
金融商品取引業者等が取引所市場での有価証券の売買等の注文を受けるときに守らなければならない規則として、取引所が定めるものである。

（10）損失補填等の禁止

金融商品取引業者等は、顧客から受託した有価証券の売買取引等について次の行為が禁止されている。

- ・顧客に損失が生ずることとなり、もしくはあらかじめ定めた利益が生じないこととなった場合に、これを補填し、または補足するための財産上の利益を提供する旨をあらかじめ申し込みまたは約束する行為（損失保証・利回保証）
- ・すでに生じた顧客の損失を補填し、または利益を追加するための財産上の利益を提供する旨を申し込みまたは約束する行為（損失補填の申込み・約束）
- ・生じた顧客の損失を補填し、または利益を追加するため財産上の利益を提供する行為（損失補填の実行）

なお、上記の行為を第三者を通じて行わせることも、顧客から要求して約束させることも禁止である（要求しただけでは処罰の対象にはならない）。

2 金融商品取引業の業務等に係る行為規制

売買取引に係る行為規制には次のようなものがある。

（1）業態・業務状況に関しての規制

名義貸しの禁止

自己（証券会社）の名義をもって他人に金融商品取引業を行わせてはならない。

社債管理者になること等の禁止

有価証券関連業務を行う金融商品取引業者は、社債管理者または担保付社債信託契約の受託会社になることはできない。ただし、引受人となることはできる。

回転売買等の禁止

あらかじめ顧客の意思を確認することなく、頻繁に売買等を行ってはならない。

過当な引受競争を行う営業の禁止

引受けに関する自己の取引上の地位を維持し、または有利にさせるため、著しく不適当な数量、価格等で有価証券の引受けを行ってはならない。

金融機関との誤認防止

金融商品取引業者が金融機関と同一の建物内で業務を行う場合には、顧客がその金融機関と証券会社を誤認しないよう適切な措置を講じなければならない。

用語

損失保証
もし損をしたら穴埋めをすると約束する行為である。

用語

利回保証
予定していた利益が得られなかった場合に差額を補うと約束する行為である。

用語

社債管理者
社債の発行者に代わって社債に係る一切の債務の弁済を引き受ける者のことで、社債の元利金の支払いを代行する。

用語

担保付社債信託契約の受託会社
社債を購入した投資家へ元利金の支払いを保証するために担保が付けられた社債に関して、担保を管理し、万が一の場合、担保を処分して受益者に元利金を返済するなどの業務を託された会社である。

引受人の信用供与の制限

有価証券の引受人となった金融商品取引業者は、引き受けた有価証券を売却する場合において、引受人となった日から6ヶ月を経過する日までは、売却する有価証券の買主に対し買入代金を貸し付けたりしてはならない。

(2) 投資勧誘・受託に関する規制

断定的判断の提供による勧誘の禁止

金融商品取引業者等は、買付け・売付けに係る勧誘について、顧客に強い期待を抱かせるような断定的判断を提供して勧誘をしてはならない（勧誘が的中したとしても違法性はなくならない）。

虚偽の告知等の禁止

金融商品取引業者等やその役員・使用人は、金融商品取引契約の締結またはその勧誘に関して、顧客に対し虚偽の告知を禁止している。

虚偽の表示の禁止

金融商品取引業者等やその役員・使用人は、金融商品取引契約の締結またはその勧誘に関して、虚偽の表示をして、または、重要な事項について故意・過失を問わずに、誤解を生ぜしめる表示を禁止している。

参考

「虚偽の表示の禁止」は、勧誘行為の無い表示へも適用される。例えば、口頭、文書、図面、放送、映画等も含まれる。

特別の利益提供による勧誘の禁止

金融商品取引業者等は、不当に安い価格で有価証券を顧客へ売るなど特別の利益提供を約束して勧誘をしてはならない（社会通念上のサービスと考えられるものを除く）。

大量推奨売買の禁止

金融商品取引業者等は、特定かつ少数の銘柄について一定期間継続して一斉に、かつ過度に勧誘してはならない。

インサイダー取引注文の受託の禁止

金融商品取引業者等またはその役員・使用人は、インサイダー取引と知りながら、あるいはそのおそれがあると知りながら当該売買取引の相手方となったり、またはそのような取引の受託等をしてはならない（相場操縦目的の取引とわかっている場合も受け付けてはならない）。

参考

インサイダー取引とは、会社の内部情報を知る立場にある会社役員等が、その立場を利用して会社の重要な内部情報を入手し、その情報が公表される前にこの会社の株式等を売買することである。

(3) 市場価格歪曲（わいきょく）に係る市場阻害行為に関する規制

　市場価格歪曲に係る市場阻害行為に関する規制とは、市場の公正な価格形成が阻害されないようにするための規制である。

フロントランニングの禁止

顧客から有価証券の買付け(または売付け)の委託等を受けて、その売買を成立させる前に、自己の計算(自分のお金)でその有価証券と同一の銘柄の売買を成立させる目的で、その顧客の委託価格と同一、またはそれよりも有利な価格で買付け(または売付け)を行ってはならない。

無断売買の禁止

顧客の同意を得ることなく、その顧客の計算(お金)で、有価証券等の売買を行ってはならない。

作為的相場形成等の禁止

実勢を反映しない作為的相場が形成されると知りながら、売買取引の受託等を行ってはならない。主観的な目的の有無を問わず、禁止である。

役職員の地位利用の禁止

金融商品取引業者等及びその役職員は、自己の職務上の地位を利用して、職務上知り得た特別の情報に基づいて売買を行ったり、もっぱら投機的利益の追求目的で売買等をしてはならない。

3 投資運用業の規制

投資運用業を営むには顧客との高い信頼関係が必要とされ、中立な立場を維持しなければならないため、投資運用業を行う金融商品取引業者等に対してルールが定められている。

投資運用業に対する規制には、忠実・善管注意義務、禁止行為、運用権限の委託に関する規制(自己執行義務)、運用報告書の交付義務などがある。

● 投資運用業の禁止行為

- ・自己取引
- ・運用財産相互間において取引を行うことを内容とした運用を行うこと
- ・通常の取引の条件と異なる条件で、かつ当該条件での取引が権利者の利益を害することとなる条件での取引を行うことを内容とした運用を行うこと
- ・運用として行う取引に関する情報を利用して、自己の計算において有価証券の売買その他の取引等を行うこと　等

4 ファンドの規制

ファンドとは、投資家からの資金を専門家が合同運用するしくみである。そのうち、投資信託など厳格な規制が用意されていない一定のファンドは、「集団投資スキーム持分」として金商法の規制対象となる。

(1) 集団投資スキーム持分の販売勧誘

集団投資スキーム持分とは、投資家からの出資を専門家が合同運用するしくみ（集団投資スキーム）に出資し、その事業から生じる利益等の分配を受ける権利である。

集団投資スキーム持分の販売勧誘には、第二種金融商品取引業の登録が必要となり、集めた資金を有価証券、デリバティブ取引に対する投資で運用する場合は投資運用業の登録も必要となる。

ただし、リスク管理がきちんとできるプロのみを対象とするファンドの自己募集や運用は、集団投資スキームの範囲の要件を満たした場合、内閣総理大臣への特例業務の届出を行うだけでよい（適格機関投資家等特例業務の特例）。

(2) 集団投資スキーム持分に該当しない権利

金商法では、次にあげる権利は「集団投資スキーム持分」ではないとされている。

- 出資者全員がその事業に関わっている場合など、投資者保護を図る必要性が低い権利
- 株券、投資信託受益証券、合同会社の社員権、信託受益権等、金商法で有価証券として取り扱われる権利

参考

特例業務届出者については、金融商品取引業者とみなされ、適合性原則やリスク等の説明義務などの行為規制が適用される。

参考

集団投資スキーム持分の定義を厳密に適用すると、投資者保護を図る必要がそれほどない権利も含まれてしまうため、(2)に示す権利は金商法の定義からは外されている。

用語

合同会社
出資者全員が有限責任者である会社のことである。

本番得点力が高まる！ **問題演習**

問1 金融商品取引業に関する次の記述のうち、正しいものには○を、誤っているものには×をつけなさい。

① 有価証券の売買その他の取引等について生じた顧客の損失を補填することは禁止されているが、顧客と補填の約束をするだけであれば禁止行為にはあたらない。

② 金融商品取引業者等は、顧客とあらかじめ定めた利益が生じないこととなった場合に、これを補足するための財産上の利益を提供する旨をあらかじめ約束することは、第三者を通じて行えば禁止行為にはあたらない。

③ 金融商品取引業者等は、すでに生じた顧客の損失を補填し、または顧客の利益を追加するために財産上の利益を提供する旨を申し込むことは禁止されている。

④ 有価証券関連業務を行う金融商品取引業者等は、社債管理者になることができない。

⑤ 金融商品取引業者等及びその役職員は、自己の職務上の地位を利用して、職務上知り得た特別の情報に基づいて売買を行ったり、投機的利益の追求目的で売買等をしてはならない。

⑥ 金融商品取引業者等は、買付け・売付けに係る勧誘について、顧客に対し断定的判断を提供して勧誘をしてはならない。

---

①× 実際に補填をしなくても、顧客に対し損失の補填の約束をすることも禁止行為にあたる。一方、顧客は、損失の補填を要求しただけでは処罰の対象にならない。

②× 第三者を通じて行わせることも禁止されている。

③○ なお、すでに生じた損失の補填や利益追加のための利益の提供を申し込むだけでなく、約束することも禁止されている。

④○ 社債管理者、担保付社債信託契約の受託会社になることはできないが、引受人になることはできる。

⑤○ 特別の情報に基づいて売買を行うことも禁止されているが、その売買が投機的利益を追求する目的のものであっても役職員の地位利用は禁止されている。

⑥○ 顧客に強い期待を抱かせるような勧誘は、勧誘が的中したとしても違法性がある。

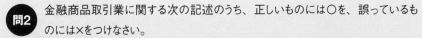

問2 金融商品取引業に関する次の記述のうち、正しいものには〇を、誤っているものには×をつけなさい。

① 金融商品取引業者等は、顧客から有価証券の売買に関する注文を受けたときは、あらかじめ仕切注文か、委託注文かを明らかにしなければならない。

② 金融商品取引業者等は、顧客から有価証券の売買等の注文を受けた場合には、当該顧客に対して、遅滞なく最良執行方針等を記載した書面を交付しなければならない。

③ 有価証券の引受人となった金融商品取引業者は、その有価証券を売却する場合において、引受人となった日から6ヶ月を経過する日までは、その買主に対し、買入代金について貸付けその他信用の供与をしてはならない。

④ 金融商品取引業者等が、特定かつ少数の銘柄について、一定期間継続して一斉にかつ過度に勧誘することは、金融商品取引業者等が現に保有する有価証券を除き、禁止されている。

---

①〇 取引態様の事前明示義務と呼ばれるもので、仕切注文は自己が相手方となって売買を成立させる取引であり、委託注文は媒介・取次ぎ・代理により売買を成立させる取引である。

②× 金融商品取引業者等は、顧客から有価証券の売買等の注文を受けようとする場合には、当該顧客に対して、あらかじめ最良執行方針等を記載した書面を交付しなければならない。

③〇 引受人となった日から6ヶ月を経過する日までは貸付け等ができない。

④× 金融商品取引業者等が、特定かつ少数の銘柄について、一定期間継続して一斉にかつ過度に勧誘してはならない。特に、金融商品取引業者等が現に保有する有価証券を推奨販売することは厳しく禁止されている。

4. 関係機関等

金融商品取引業に深く関わる団体はたくさんある。

重要度 ★★☆

1 信用格付業者

信用格付とは、金融商品または法人の信用状態に関する評価の結果について、記号や数字を用いて表示した等級のことである。

また、信用格付業者とは、内閣総理大臣の登録を受けた信用格付業を行う法人のことである。信用格付業とは、信用格付を付与し、かつ、提供または閲覧に供する行為を業として行うことである。

2 高速取引行為者

参考

高速取引行為は、今後の情報通信技術の進展に柔軟に対応できるように、その内容の一部が政令や内閣府令に委任されている。

近年、取引システムの高度化が進み、株式等の高速取引の影響力が増大している。高速取引とは、高性能コンピューターと情報通信技術を駆使して、取引の通信時間を短くする方法のことであり、高速取引を行う投資家の登録制度が導入されている。

(1) 高速取引行為及び高速取引行為者

① 高速取引行為

高速取引行為とは、有価証券の売買または市場デリバティブ取引などの行為を行うことについての判断が電子情報処理組織により自動的に行われ、かつ、当該判断に基づく当該取引を行うために必要な情報を、金融商品取引所等に対して伝達するときに、情報通信の技術を利用する方法である。そして、当該伝達に通常要する時間を短縮するための方法として内閣府令で定める方法を用いて行うものをいう。

② 高速取引行為者

金融商品取引業者等、及び取引所取引許可業者以外の者が、高速取引行為を行おうとするときは、内閣総理大臣の登録を受けなければならない。

(2) 高速取引行為者の業務

高速取引行為者の業務には次のものがある。

業務管理体制の整備	・不正な取引を防止するための管理体制の確保 ・財務に関する適切な管理 ・法令遵守体制の整備
名義貸しの禁止	自己の名義を他人に貸して高速取引行為を行わせてはならない。
業務の運営に関する規制	・電子情報処理組織等の設備管理の不備がないようにする　等
取引記録の作成・保存、事業報告書の作成・提出	・帳簿書類の作成と保存 ・事業年度ごとに事業報告書を作成し、毎事業年度経過後3ヶ月以内に、内閣総理大臣に提出しなければならない。

(3) 高速取引行為者の監督

① 廃業等の届出等

高速取引行為者がその業務を廃止等したとき、その日から30日以内に内閣総理大臣に届け出なければならない。

② 監督上の処分

内閣総理大臣は、高速取引行為者において監督上の要件に該当する場合には、高速取引行為者の登録の取り消し、または、6ヶ月以内の業務全部もしくは一部の停止を命じることができる。

3 金融商品取引業協会

金融商品取引業協会には、認可金融商品取引業協会と、認定金融商品取引業協会の形態が認められている。なお、日本証券業協会は認可金融商品取引業協会、投資信託協会等は認定金融商品取引業協会である。

4 日本投資者保護基金

投資者保護基金制度は、金融商品取引業者の破綻時に投資者を救済するために設けられており、第一種金融商品取引業者は基金に加入する義務を負う。

基金が補償する対象債権は、金融商品取引業者が適格機関投資家等を除く一般顧客から預かった金銭・有価証券、先物取引の証拠金、信用取引の保証金等で、支払最高限度額は一顧客につき1,000万円までである。

5 金融商品取引所

金融商品取引所は、内閣総理大臣の免許を受けて金融商品市場を開設する。金融商品取引所の法的組織形態には、金融商品会員制法人と株式会社がある。なお、金融商品取引所が開設する金融商品市場を取引所金融商品市場という。

6 証券金融会社

証券金融会社は、信用取引の決済に必要な金銭や有価証券を、取引所の開設する金融商品市場の決済機構を利用して貸し付ける業務を行う会社である。

証券金融会社は、内閣総理大臣の免許を受けている、資本金が1億円以上の株式会社でなければならない。現在、日本証券金融㈱がある。

7 指定紛争解決機関

指定紛争解決機関は、内閣総理大臣から指定を受けた、金融商品取引業等に関連する紛争解決などの業務を行う法人である。

本番得点力が高まる! 問題演習

問1 関係機関等に関する次の記述のうち、正しいものには○を、誤っているものには×をつけなさい。

① 日本投資者保護基金補償限度額は、顧客1人当たり3,000万円とされている。

② 証券金融会社の主要業務に、金融商品取引業者に対して、信用取引の決済に必要な金銭または有価証券を貸し付ける業務がある。

解答

①× 日本投資者保護基金補償限度額は、顧客1人当たり1,000万円である。

②○ 証券金融会社は、金融商品取引法に基づき内閣総理大臣の免許を受けて、当該の貸し付け業務を行っている。

5. 市場阻害行為の規制（不公正取引の規制）

不公正取引はダメ！

1 主な不公正取引禁止の規定

金商法では不公正取引禁止の規定を定め、これに違反した者は、重い刑事罰の対象になる。

（1）風説の流布・偽計取引

有価証券の募集・売出し・売買、またはデリバティブ取引等などのために、有価証券等の相場の変動を図る目的を持って、風説を流布し、偽計を用い、または暴行もしくは脅迫をしてはならない。インターネット上での風説の流布も規制の対象である。

（2）相場操縦

相場操縦とは、価格形成を人為的にゆがめる行為であり、仮装取引（仮装売買）、馴合取引（馴合売買）も相場操縦に当たる。

● 相場操縦の種類

仮装取引	他人に誤解を生じさせる目的をもって、権利の移転、金銭の授受等を目的としない仮装の取引をすることである。
馴合取引	他人に誤解を生じさせる目的をもってあらかじめ他と示し合わせて同時期、同価格で取引の申込みをすることである。

ただし、相場操縦の一種ともいえるが次の場合は一定の条件の下で認められる。

参考

金商法において不公正取引の禁止に関する決まりを定めるのは、不公正な取引によって資本市場の機能が阻害されるのを防止するためである。

● 相場操縦取引の例外

安定操作取引	相場を固定し、または安定させる目的で行う取引である。企業の資金調達の便宜を優先させて緊急避難的に認められる場合があり、安定操作を行える者、行える期間、価格などに厳しい決まりがある。
空売り	有価証券を有しないで売付けを行う空売りは禁止されている。有価証券を借り入れて売付けまたは売付けの委託もしくは受託をする場合も空売り規制の対象となる。信用取引・先物取引などの場合は許容される。

用語

空売り
株式の場合、金融商品取引業者から株を借りて売る取引である。

2 内部者取引に関する規制

　内部者取引とは、発行会社の役職員をはじめとする会社関係者など、重要事実の情報を入手できる立場にある者が、その情報を利用して、重要事実が公表される前にその会社の有価証券等を取引する行為である。内部者取引は、情報の格差や情報面での優越的地位を利用した取引であるため、公正な価格形成を阻害する取引となるため、規制されている。

(1) 内部者取引の要件

● 内部者取引の要件

会社関係者の範囲	・当該上場会社等の役員・代理人・使用人その他の従業員 ・帳簿閲覧権を有する株主、社員 ・当該上場会社等と契約を締結している取引銀行、公認会計士、顧問弁護士等 ・会社関係者でなくなってから1年以内の者等
重要事実 (右記の事項を行うと決める、あるいは公表後に行うことを止めると決めること)	募集株式・新株予約権の募集、資本金の額の減少、株式の分割、株式交換、合併、新製品の企業化、災害に起因する損害、主要株主の異動、その他上場会社等の運営等に関する重要な事実等 ※子会社に生じた重要事実についても規制対象である。

参考

子会社に生じた重要事実とは、例えば上場会社の子会社の業務執行を決定する機関が他社に子会社の営業の一部を譲渡することを決定することなどがある。

42

重要事実の公表 (右記の場合は、重要 事実は公表されたとみ なされる)	・当該重要事実が日刊紙を販売する新聞社や通信社または放送機関等の2以上の報道機関に対して公開され、かつ、公開したときから12時間以上経過した場合 ・重要事実等を当該金融商品取引所に通知し公衆の縦覧に供された場合 ・上場会社が提出した有価証券報告書等に重要事実が記載され、金商法の規定に従い公衆の縦覧に供された場合

(2) 適用除外

次の場合には、情報面での優位を「利用して」なされていないため、内部者取引とはみなされない。

・株式割当の権利行使による株式取得
・新株予約権行使による株式取得
・重要情報を知る前に締結された契約の履行　等

(3) 会社の役員及び主要株主による自社の有価証券の売買等

上場有価証券の発行者である上場会社等の役員、主要株主 (発行済株式総数の10%以上を保有する株主) は、自己の計算 (自分のお金) で自社の有価証券の売買等を行った場合、原則、内閣総理大臣にその売買についての報告書を提出しなければならない。また、会社役員等が、自社株を短期売買することで利益を追求し、会社に対する忠実義務を怠ることのないよう、そのような売買の後6ヶ月以内に反対売買 (買ったものを売る、売ったものを買い戻す) をして利益を得たときは、当該上場会社等は、その者に対し、得た利益の提供を請求することができる。

問1 不公正取引の規制に関する次の記述のうち、正しいものには○を、誤っているものには×をつけなさい。

① 馴合取引とは、他人に誤解させるために仮装の取引をすることである。

② 内部者取引規制において、上場会社が提出した有価証券報告書等に重要事実が記載され、金商法の規定に従い公衆の縦覧に供されることは、重要事実の公表にはあたらない。

③ 資本金の額の減少は上場会社等の業務等に関する重要事実に該当する。

④ 重要事実が日刊紙を販売する新聞社や通信社または放送機関等の2以上の報道機関に対して公開され、かつ、公開したときから12時間以上経過した場合は、重要事実が公表されたとみなされる。

⑤ 上場会社等の発行済株式総数の10%以上を保有する主要株主は、自己の計算でその会社の有価証券の売買等を行った場合、内閣総理大臣に取引に関する報告書を提出しなければならない。

⑥ 内部者取引の規制対象となる会社関係者の範囲には、上場会社等と契約を締結している顧問弁護士は含まれない。

⑦ 上場会社の役員が、当該上場会社の特定有価証券を自己の計算で買い付けした後6ヶ月以内に売り付けて利益を得た場合、当該上場会社は、その役員が得た利益の提供を請求できる。

解答

①× 馴合取引とは、あらかじめ他と通謀して同時期、同価格で取引の申込みをすることである。他人に誤解させるために行う仮装の取引は仮装取引という。

②× 上場会社が提出した有価証券報告書等に重要事実が記載され、金商法の規定に従い公衆の縦覧に供された場合は、重要事実を公表したとみなされる。

③○ 資本金の額の減少は上場会社等の重要事実に該当するため、その事実の公表前にその会社の有価証券等の売買を行うと内部者取引規制の適用を受ける。

④○ この規制を12時間ルールという。

⑤○ なお、上場会社等の役員も自己の計算でその会社の有価証券の売買等を行った場合、内閣総理大臣に取引に関する報告書を提出しなければならない。

⑥× 内部者取引の規制対象となる会社関係者の範囲には、上場会社等と契約を締結している顧問弁護士、公認会計士、引受人、取引銀行等が含まれる。

⑦○ 上場会社の役員または主要株主が、自己の計算で買い付けした後6ヶ月以内に売り付けて利益を得た場合、当該上場会社は、その者に対し得た利益の提供を請求できる。

6.

投資者を保護するためのさまざまな情報開示(ディスクロージャー)制度を見ていこう。

情報開示など

重要度
★★★

1 企業内容等開示制度とは

　金商法における企業内容等開示制度とは、株式や投資信託の受益証券などの有価証券の発行・流通市場において、一般投資家が十分な投資判断材料を入手できるようにするためのものである。

　株式の募集や売出しをするときの「発行市場における開示」、取引所市場での売買取引における「流通市場における開示」に大きく分けられる。

2 発行市場における開示制度

参考

合併、会社分割、株式交換などによって新たに有価証券を発行する場合(組織再編成の場合)も、「募集」として扱われる。

　発行市場とは、株式などを発行し、募集や売出しを行ってそれが投資家の手に渡るまでの市場を指す。

(1)「募集」と「売出し」における情報開示

　有価証券を新たに発行するには、まず「有価証券届出書」を内閣総理大臣に提出しなければならない。また、投資家に有価証券を取得させたり、売り付けたりするためには「目論見書」を交付して投資家に直接有価証券の情報を開示しなければならない。

　ただし、次に示す有価証券の募集や売出しについては開示制度の適用対象とならない。

● 開示制度が適用されない有価証券

・国債証券(国の発行する債券)
・地方債証券(地方公共団体が発行する債券)
・金融債(金融機関が発行する債券)
・政府保証債(政府が元利金の支払いを保証して発行する債券)
・流動性の低い一定の集団投資スキーム持分(事業型投資スキーム持分)

(2) 有価証券届出書

　発行者が有価証券の募集、または売出しの届出をする際、内閣総理大臣へ有価証券届出書を提出し、届出から15日を経過する日までは、金融商品取引業者等は目論見書を用いて勧誘はできるが、実際に取得させたり、売り付けたりできない。

(3) 目論見書

　目論見書とは、有価証券の募集もしくは売出しの際に、当該有価証券の発行者の事業その他の事項に関する説明を記載する文書である。

　目論見書には、交付目論見書と請求目論見書の2種類がある。交付目論見書は、あらかじめまたは同時に交付するものであり、請求目論見書は投資者からの請求があった場合に交付するものである。

　原則、発行者等は、目論見書を必ず交付しなくてはならないが、以下の場合は交付しなくてもよい。

● 目論見書の交付が不要な場合

・適格機関投資家向けの募集や売出し
・すでに同一の銘柄を有する者、またはその同居者がすでに交付を受けている場合や、目論見書の交付を受けないことに同意した場合

3 流通市場における開示制度

　流通市場とは、すでに発行された有価証券が投資家と投資家の間で売買される場所のことであり、取引所市場での売買や、証券会社等の店頭での取引をあわせて「流通市場」と呼んでいる。

　株券のように株価や発行体である企業の経営状態などが日々変化する金融商品は、継続的に情報を開示する必要があり、これを継続開示制度という。

　上場会社や、店頭売買有価証券を発行する者、募集や売出しの際に「有価証券届出書」を提出した発行者等は、次に解説する開示文書を内閣総理大臣に提出しなければならない。

(1) 継続開示制度における情報開示

　継続開示義務のある会社は、以下のような方法で情報を開示しなければならない。

参考

役員、使用人に対するストック・オプションの付与、すでに情報開示されている有価証券の売出しなどの場合は、有価証券届出書の提出は不要だが、目論見書などで情報開示する必要はある。

参考

有価証券届出書、有価証券報告書等の提出後、記載すべき重要事項に変更等がある場合は、訂正届出書・訂正報告書等の提出が必要となる。

有価証券報告書(年次報告書)	・上場会社が事業年度ごとに作成する会社の開示資料で、日々行われる適時開示を年1回集約・保存する年鑑・年報的な文書 ・事業年度経過後3ヶ月以内に提出 ・経理状況、事業内容、その他投資者保護のために必要と定められている事項(企業の概況、事業の状況、設備の状況、提出会社の状況、経理の状況など)
半期報告書	事業年度が6ヶ月を超える場合には、6ヶ月の各期間ごとに半期報告書を会社の区分に応じ、事業年度が開始した日以後6ヶ月が経過した日から起算して次の定める日までに内閣総理大臣に提出しなければならない。 ①上場会社等のうち銀行や保険会社などの金融システムの安定を図るためその業務の健全性を確保する必要がある事業を行う会社:60日以内 ②上場会社等のうち①以外の会社:45日以内 ③上場会社等以外の会社:3ヶ月以内
臨時報告書	・一定のあらかじめ定められた事項(企業内容に関し財政状態及び経営成績に著しい影響を与える事象など)が生じたら直ちに内閣総理大臣へ提出 ・写しを金融商品取引所または金融商品取引業協会に提出
適時開示	・金融商品取引所は適時開示情報に接した場合、適宜売買の一時停止等の市場監理措置をとらなければならない。 ・取引所に上場している会社は重要な会社情報を適時・適切に開示しなければならない(タイムリー・ディスクロージャー)
訂正届出書・訂正報告書	・有価証券届出書及び有価証券報告書等の提出後、記載すべき重要事項に変更等がある場合に提出
親会社等状況報告書	・提出子会社の親会社の株式を所有する者に関する事項を記載し、親会社等の事業年度終了後3ヶ月以内に提出
自己株券買付状況報告書	・上場会社に自己株式の取得に関する株主総会決議、または取締役会決議があった場合に提出

(2) 開示文書提出義務のある会社

　金商法において流通市場における開示義務のある会社は、以下の4種類である。

①　上場会社 (プロ向け市場に上場されている有価証券の発行者は除く)

② 　店頭売買有価証券発行会社（プロ向け店頭売買有価証券の発行者は除く）

③ 　①及び②以外の者で，募集、売出しにつき届出を出した株券、優先出資証券の発行者（ただし、その事業年度を含む5事業年度すべての末日について所有者が300名未満の場合は、内閣総理大臣の承認を得ることで開示義務を免れることができる）

④ 　①から③以外の者で、資本金5億円以上、かつ最近5事業年度のいずれかの末日において株主名簿上の株主数が1,000人以上の会社

参考

④は、資本金と株主数から開示義務がある会社となるかどうかを判断するため「外形基準」と呼ばれている。

4 公衆縦覧と開示制度の電子化

　有価証券報告書などの開示文書は、一定の場所に備え置かれ、それぞれの書類ごとに定められた期間、誰でも自由に見ることができる。これを公衆縦覧という。

　有価証券報告書、半期報告書、有価証券届出書、臨時報告書、親会社等状況報告書、自己株券買付状況報告書等の開示書類はオンライン化されており、EDINETというコンピュータシステムを使って提出し、インターネット上で一般に閲覧させることができる。また、目論見書は電子交付が可能となっている。

5 フェア・ディスクロージャー・ルール（FDルール）

　発行者が未公表の決算情報などの重要情報を証券アナリストなどに提供した場合、他の投資家にも公平に情報提供を求めるルールをFDルールという。発行者には次のような公表の義務が課される。

・意図的な伝達の場合は同時に公表
・意図的な伝達ではない場合は速やかに公表

(1) FDルール

重要情報の定義	当該上場会社等の運営、業務、または財産に関する公表されていない重要な情報であって、投資者の投資判断に重要な影響を及ぼすもの

49

公表義務を 負う者	・社債券、株券、新株予約権証券、投資証券等で金融 　商品取引所に上場されているものの発行者 ・店頭売買有価証券に該当するものの発行者　等
対象となる 情報提供者	・上場会社等 ・投資法人である上場会社等の資産運用会社 上記のその役員、代理人、使用人、その他従業員
公表の方法	インターネットなど
公表が不要 となる場合	・第三者に伝達しない義務を負う場合 ・当該上場会社等の有価証券にかかる売買等をしてはなら 　ない義務を負う場合

6 監査、内部統制

　有価証券報告書を提出する義務のある上場会社等は、事業年度ごとに内部統制報告書を有価証券報告書とあわせて内閣総理大臣に提出する。

　内部統制報告書は、特別の利害関係のない公認会計士・監査法人が監査しなければならない。

　また、上場有価証券の発行会社等は、財務計算に関する書類についても公認会計士、監査法人による監査証明を受けなければならない。

用語

内部統制報告書

会社の財務状況等を報告するための社内システムがきちんと構築されているかを評価するものである。

本番得点力が高まる! 問題演習

問1 企業内容等開示制度に関する次の記述のうち、正しいものには○を、誤っているものには×をつけなさい。

① 投資信託の受益証券は、企業内容等開示制度が適用される有価証券に含まれない。

② 金融債・政府保証債は、企業内容等開示制度が適用されない有価証券である。

③ 企業内容等開示制度において、有価証券報告書の提出会社の財政状態・経営成績に著しい影響を与える事象が発生した場合、その内容を記載した確認書を遅滞なく内閣総理大臣に提出しなければならない。

④ 企業内容等開示制度に関して、自己株券買付状況報告書は、一定の場所に備え置かれ、一定期間公衆の縦覧に供される。

⑤ 募集・売出しにつき内閣総理大臣に届出をした有価証券が、その事業年度を含む３事業年度すべての末日について所有者が300人以上である場合、その発行者は有価証券報告書の提出を免れる。

⑥ 上場有価証券の発行会社等は、金商法上提出を義務付けられる財務計算に関する書類について、監査役の監査を受ければ、公認会計士・監査法人による監査は必要ない。

解答

①× 投資信託の受益証券は、企業内容等開示制度が適用される有価証券に含まれる。

②○ 金融債・政府保証債は、企業内容等開示制度の適用対象外である。

③× 確認書ではなく臨時報告書を遅滞なく提出しなければならない。

④○ 公衆縦覧の期間は、それぞれの開示書類ごとに定められている。

⑤× 募集・売出しにつき内閣総理大臣に届出をした有価証券が、その事業年度を含む５事業年度すべての末日について所有者が300人未満である場合、その発行者は有価証券報告書の提出などの継続開示義務を免れる。

⑥× 公認会計士・監査法人による監査証明が必要である。

TOB!

7.

公開買付制度

重要度
★★★

1 公開買付け (TOB)

公開買付けとは、不特定かつ多数の者（会社の株主・投資者）に対し、公告により株券等の買付け等の申込み、または売付け等の申込みの勧誘を行い、取引所金融商品市場を通さずに株券等の買付け等を行うことである。

2 発行者以外の者による公開買付け

参考

買収や子会社化が目的の場合、公開買付けは発行者以外の者によって行われる。

(1) 公開買付けの届出

● 発行者以外の者による公開買付けの概要

規制の適用範囲	・有価証券報告書の提出義務のある発行者の株券等 ・特定上場有価証券の発行者の株券等 ・プロ向けの店頭売買有価証券 上記の株券等につき当該発行者以外の者が行う買付け等で、一定の要件にあてはまる場合は公開買付けによらなければならない。
公開買付届出書の提出	・公開買付けの目的、買付価格、買付予定株券等の数などの事項を公告した日に、内閣総理大臣に提出 ・直ちにその写しを当該公開買付けの対象会社等に送付する。
公衆縦覧	5年間

公開買付開始公告を行わなかった者、虚偽記載等のある公開買付開始公告を行った者に対して、課徴金制度が設けられている。

(2) 行為規制

発行者以外の者による公開買付けには、公正な取引条件を確保するため、以下のような規制が設けられている。

● 発行者以外の者による公開買付けに関する規制

- ・公開買付け価格の条件は均一でなくてはならない。
- ・公開買付けの途中で価格を引き上げることはできるが引き下げることは原則できない。
- ・公開買付けを行う場合は、対象有価証券を公開買付け以外の方法によって別途買い付けることはできない。
- ・原則、公開買付けを撤回することはできない(破産などの重要な事実の変更の場合は認められる)。　等

参考

価格の引下げができない理由は、いくらで買います、という条件を引き下げると、投資家が不利になるからである(あらかじめ条件を付すことで認められるものもある)。

3 発行会社による公開買付け

発行会社による公開買付け(上場会社による自己株式の公開買付け)についても、発行者以外の者による公開買付けと手続きは同じである。

会社支配権の獲得などとは直接関係なく、公開買付けをする会社自身が重要事実を所有しているため、以下のような規制がある。

● 発行会社による公開買付けに関する規制

- ・公開買付対象会社の意見表明報告書の提出は不要である。
- ・公開買付届出書の提出前に未公表の重要事実があるとき等は、その公表等が必要となる。
- ・発行会社は、重要事実を公表する義務を怠るなど、違反があったときは賠償責任を負う。

買い占めには
ルールがある。

株券等の大量保有の状況に
関する開示制度 (5%ルール)

重要度
★★★

1 株券等の大量保有の状況に関する 開示制度 (5%ルール)

　株券等の大量保有の状況に関する開示制度は、「5%ルール」と呼ばれ、株券等の大量の取得・保有等に関する情報を投資家に伝えることで、株式市場の公正性・透明性を高め、投資者保護が図られる。

　上場会社等が発行する株券等の保有者で、その株券等の保有割合が5%を超える者 (大量保有者) は、株券保有割合、取得資金、保有目的、その他の事項を記載した報告書 (大量保有報告書) を提出しなければならない。

(1) 対象有価証券

　対象有価証券は、上場株券等の発行者である法人が発行する有価証券で、①株券 (議決権がないものは除く)、②新株予約権証券及び新株予約権付社債券、③外国の者が発行する証券・証書で①及び②の有価証券の性質を有するもの、④投資証券等及び新投資口予約権証券等などである。無議決権株 (議決権のない株券)、自己株式は規制の対象外である。

(2) 株券等の大量保有の状況に関する開示制度の概要

● 株券等の大量保有の状況に関する開示制度の概要

大量保有者	上場会社等が発行する株券等の保有者で、その保有割合が5%を超える者
株券等保有割合	保有者の保有する株券等の数に共同保有者の保有する株券等の数を加え、発行済株式総数で割った割合
対象有価証券	上場株券等の発行者である法人の発行する有価証券 議決権のある株券、新株予約権証券及び新株予約権付社債券、投資証券等、自己株式　等

用語

共同保有者
株券等の保有者と共同して株券等の取得、譲渡等をすることを合意している、他の保有者のことである。

大量保有報告書の提出	大量保有者が、大量保有者となった日から5日以内(日曜、休日は含まず)に、内閣総理大臣(実際には関東財務局長等)に対し、EDINET(金商法に基づく各種開示書類に関する電子開示システム)を通じて提出することが義務づけられている。EDINETを通じて提出した場合は、発行者への大量保有報告書の写しの送付義務は免除される。 なお、内閣総理大臣が訂正報告書の提出命令を発し、虚偽記載等のあった大量保有報告書等を公衆の縦覧にしないものとしたときは、その通知を受けた金融商品取引所・認可金融商品取引業協会は公衆縦覧の義務を解除される。
公衆縦覧	5年間
変更報告書	原則として、保有割合が1％以上増減した場合、その日から5日以内(日曜、休日は含まず)に提出

(2) 特例報告制度

　証券会社、銀行、信託銀行、保険会社などが、大量保有報告書を提出する場合、簡便な方式による報告ができる「特例報告制度」が設けられている。

　ただし、株券保有割合が10％を超える場合、あるいは「重要提案行為等」を行うことが保有目的の場合、この特例は利用できない。

2 課徴金・刑事罰

　大量保有報告書等を提出しないと、課徴金制度の対象となる。また、不提出や虚偽記載については5年以下の懲役もしくは500万円以下の罰金、もしくはこれが併科される。

用語

重要提案行為
発行者の事業活動に重大な変更を加え、または重大な影響を及ぼす行為である。

本番得点力が高まる! 問題演習

問1 株券等の大量保有の状況に関する開示制度（5%ルール）に関する次の記述のうち、正しいものには〇を、誤っているものには×をつけなさい。

① 株券等の大量保有者とは、上場会社が発行する株券等の保有割合が5％を超える者のことである。

② 大量保有報告書は3年間公衆の縦覧に供される。

③ 株券等の大量保有の状況に関する開示制度において、大量保有報告書は、大量保有者となった日から7日以内に内閣総理大臣に提出するものとされている。

解答

①〇 株券等の大量保有者には、大量保有報告書の提出義務がある。

②× 大量保有報告書は5年間公衆の縦覧に供される。

③× 大量保有報告書は、大量保有者となった日から起算して5日以内に内閣総理大臣に対し、EDINETを通じて提出するものとされている。

第3章

金融商品の勧誘・販売に関係する法律

予想配点　6点／300点 出題形式 ○×方式…3問 （配点と出題形式はTACの予想です）	金融商品取引法以外の、外務員として遵守しなければならない法律について覚えましょう。この章で紹介する法律は、どれも金融商品の勧誘や販売に密接に関わっており、業務を遂行するためには欠かせない知識です。

関連章　　　なし

公正な取引の実現のために、証券外務員が覚えるべき法律は金商法以外にもまだあります。

代表例としては、金融サービスを提供する側が覚えるべき法律❶、消費者の保護を目的とした法律❷、個人情報に関する法律❸などがあります。

マネー・ローンダリングなどの犯罪の防止を目的とした法律❹もあるので、しっかりと内容を覚えていきましょう。

1. 金融サービスの提供及び利用環境の整備等に関する法律

勧誘・販売にも
ルールがある！

法律

重要度
★★★

1 概要と趣旨

　金融サービスの提供及び利用環境の整備等に関する法律（以下、「金融サービス提供法」という）は、次の事項について定めている。

> ①金融商品販売業者等が金融商品を販売する際の顧客に対する説明義務
> ②説明義務違反により顧客に損害が生じた場合の損害賠償責任及び損害額の推定等
> ③その他の金融商品の販売等に関する事項
> ④金融サービス仲介業を行う者について登録制度を実施し、その業務の健全かつ適切な運営を確保すること

2 適用対象・範囲

　金融サービス提供法において説明の義務を負うのは、「金融商品の販売等」を業として行う者である。金融商品の販売とは、預金等の受入れを内容とする契約、有価証券を取得させる行為、市場・店頭デリバティブ取引などである。金融商品の販売等には、金融商品の販売のほか、それらの取次ぎや代理・媒介を含む。

　具体的には次のような行為となる。

> ・顧客からの株券の委託売買の取次ぎを行う行為
> ・顧客に対する投資信託の販売
> ・顧客からの商品関連市場デリバティブ取引の委託の取次ぎを行う行為

3 説明義務

（1）顧客に説明すべき重要事項

　金融商品販売業者等は、金融商品の販売等を業として行おうとするときは、金融商品が販売されるまでの間に、顧客に対して次のような重要事項を説明しなければならない。重要事項の説明は書面の交付による方法でも可能であるが、顧客の知識、経験、財産の状況及び当該金融商品の販売に係る契約を締結する目的に照らして、当該顧客に理解されるために必要な方法及び程度によるものでなければならない。

> ・市場リスクや信用リスクを原因とする元本欠損のおそれ、当初元本を上回る損失が発生するおそれ
> ・権利行使期間に制限がある場合や、クーリングオフ期間に制限がある場合は、その旨

　重要事項の説明義務は、取引の相手が特定顧客（金商法上の特定投資家）である場合には適用されず、顧客が重要事項について説明を要しない旨を意思表示した場合には、商品関連市場デリバティブ取引及びその取次ぎ（金商法2条8項1号）の場合を除き、説明義務は免除される。

　なお、金融サービス提供法上の説明義務の免除の如何に関わらず、金商法上の説明義務は免除されない。

（2）説明義務違反の無過失化

　金融サービス提供法では、金融商品販売業者の重要事項の説明義務違反について、故意または過失の有無を問わない（無過失責任）。

（3）因果関係・損害額の推定

　金融サービス提供法では、金融商品販売業者等が金融商品の販売等に際して、説明義務違反や断定的判断の提供の禁止に違反する行為を行った場合に、不法行為による損害賠償責任があることを明確にし、民法の不法行為の特則として、損害の立証責任の転換を図るとともに、損害額の推定を行わなければならない。

用語

クーリングオフ
特定の取引で契約したあと、一定期間無条件で契約を解除できる制度である。

第3章　金融商品の勧誘・販売に関係する法律　金融サービスの提供及び利用環境の整備等に関する法律

	民法	金融サービス提供法
説明義務違反	故意または過失の存在が要求される	・故意、過失の有無を問わない(無過失責任)・これにより生じた損害の賠償責任を負う・断定的判断の提供を行った場合も同じ
不法行為と損害の発生の因果関係及び損害額	顧客側に立証責任	・金融商品販売業者側に立証責任・損害額は元本欠損額と推定

4 金商法における適合性原則・説明義務との関係

　適合性原則や説明義務については、金商法においても規定されているが、金商法上では、当該義務を怠った金融商品取引業者等に対する行政処分であるのに対して、金融サービス提供法の説明義務違反については、損害賠償義務、因果関係、損害額の推定など私法上の効果を生じさせるものである。

　金融サービス提供法では金融サービス仲介業者の行為規制を定めており、有価証券の売買の媒介、募集・私募の取扱いは「特定金融サービス契約」に当たるため、金商法上の定める各種の行為規制が準用される。

5 顧客の説明不要の意思表示

　金融サービス提供法上の重要事項の説明義務は、特定顧客でない場合でも金商法2条8項1号に規定する商品関連市場デリバティブ取引及びその取次ぎの場合を除き、「説明不要」の意思の表明があった場合は免除されるが、金商法上では特定投資家に該当しない顧客に対しては「説明不要」との意思表示があった場合でも実質的説明義務を免れるわけではない。

6 金融サービス仲介業

　金融サービス提供法上の登録を受けた金融サービス仲介業者は、次の業を行うことができる。

- ・預金等媒介業務
- ・保険媒介業務
- ・有価証券等仲介業務
- ・貸金業貸付媒介業務
- ・電子決済等代行業（電子金融サービス仲介業務を行う登録をした場合）

本番得点力が高まる! 問題演習

問1 金融サービス提供法に関する次の記述のうち、正しいものには○を、誤っているものには×をつけなさい。

① 預金契約は「金融商品の販売等」に該当し、金融サービス提供法の適用対象となる。

② 金融サービス提供法において、金融商品販売業者等は金融商品の販売後に顧客に対して重要事項を説明してもかまわない。

③ 金融サービス提供法において、金融商品販売業者等が行う重要事項の説明は書面の交付による方法のみで足りる。

④ 金融サービス提供法において、取引の相手が特定顧客である場合は、一定の場合を除き、重要事項の説明義務は適用されない。

⑤ 金融サービス提供法において、過失により、顧客に対して重要事項の説明を行わなかった場合、説明義務違反にはならない。

 解答

①○ 預金契約の他に有価証券を取得させる行為なども金融サービス提供法の適用対象となる。

②× 金融サービス提供法において、金融商品販売業者等は金融商品の販売までの間に顧客に対して重要事項を説明しなければならない。

③× 書面の交付による方法でも可能だが、顧客の知識、経験、財産の状況及び当該金融商品の販売に係る契約を締結する目的に照らして、当該顧客に理解されるために必要な方法及び程度によるものでなければならない。

④○ また、顧客が重要事項について説明を要しない旨を意思表示した場合も、重要事項の説明義務は免除される。

⑤× 金融サービス提供法において、金融商品販売業者の重要事項の説明義務違反は、故意または過失の有無を問わない。

2.

不利な条件は
無効にできる！

消費者契約法

重要度
★★★

1 概要と趣旨

消費者契約法は、消費者保護の観点から定められている。消費者を誤認させる行為または消費者を困惑させる行為が行われた場合、消費者には取消権や不当な契約条項の無効、適格消費者団体による差止請求権等を主張する権利が与えられている。

2 適用対象とその範囲

消費者契約法は「消費者契約」に適用される。消費者契約とは、個人の消費者と事業者との間で締結される契約のことである。その契約が金融商品の販売であった場合には、金融サービス提供法も適用されることになる。

3 消費者による契約の取消しと無効

（1）契約の取消し

事業者が消費者に契約の締結について勧誘をする際、次の場合に該当した結果、消費者が契約の申込み等をした場合には、消費者は契約の取消しができる。消費者が取消権を行使すると、当初にさかのぼって契約が無効であったことになる。

● 対象となる主な契約

重要事項の不実告知	消費者に対して重要事項について事実と異なることを告げたことにより、消費者に告げられた内容が事実であると誤認した場合
断定的判断の提供	将来における変動が不確実な事項につき断定的判断を提供することにより、消費者が提供された断定的判断の内容が確実であると誤認した場合

用語

消費者
個人のうち「事業としてまたは事業のために契約の当事者となる場合における者」以外を指す。

用語

事業
営利目的の有無にかかわらず一定の目的を持って反復継続的になされる同種の行為である。個人であっても、事業の目的で契約を結ぼうとする場合には消費者とはみなされない。

不利益事実の故意または重過失による不告知	消費者に対して、重要事項等について消費者の利益となる旨を告げ、不利益となる事実を故意または重過失によって告げなかったことにより、消費者が不利益となる事実は存在しないと誤認をした場合
不退去	事業者に対し、消費者が、住居または業務を行っている場所から退去すべき旨の意思を示したにもかかわらず、それらの場所から退去しないことによって消費者が困惑した場合
退去妨害	事業者が消費者契約の締結について勧誘をしている場所から消費者が退去する意思を示したにもかかわらず、その場所から消費者を退去させないことによって消費者が困惑した場合
勧誘することを告げずに退去困難な場所へ同行し勧誘した場合	消費者に対し、消費者契約の締結について勧誘することを告げずに、その消費者が退去することが困難な場所であると知りながら、その場所に同行し、その場所で勧誘することで消費者が困惑した場合
威迫する言動を交え相談の連絡を妨害した場合	消費者が契約の締結をするか否かの相談を、当該事業者以外の者と電話やメールなどによる連絡の意思を示したにもかかわらず、威迫する言動に交えて消費者が連絡することを妨げることによって消費者が困惑した場合
社会生活上の経験不足の不当な利用	消費者が社会生活上の経験が乏しいことから、それに関する重要事項やこのほかの要因に関する重要事項の願望の実現に対して不安を抱いていることを知りながら、裏付けとなる根拠がないにもかかわらず、その願望の実現のために契約が必要である旨を告げることにより消費者が困惑した場合
恋愛感情等に乗じた人間関係の濫用	消費者が勧誘する者に対して恋愛感情等を抱き、かつ、勧誘する者も同様の感情を抱いているものと誤信していることを知りながら、契約をしなければ勧誘する者との関係が破綻することになる旨を告げることによって消費者が困惑した場合
加齢等による判断能力の低下の不当な利用	消費者が加齢等により判断能力が著しく低下していることから生活の維持に不安を抱いていることを知りながら、裏付けとなる根拠がないなどにもかかわらず、契約をしなければ生活の維持が困難となる旨を告げることによって消費者が困惑した場合

霊感等を用いた告知	霊感等の合理的に実証することが困難な特別な能力による知見を用いて、消費者に対して重大な不利益を与える事態が生じる旨を示し不安をあおり、契約によってその不利益を回避できる旨を告げることによって消費者が困惑した場合
過量取引	事業者が消費者契約の締結について勧誘する際、その契約の目的となるものの分量や回数、期間が通常の分量等を著しく超えるものであると知りながら勧誘し、消費者が契約の申込みまたは意思表示をした場合

なお、消費者契約法に基づく取消権は、追認することができる時（契約が取消し可能だと認識したとき）から1年間行使しないとき、または消費者契約の締結から5年を経過したときに消滅する。ただし、霊感などによる告知を用いた勧誘に対する取消権は追認できるときから3年、契約の締結から10年を経過すると消滅する。

(2) 契約の無効

消費者契約において、その契約に消費者の利益を一方的に害する条項を含む場合、そのような条項は無効となる。

・事業者の損害賠償の責任を免除する条項等の無効
・消費者の解除権を放棄させる条項等の無効
・事業者に対し後見開始の審判等による解除権を付与する条項の無効
・消費者が支払う損害賠償の額を予定する条項等の無効等
・消費者の利益を一方的に害する条項の無効

(3) 金融サービス提供法との関係

金融サービス提供法の第2条と消費者契約法は、いずれも民法の特則として機能するため、同じ行為であっても両方の法律で重複して対象となるものもある。消費者の側で有利な方を選択することができる。

本番得点力が高まる! 問題演習

問1 消費者契約法に関する次の記述のうち、正しいものには○を、誤っているものには×をつけなさい。

① 消費者が取消権を行使しても、当初にさかのぼって契約を無効とすることはできない。

② 事業者が消費者に対して重要事項と異なることを告げたことにより、消費者が告げられた内容を事実だと誤認した場合、消費者はその契約を取り消すことができる。

③ 消費者が事業者に対して消費者の住居等から退去すべき旨の意思を表したにもかかわらず、その場所から退去しないことによって消費者が困惑した場合、消費者はその契約を取り消すことができる。

④ 消費者契約法に基づく取消権は、消費者契約の締結時から3年間行使しないと消滅する。

⑤ 消費者契約において、その契約に消費者の利益を一方的に害する条項を含む場合、その条項は無効となる。

解答

①× 消費者が取消権を行使した場合、当初にさかのぼってその契約が無効であったことになる。

②○ 重要事項の不実告知は消費者契約法による契約の取消しの対象となる。

③○ 不退去は消費者契約法による契約の取消しの対象となる。

④× 消費者契約法に基づく取消権は、追認することができる時から1年間行使しないとき、または消費者契約の締結時から5年間行使しないと消滅する。ただし、霊感などによる告知を用いた勧誘に対する取消権は追認できるときから3年、契約の締結から10年を経過すると消滅する。

⑤○ 消費者契約法は消費者保護の観点から不当な契約条項の無効を主張することができる。

3. 個人情報保護法（個人情報の保護に関する法律）

個人情報は法律によって守られているんだ。

重要度

1 概要と趣旨

個人情報保護法（個人情報の保護に関する法律）は、個人情報の適正な取扱いに関し、事業者が従うべき義務を定めた法律である。

個人情報取扱事業者に該当する協会員は、顧客の個人情報の保護のため「個人情報保護法」「金融分野ガイドライン」「安全管理実務指針」に従い、個人情報取扱事業者の義務を遵守しなければならない。

2 適用対象とその範囲

個人情報保護法が適用されるのは、「個人情報」「個人データ」「保有個人データ」「要配慮個人情報」「仮名加工情報」「匿名加工情報」「個人関連情報」である。

● 個人情報保護法の主な適用対象

個人情報	・生存する個人に関する情報 ・氏名、生年月日等により特定の個人を識別することができる情報 ・個人識別符号を含む
個人データ	・個人データベース（個人情報を含む情報の集まり）を構成する個人情報
保有個人データ	・個人情報取扱業者が開示、内容の訂正、追加または削除、利用の停止、消去及び第三者への提供の停止を行うことのできる権限を持つ個人データ
要配慮個人情報	・人種、信条、社会的身分、病歴、犯罪歴等 ・本人に対する不当な差別、偏見その他の不利益が生じないよう取扱いに配慮が必要な情報

匿名加工情報	個人情報をその区分に応じて定められた措置を講じて特定の個人を識別することができないように加工した情報

　また、情報単体から個人を識別できる指紋・掌紋、虹彩の模様、マイナンバー、基礎年金番号等を個人識別符号として、これを含む情報は個人情報となる。

3 個人情報取扱事業者に関する義務

(1) 個人情報に関する義務

　個人情報については、以下のような義務が規定されている。

・個人情報取扱事業者は、個人情報を取り扱う場合、利用目的をできる限り特定しなければならない。
・個人情報取扱事業者は、原則として、あらかじめ本人の同意を得ないで、特定された利用目的のために必要な範囲を超えて、個人情報を取り扱ってはならない。
・個人情報取扱事業者は、契約締結に伴い契約書等に記載された個人情報を取得する場合等において、あらかじめ本人に対し、その利用目的を明示しなければならない。

(2) 「個人データ」に関する義務

　個人データについては、以下のような義務が規定されている。

・個人情報取扱事業者は、取り扱う個人データについて、安全管理措置を講じ、従業者の監督、委託先の監督をしなければならない。
・個人情報取扱事業者は、個人情報取扱事業者が取得し、または取得しようとしている個人情報について、その個人情報取扱事業者が個人データとして取り扱うことを予定しているものの漏えい等を防止するために必要かつ適切な措置を行う。
・個人情報取扱事業者は、原則として、あらかじめ本人の同意を得ないで第三者に対し個人データを提供してはならない。ただし、法令等に基づく場合や、人の生命、身体または財産の保護のために必要がある場合など、一定の場合にはかかる制限は適用されない。

(3) 「保有個人データ」に関する義務

　保有個人データについては、以下のような義務が規定されている。

・個人情報取扱事業者は、保有個人データに関する事項の公表、本人か

ら求められた場合の開示・訂正・利用停止・理由説明の義務がある。
・保有個人データの安全管理のために講じた措置等について原則として公表が必要である。また、保有個人データに関する開示についても本人の請求による方法での開示が原則として義務化され、第三者提供記録が開示請求の対象となり、保有個人データの利用停止・消去の請求、第三者提供の停止の請求ができる。

(4)「要配慮個人情報」及び「機微（センシティブ）情報」に関する義務

「要配慮個人情報」とは、本人の人種、信条、社会的身分、病歴、犯罪の経歴、犯罪により害を被った事実、その他、本人に対する不当な差別、偏見その他の不利益が生じないようにその取扱いに特に配慮を要するものである。

金融分野のガイドライン上においては、「要配慮個人情報」ならびに、「労働組合への加盟、門地、本籍地、保健医療及び性生活に関する情報」が「機微（センシティブ）情報」とされる。

金融分野における個人情報取扱事業者である協会員は、機微（センシティブ）情報について法令等に基づく場合や人の生命、身体または財産の保護のために必要がある場合を除き、取得、利用または第三者提供を行うことは禁止されている。また、本人の同意があったとしても、機微（センシティブ）情報について取得、及び利用、第三者提供を行うことはできない。

4 個人データ漏えい時の対応について

個人情報取扱事業者は、その取り扱う個人データの漏えい、滅失、毀損その他の個人データの安全の確保に係る事態であって個人の権利利益を害するおそれが大きいものとして個人情報保護委員会規則で定めるものが生じたときは、個人情報保護委員会規則で定めるところにより、当該事態が生じた旨を個人情報保護委員会に報告しなければならない。

5 法人情報・公開情報

① 法人情報

法人の情報は、個人情報保護法及び金融分野ガイドラインの対象ではない。しかし、法人の代表者個人や取引担当者個人を識別できる情報は、個人情報に該当するため注意が必要である。

② 公開情報

　個人情報保護法では、公開・非公開を区別していないため、公開情
報であっても個人情報の定義に該当する限り、個人情報となる。

6 マイナンバー法

　個人番号関係事務実施者である事業者は、法定書類に個人番号を
記載しなければならない。そのため、本人から個人番号の提供を受ける
必要がある。その際、その利用目的の通知または公表をする必要がある。
また、提供を受けるつど、所定の方法で本人確認を行うことが必要となる。

本番得点力が高まる! 問題演習

問1 個人情報保護法に関する次の記述のうち、正しいものには○を、誤っているも
のには×をつけなさい。

① 　個人情報保護法において、個人情報取扱事業者は個人情報を取り扱う場合にでき
る限り利用目的を特定しなければならない。

② 　法人の代表者や取引担当者個人を識別できる情報は、個人情報保護法や個人情
報保護ガイドラインにおいては対象外となっているため、個人情報に該当しない。

③ 　個人情報保護法においては、個人識別符号が含まれているだけの情報は、個人
情報に当たらないものとされている。

解答
①○ 　個人情報保護法は、個人情報取扱事業者に該当する金融商品取引業
者が、顧客の個人情報保護のために従うべき法律である。

②× 　法人の代表者や取引担当者個人を識別できる情報は、個人情報保護
法や個人情報保護ガイドラインにおいては対象外だが、個人情報に該当
する。

③× 　個人情報保護法における個人情報には、生存する個人の情報で、氏
名・生年月日その他の記述等により特定の個人を識別できるものだけでな
く、個人識別符号が含まれているものも該当する。

4. 犯罪収益移転防止法 （犯罪による収益の移転防止に関する法律）

重要度
★★★

1 概要と趣旨

犯罪収益移転防止法は、犯罪による収益のマネー・ローンダリング（資金洗浄）や、テロリズムに対する資金供与などが行われないようにするための法律である。

2 取引時の確認義務事項

金融商品取引業者は、顧客に有価証券を取得させる契約を締結する際、最初に、顧客について本人であることを特定するための確認を行わなければならない。これを「取引時確認」という。代理人が取引を行う場合には、本人に加えて代理人も取引時確認が必要である。

確認が必要となる事項は、以下のものである。

● **本人特定事項**

・氏名
・住居及び生年月日(法人の場合は名称及び本店所在地)
・取引を行う目的
・職業(法人の場合は事業の内容)　等

本人確認書類は、個人の場合は運転免許証や各種健康保険証などがある。有効期限のある証明書は提示または送付を受ける日において有効なもの、有効期限のない証明書は提示または送付を受ける日の前の6ヶ月以内に作成されたものに限られる。

用語

マネー・ローンダリング
犯罪や不正な取引で得たお金を別の口座などへ移し、どのようなお金なのかをわからないようにすることである。

71

3 確認記録と取引記録

　金融商品取引業者は、取引時確認を行った場合、直ちに確認記録を作成し、当該契約の取引終了日及び取引時確認済み取引に係る取引終了日のうち、後に到来する日から7年間保存しなければならない。

　また、顧客との間で、特定取引を行った場合には、直ちに取引記録を作成し、原則として、当該取引の行われた日から7年間保存しなければならない。

4 疑わしい取引の届出義務

　金融商品取引業者は、以下のような場合は速やかに行政庁に対して「疑わしい取引の届出」を行わなければならない。

・受け取った財産が犯罪による収益である疑いがある場合
・顧客が犯罪収益の取得や処分について事実を仮装したり、犯罪収益を隠匿したりしている疑いがあると認められる場合

本番得点力が高まる! 問題演習

問1 金融商品の勧誘、販売に関係する法律に関する次の記述のうち、正しいものには○を、誤っているものには×をつけなさい。

① 犯罪収益移転防止法において、金融商品取引業者は、顧客に有価証券を取得させる契約を締結する際、最初に取引時確認を行わなければならないが、代理人が取引を行う場合、代理人について取引時確認は不要である。

② 犯罪収益移転防止法において、金融商品取引業者は、取引時確認を行った場合、直ちに確認記録を作成し、当該契約の取引終了日及び取引時確認済み取引に係る取引終了日のうち、後に到来する日から5年間保存しなければならない。

③ 有効期限のない本人確認書類は提示または送付を受ける日の前の6ヶ月以内に作成されたものに限る。

④ 犯罪収益移転防止法において、金融商品取引業者は、顧客から受け取った財産が犯罪による収益である疑いがある場合、速やかに行政庁に対して「疑わしい取引の届出」を行わなければならない。

 解答

①× 代理人が取引を行う場合は、本人に加えて代理人も取引時確認が必要である。

②× 取引時確認を行った場合は、直ちに確認記録を作成し、当該契約の取引終了日及び取引時確認済み取引に係る取引終了日のうち、後に到来する日から7年間保存する必要がある。

③○ なお、有効期限のある証明書は提示または送付を受ける日において有効なものが本人確認書類となる。

④○ なお、金融商品取引業者が「疑わしい取引の届出」を行う行政庁は、金融庁である。

第 **4** 章

経済・金融・財政 の常識

予想配点　20点／300点
出題形式
五肢選択方式…2問
（配点と出題形式はTACの予想です）

　証券外務員の業務において、社会経済についての知識は必須の項目となります。この章では、経済・金融・財政という3つの観点から基礎的な内容を学び、理解を深めていきましょう。

関連章　　第9章

人々の社会活動と密接に関わる証券業には、経済・金融・財政の知識は必要不可欠のものです。

様々な指標から経済の現状を正しく理解❶し、金融市場の全体像を見極め❷、その基盤となる財政❸が健全なものかを常に注視する必要があります。

活発で健全な市場を保つためにも、確実にこれらの知識を身に付けてください。

経済の動向を見るのに欠かせない指標を学習しよう。

1. 経済の見方

重要度
★★☆

1 経済成長とGDP

経済成長は、国内総生産（GDP）によって測られる。国内総生産に海外からの所得の純受取を足したものが、国民総所得（GNI）である。

(1) 国内総生産（GDP）の定義

国内総生産（GDP）とは、一国内のそれぞれの経済活動部門で、1年間に生み出された付加価値の合計である。「国内総生産」といっても、生産（付加価値）だけでなく、分配（所得）、支出という側面も持っている。そして、それらの値は等しい。これを三面等価の原則という。

(2) 分配面から見た国内総生産

1年間に生み出された付加価値が、生産活動に加わった労働や資本に対してどのように分配されるのかを表すと次のようになる。

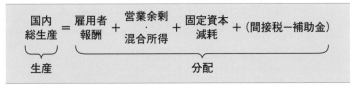

(3) 支出面から見た国内総生産

国内総支出（GDE）は、以下の式で表すことができ、この値は国内総生産（GDP）と等しくなる。

国内総支出 ＝ 民間消費 ＋ 民間投資 ＋ 民間在庫変動＋政府支出（政府消費＋公共投資）＋ 公的在庫変動＋輸出 － 輸入

消費には、民間によるものと政府によるものがあり、民間消費は国内総支出の中で最大のシェアを占めている。

用語

付加価値
生産額（売上高）から生産のために必要となる原材料やエネルギーという中間投入額を差し引いた値のことである。

参考

需要項目のうち、最大のシェアを持つのが民間消費である。

(4) 名目GDPと実質GDP

● 名目GDPと実質GDP

名目GDP	その年の経済活動水準を、市場価格で評価したもの。
実質GDP	名目GDPから、物価による変動分を取り除いたもの。

名目GDPから物価変動の影響をとりのぞき、実質GDPとの差を埋める役目をするのがGDPデフレーターである。

GDPデフレーターは、名目額を実質額で割って算出する。

2 経済成長と景気循環

経済の動向は経済成長と景気循環の2つの観点から知ることができる。

(1) 経済成長

経済成長をもたらす要因には、供給要因（企業がどのように設備・労働力・原材料を入手するか）と需要要因（企業に対してどのような需要があるか）がある。一国の経済がどの程度の生産能力を有しているかについて知るには以下の3要素で構成される「供給能力」を見る。

① **労働力**…労働投入量

労働投入量＝労働者（就業者）の数×1人当たりの総労働時間

② **資本ストック**…企業が抱える稼動中の設備の量

③ **技術進歩**…同じ生産量を、より少ない設備や労働力で生み出す技術の変化

(2) 景気循環

景気の良し悪しを年月の経過に沿って表してみると、波のような形となる。このような動きが景気循環である。

また、1つの景気は、谷、拡張期、山、後退期の4局面からなり、その長さを周期という。景気の上昇局面の始まりを景気の谷、下降局面の始まりを景気の山という。

① 在庫循環

在庫循環とは、企業の在庫数・出荷数などに起因する景気循環のことである。

② 設備投資循環

設備投資とは、企業が工場や機械などの設備にお金を投じることであり、設備投資循環とは、5年超の長い景気循環を記録することである。

設備投資循環には、更新投資、ストック調整原理、独立投資の3つ

参考

GDPは四半期ごとに発表されており、この四半期ごとに速報が公表されるGDPをQE（Quarterly Estimates）という。QEは、前年同期比や、前期比年率で見る見方がある。

第4章

経済・金融・財政の常識 経済の見方

の要因がある。これらによって生じた需要は多くの企業に波及し、さらに大きな需要を生む波及効果を加速度原理という。

(3) 景気関連統計

内閣府は、景気の状況を代表していると思われる指標をいくつか組み合わせた「景気動向指数」を作成し、毎月公表している。景気動向指数は、先行系列、一致系列、遅行系列に分けられる。

● 景気動向指数の採用系列

参考

逆サイクルとは、3ヶ月前の数値と比べてマイナス、減少していればプラスとして計算するものである。

先行系列	景気の動きに3〜6ヶ月ほど先行していると考えられる11系列	①最終需要財在庫率指数(逆サイクル) ②鉱工業用生産財在庫率指数(逆サイクル) ③新規求人数(除学卒) ④実質機械受注(製造業) ⑤新設住宅着工床面積 ⑥消費者態度指数 ⑦日経商品指数(42種総合) ⑧マネーストック(M2)(前年同月比) ⑨東証株価指数 ⑩投資環境指数(製造業) ⑪中小企業売上げ見通しD.I.
一致系列	景気の動きと一致していると考えられる10系列	①生産指数(鉱工業) ②鉱工業用生産財出荷指数 ③耐久消費財出荷指数 ④労働投入量指数(調査産業計) ⑤投資財出荷指数(除輸送機械) ⑥商業販売額(小売業、前年同月比) ⑦商業販売額(卸売業、前年同月比) ⑧営業利益(全産業) ⑨有効求人倍率(除学卒) ⑩輸出数量指数
遅行系列	景気の動きに遅行していると考えられる9系列	①第3次産業活動指数(対事業所サービス) ②常用雇用指数(調査産業計、前年同月比) ③実質法人企業設備投資(全産業) ④家計消費支出 　　(全国勤労者世帯、名目、前年同月比) ⑤法人税収入 ⑥完全失業率(逆サイクル) ⑦きまって支給する給与(製造業、名目) ⑧消費者物価指数 　　(生鮮食品を除く総合、前年同月比) ⑨最終需要財在庫指数

出所：内閣府(2024年5月時点)

DI（Diffusion Index）とは、採用系列のうち拡張した系列（値が増えた系列）の割合を表した指標であり、拡張系列の占める割合が50%を超えるか超えないかを見るもので、景気の波及度（度合い）を表す。

一方、CI（Composite Index）とは、各採用系列の変化率を合成することで作成された指標である。景気変動の大きさや景気の量感（テンポ）を知ることができ、DIよりも有用であるといえる。

(4) 日銀短観（全国企業短期経済観測調査）

日銀短観（全国企業短期経済観測調査）とは、日本銀行（以下、日銀と略す）が3ヶ月（四半期）に一度公表している調査である。日銀短観は、業況、価格、設備、雇用、資金繰り等に関する各種DIや売上、収益、設備投資等に関する各種計画が明らかになるものである。したがって、企業が景気の現状をどのように考え、将来についての見通しを立てているかを知るうえで有用な資料である。

(5) 消費活動指数

消費活動指数とは、日銀が個人消費の動向をいち早く正確に把握するために定期的に作成・公表する指数である（毎月5営業日公表）。名目値と実質値、旅行収支を調整したものと調整していないものなどの複数指数があり、分析目的に応じて使い分けることが可能となっている。

3 いろいろな統計の見方

(1) 消費関連統計の見方

家計は、国民経済において「消費」という需要を生み出す役割を果たす。家計が消費する支出の合計額は、民間最終消費の中で最も多い。消費関連の統計を調べることで、経済の状況を知ることができる。

● 消費支出の決定要因

所　　得	雇用者報酬＋財産所得＋混合所得＋社会保障給付等
可処分所得	所得－所得税等－社会保険料等（健康保険料＋年金保険料＋雇用保険料等） 所得のうち、実際に自由に使えるお金のことである（手取り収入）。
消費性向 （%）	消費支出÷可処分所得×100 可処分所得のうち、実際に消費として支出される割合のことである。
家計貯蓄	可処分所得－消費支出 消費に回されず、手元に残るお金のことである。

| 家計貯蓄率
(%) | 家計貯蓄÷可処分所得×100
可処分所得のうち、貯蓄に回った割合のことである。 |

① 消費関連の統計

　消費に関連する統計には、GDP統計の家計最終消費支出（内閣府）、家計調査（総務省）、家計消費状況調査（総務省）などがある。また、消費全体の動向を捉える消費動向指数（CTI）がある。

(2) 住宅関連統計の見方

　家計には「住宅の購入（＝住宅投資）」という役割がある。住宅関連の統計を調べることで、経済の状況を知ることができる。

| 新設住宅着工 | 新設住宅着工や新設住宅着工床面積などのデータを、工事着工ベースで集計した統計である。 |

(3) 雇用関連統計の見方

　家計は国民経済において労働力を供給する役割もある。雇用の調整は、景気の良し悪しと深い関わりがあるため、雇用関連の統計を調べることで、経済の状況を知ることができる。

● 雇用に関連する指標

総実労働時間	1人1ヶ月間の所定内労働時間(通常の勤務時間)＋1ヶ月間の所定外労働時間(残業や休日出勤など)
有効求人倍率	有効求人数／有効求職者数(倍) 有効求人倍率は、職業安定所に申し込んだ人1人に対して、どれだけの求人があるかを表す。景気とほぼ一致した動きをする(好況期に上昇、不況期に低下)。 有効求人倍率が1を上回ると求人が見つからない企業が多く、1を下回ると仕事が見つからない人が多いということを意味する。
完全失業率	完全失業者数／労働力人口×100（%） なお、労働力人口とは、働く意思を持つ15歳以上の人口である。また、労働力人口が15歳以上人口に占める比率を労働力人口比率という。 $$労働力人口比率（\%）＝\frac{労働力人口}{15歳以上人口}×100$$

労働生産性 （円）	・労働者1人当たりまたは1人1時間当たりの実質付加 価値生産額 ・付加価値額÷労働者数
単位労働コスト	時間当たり賃金／労働生産性

（4）物価関連統計の見方

　物価に関連する統計を調べることで、経済の状況を知ることもできる。物価に関連する指標は、企業、消費者、サービスなどの観点から数値化されている。

● 物価関連の指標

企業物価指数 （CGPI）	企業間で取引される中間財（原材料等）の価格の水準を指数で示したものである。国内企業物価指数（PPI）、輸出物価指数、輸入物価指数の3つが代表的な指数である。
消費者物価指数 （CPI）	家計が購入する約600品目の価格を各品目の平均消費額で加重平均した指数である。直接税や社会保険料等の非消費支出や、土地、住宅等の価格は含まれない。国内企業物価指数（PPI）の動きより遅行し、国内企業物価指数（PPI）ほど景気に敏感ではない。総務省から発表されるラスパイレス指数である。
企業向けサービス 価格指数（SPPI）	企業間サービスの価格を把握するために日銀によって開発された指標である。CPIより先行する。ラスパイレス指数である。
GDPデフレーター	名目GDPを実質GDPで割ったもので、国内生産品しか含まない。比較時点の財・サービスの構成比によって算出されるパーシェ指数である。

用語

ラスパイレス指数
基準時点の数量構成比を固定して算出される指数である。

用語

パーシェ指数
比較時点の数量構成比によって算出される指数である。

4 国際収支

　国際収支とは、ある国と他国との経済に関わるあらゆる取引の収支を分野別に表したものである。

（1）国際収支統計の構成

　国際収支統計（IMF方式）とは、一国の一定期間内のあらゆる対外経済取引を体系的に記録した統計であり、経常収支＋資本移転等収支－金融収支＋誤差脱漏＝0の関係が成り立つように統計が作られている。

① 経常収支

経常収支とは、その国の対外的な経済力を表す代表的な指標であり、貿易・サービス収支、第一次所得収支及び第二次所得収支の3項目を合計したものである。

経常収支 ＝ 貿易・サービス収支 ＋ 第一次所得収支 ＋ 第二次所得収支

貿易収支	財貨(物)の輸出から輸入を差し引いたものである。
サービス収支	輸送、旅行その他のサービスを示す。
第一次所得収支	雇用者報酬、投資収益(直接投資、証券投資及びその他投資収益)、その他第一次所得の受払が計上される。
第二次所得収支	食糧、医療品などの消費財に係る無償資金援助、国際機関への拠出金及び労働者送金等の対価を伴わない物資、サービスの受払が計上される。

② 金融収支

金融収支は、対外資産・負債の増減を表している。海外との資本の流れをとらえるもので、直接投資、証券投資、金融派生商品、その他投資及び外貨準備の合計である。

5 世界経済の動向

各国と世界経済を結び付けているものは、貿易と資本の流れであり、この2つの流れは逆行する。

世界貿易の動向に自国経済がどの程度影響を受けるかを表したものを貿易依存度といい、この数値が高い場合、自国の景気動向が世界貿易の動きに影響を受けやすいこととなる。

貿易依存度 ＝ 自国の貿易額 ÷ 名目GDP
(商品輸出＋商品輸入)

本番得点力が高まる！ 問題演習

問1 経済の見方に関する次の記述のうち、正しいものには○を、誤っているものには
×をつけなさい。

① GDPデフレーターは名目GDPから実質GDPを引いて求める。

② 新設住宅着工床面積は、景気の変動に先行して動く傾向があり、景気先行指標と
して利用されている。

③ 景気動向指数のうち、「東証株価指数」は先行系列である。

④ 消費関連統計のうち、家計貯蓄率とは可処分所得を家計貯蓄で割ったものである。

⑤ 有効求人倍率は、景気とほぼ一致した動きをする。

⑥ 有効求人倍率は、1を下回ると求人が見つからない企業が多いことを意味する。

⑦ 企業物価指数とは、企業間で取引される中間財の価格水準を指数で示したもので
ある。

⑧ 消費者物価指数（CPI）は、家計が購入する各種消費財やサービスの小売価格
水準を指数化したもので、土地や住宅等の価格も含まれる。

⑨ 完全失業率とは、労働力人口に占める完全失業者数の割合である。

解答

①× GDPデフレーターは名目GDPを実質GDPで割って求める。

②○ 新設住宅着工床面積は、景気動向指数の先行系列に採用されている。

③○ 景気動向指数は、先行系列、一致系列、遅行系列に分けられる。

④× 家計貯蓄率は、家計貯蓄を可処分所得で割って求める。可処分所得の
うち貯蓄に回った割合を表している。

⑤○ 有効求人倍率は、好況期には上昇し、不況期には低下する。

⑥× 有効求人倍率は、1を上回ると求人が見つからない企業が多いことを意
味する。

⑦○ なお、企業物価指数には国内企業物価指数、輸出物価指数、輸入物
価指数がある。

⑧× 消費者物価指数（CPI）には、土地や住宅等の価格は含まれない。また、
直接税や社会保険料といった非消費支出もCPIに含まれない。

⑨○ なお、完全失業率は、景気動向指数の遅行系列に採用されている。

第4章

経済・金融・財政の常識 経済の見方

2.

金融の概要

通貨、金融機関、金融市場、金融政策などについておさえよう

買いオペ
売りオペ

重要度
★★★

参考

通貨とは、狭義では現金通貨と預金通貨（当座預金、普通預金、通知預金等の要求払預金等）を、広義ではこれに準通貨（定期性預金等）を含めたものを表す。

1 通貨

（1）通貨の役割

● **通貨の主要な機能**

価値尺度	物やサービスの価格を通貨（値段）で示すことができ、商品の価値の計算単位となる。
交換手段	どのようなものでも通貨を介すことで交換が容易になる。
価値の貯蔵手段	通貨を保有すると、将来に備え、価値を貯蔵できる。

（2）マネーストック

　通貨の動きを知ることは、経済全体を考える上で重要である。そのために、通貨の供給量を分析する必要がある。

　マネーストック統計とは、国内の民間非金融部門が保有する通貨量である。国や金融機関の保有量は含まれない。マネーストック統計の代表的な指標は以下の4つである。

● **マネーストック統計の指標**

M1	現金通貨＋預金通貨
M2	現金通貨＋預金通貨＋準通貨＋CD（預金通貨・準通貨・CDの預け先は国内銀行等に限定）
M3	M1＋準通貨＋CD
広義流動性	M3＋金銭の信託＋投資信託＋金融債＋銀行発行普通社債＋金融機関発行CP＋国債＋外債

(3) 通貨の値打ち

① 物価との関係

物価は、国内における通貨の値打ちといえる。物価が上昇すれば同じ値段で同じものが買えなくなることになるので、通貨の価値が下がることを意味する。

● **インフレーション進行による影響**

・通貨によって表示される商品価値が不安定になるため、通貨の価値尺度としての機能が損なわれる。
・通貨を早く手放さないと目減りするため、安定した交換手段としての通貨の役割が損なわれる。
・現金等で保有している者は通貨価値の目減りが避けられず、価値の貯蔵手段としての機能が損なわれる。

② 金利との関係

資金を借り入れるときに支払う金利は、資金の値打ち（価格）といえる。資金の需要が多ければ、高い金利を払ってでも資金を借り入れるため金利は上昇し（値打ちが上がり）、資金需要が減退すれば、低い金利でも借り入れることができるので金利は低下する（値打ちが下がる）。

参考

通常、インフレーションが進行しているときは高金利となり、沈静化しているときには低金利となる。

● **金利と資金需要の関係**

金利支払い＝資金の値打ち(価格)

使用用途のない資金
1億円を持っている
Aさん

借入れ

事業拡大のため
1億円が必要な
B社

B社の他に資金が必要な人や企業等が
- 大勢いる→資金の値打ち（価格）が上がる→金利が上がる
- 少ない →資金の値打ち（価格）が下がる→金利が下がる

物価の上昇が激しく物価上昇を予想して資金の貸借を行うと、名目金利は上昇する。

名目金利は、（実質金利＋期待（予想）インフレ率）で表すことができ、実質金利に予想される物価上昇率を加えたものである。この名目金利、実質金利及び期待（予想）インフレ率の関係を「フィッシャー効果」と呼ぶ。

③ 為替との関係

外国為替とは、異なる通貨の交換をいう。そこで使用する為替レートはその交換比率であり、1外国通貨単位（ドルやユーロなど）＝○○円という表示の仕方を、自国通貨建ての為替レートという。

通貨の対外的な値打ちは、為替レートによって表される。円高とは、対外的な円の値打ちが上がることを意味し、円安とは、対外的な円の値打ちが下がることを意味する。

● ドルと円の関係

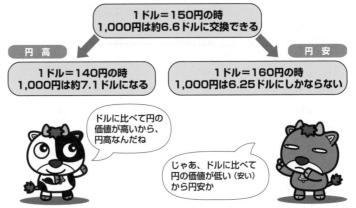

※ ドル換算は、1ドル未満切捨て（手数料は考慮していない）

（4）マネーストックと物価

マネーストックと物価の間には、長期的には相関関係があるため、日銀などの中央銀行は、金融政策の運営目標としてマネーストックも重要視している。

2 金融機関

経済全体で見ると、資金が余っている部門（家計など）と、不足している部門（企業など）が存在している。金融機関はそれらの仲介機能を果たしており、資金の効率的な配分を行う。金融機関の中でも重要な位置付けにあるのが、日銀（日本銀行）である。

日銀は、日本銀行法に基づいて設立された国の中央銀行であり、以下の3つの役割を果たしている。

① **発券銀行**…銀行券（紙幣等）の独占的発行権を有する。
② **銀行の銀行**…市中金融機関を相手に取引する。
③ **政府の銀行**…政府の出納業務を行う。

なお、金融機関は、業態別に見ると、日本銀行他、普通銀行、中小企業金融機関、農林系統金融機関、保険会社、金融商品取引業者、その他民間金融機関（証券金融会社、短資会社、ノンバンク）、政府金融機関に分かれる。

3 金融市場

金融市場とは、資金の取引が行われる場全体のことをいい、次のように分類される。

● **金融市場の分類**

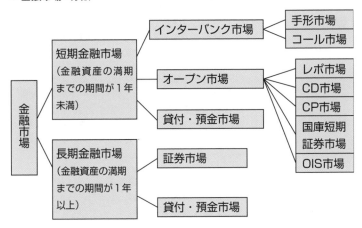

長期金融市場は、株式、債券等を扱う証券市場が代表的である。また、短期金融市場は、インターバンク市場とオープン市場、貸付・預金市場とに分けられるが、貸付・預金市場を除いたものが狭義の短期金融市場である。

（1）インターバンク市場

インターバンク市場とは、金融機関に参加が限られた市場であり、金融機関相互の資金運用や資金調達の場として利用されている。

● **インターバンク市場の構成**

手形市場	取引期間は自由である。
コール市場	超短期の資金取引（大部分は翌日物）であり、有担保コールと無担保コールがある。資金の最大の貸し手は信託銀行で、借り手は地銀や証券・証券金融会社の存在が大きい。

参考

インターバンク市場は、短期の資金不足を調整し合う機能を果たす市場である。

用語

手形
手形とは、記載された期日までに額面に記されている金額とひきかえることができる有価証券である。

(2) オープン市場

オープン市場とは、一般事業法人等の非金融機関にも参加が許されている市場である。

● オープン市場の構成

レポ市場	・現先取引(一定期間後に一定価格で売り戻したり買い戻したりすることを条件に売買する取引) ・現金担保付債券貸借取引(レポ取引、または債券レポ)
CD市場	CD (Certificate of Deposit)とは、譲渡性預金証書のことで、期間は1〜3ヶ月のものが最も多い。発行者は預金を受け入れている金融機関に限られる。発行残高シェアの過半を都市銀行が占めており、預入者は流通市場での金融機関が中心である。
CP市場	CP (Commercial Paper)とは、企業による短期の事業資金調達を目的とした約束手形である。期間は3ヶ月程度のものが多く、割引方式(期日に戻る約束の金額より、最初に支払う金額の方が安い)で発行される。CPの流通形態は、短期の現先取引が大半である。
国庫短期証券市場	国庫短期証券とは、償還期間が1年以内の割引債である。償還期間には、2ヶ月、3ヶ月、6ヶ月、1年の4種類がある。
短期金利デリバティブ (OIS市場)	一定期間の翌日物無担保コールレートと固定金利を交換する取引を行う。

用語

譲渡性預金証書
定期預金の一種である。銀行から発行される証書は自由に譲渡することができる。

(3) 金融市場における金利と資金需要

金融市場における金利は、資金需給の動向を反映して変動する。

そこで、金利の動きを安定させるために、銀行の準備預金制度がある。

準備預金制度とは、民間金融機関に対して法律で義務付けられているもので、預貯金等の一定割合相当額を日銀の当座預金に預け入れるという制度である。この預け金を準備預金といい、預金等に課せられる割合を預金準備率 (または支払準備率) という。

4 金利

　金利とは、資金を借りる場合に貸し手に支払う賃借料である。金融市場の主な金利は以下のものである。

(1) 基準割引率及び基準貸付利率 (旧：公定歩合)

　基準割引率及び基準貸付利率とは、日銀が民間金融機関に貸し出す際に適用される基準金利のことである。金融機関の短期的な調達金利の上限になっている。

(2) 貸出金利

　貸出金利とは、金融機関から企業や個人へ貸し出す際に適用される利率のことで、返済期間が 1 年未満の短期貸出金利と 1 年以上の長期貸出金利に分けられる。

5 金融政策

　金融政策とは、日銀が、「物価の安定を図る」ことと「金融システムの安定的運用」を目的として、各種の政策手段を講じることである。

　日銀の金融政策手段としては、公開市場操作と預金準備率操作の 2 つが代表的である。

(1) 公開市場操作

　公開市場操作 (オペ) とは、日銀が市場で国債などの売買を行い、民間金融機関が日銀に保有する当座預金残高を増減させ、短期金利に影響を与える政策のことである。

● 公開市場操作

買い オペレーション	不況時、日銀が債券等を買い入れて資金を供給する操作
売り オペレーション	過熱時、日銀が債券等を売却して資金を吸収する操作

(2) 預金準備率操作

　預金準備率操作とは、民間金融機関に課せられている準備預金制度において、日銀が預金準備率を変更することで、金融に影響を与える政策のことである。

用語

預金準備率
準備預金制度における銀行や信用金庫など金融機関の預金等に対して課せられる割合 (一定比率以上を日銀に無利子で預け入れる比率) をいう。

6 金融市場の変貌

世界でも金融市場の一体化が進み、新たな金融政策が見られるように
なった。

(1) BIS規制の導入

BISとは、世界の主要国中央銀行の出資により設立された国際決済銀
行である。BIS規制とは、主要国の国際業務を営む銀行の自己資本比
率などについての国際的な統一基準のことである。

(2) ペイオフの解禁

ペイオフ（預金保険）制度とは、金融機関が破綻した場合、そこに預け
ている預金などを、1名義当たり合算して元本1,000万円とその利息分
を限度に預金保険機構が払い戻す制度である。なお、決済性預金（無
利息、要求払い、決済サービスを提供できる、という3つの条件を満たす預金）は
全額保護される。

(3) 資産の証券化・流動化

資産の証券化とは、金融機関や企業が保有する資産を本体から切り
離し、切り離された資産から生じるキャッシュ・フローを、投資者に弁済す
る金融商品に作り替えることである。これにより資産が流れやすくなり、資
産を保有する金融機関や企業は資金を調達しやすくなる。

問1 金融の概要に関する次の記述のうち、正しいものには○を、誤っているものには×をつけなさい。

① 通貨は、商品の価値の計算単位となり、価値の尺度としての機能をもつ。

② インフレーションが進行すると、通貨の価値は相対的に下落する。

③ 日銀は、発券銀行、銀行の銀行、政府の銀行という3つの機能を果たしている。

④ インターバンク市場には、債券市場とコール市場がある。

⑤ オープン市場は、金融機関相互の資金運用・調達の場として利用され、参加は金融機関に限られる。

⑥ 買いオペレーションは、日銀が債券等を買い入れて資金を供給する操作のことである。

解答

①○ 通貨の主要な機能には、ほかに交換手段としての機能、価値の貯蔵手段としての機能がある。

②○ インフレーションが進行すると、実物資産の価値に比べて通貨の価値が下がる。

③○ 日銀は金融機関の中でも重要な位置づけにある。

④× インターバンク市場には、手形市場とコール市場がある。

⑤× 記述はインターバンク市場のものである。オープン市場は、一般事業法人等の非金融機関にも参加が許されている。

⑥○ なお、売りオペレーションは、日銀が債券等を売却して資金を吸収する操作のことである。

第4章

経済・金融・財政の常識 金融の概要

政府の予算や支出
などについておさえ
よう。

3.

財政の概要

重要度
★★★

1 財政とは

　財政とは、政府（国等）の経済活動のことである。

　財政では一方的に行政サービスが公的機関から給付され、その費用として税金も一方的に徴収されるという特徴がある。

2 政府の予算

　政府の経済活動においては、まず予算がたてられる。国の予算は、国民の代表である国会の議決で決まる。会計年度は、4月1日から翌年3月31日までである。

参考

予算案が否決された場合、両院協議会で協議をするが、意見が一致しなければ、衆議院での議決が優先される。

（1）予算のしくみ

① 予算編成

　国の予算の作成、国会への提出は内閣が行う（実際に編成を行うのは財務大臣）。国会での予算審議はまず衆議院から始まり、衆議院で可決されると、参議院での審議に移る。参議院でも可決されると、予算は成立となる。参議院が予算案を受け取ってから30日以内に決まらない場合は、自然成立する。

② 予算の構成

　国の予算は、一般会計予算と特別会計予算から構成されている。

92

● 予算構成

一般会計予算…国の重要な財政活動(公共事業、社会保障、教育など)を行う
　　　　　　　　ための予算
・本予算　　：基本的な計画当初の予算
・暫定予算：4月1日までに予算が成立しない場合に、必要経費だけを計上
　　　　　　　する、予算成立までの間の暫定的な予算
・補正予算：予算成立後に経費の追加や内容変更などを加えた予算

特別会計予算…以下の特別な事情に対して設けられる予算
・国が特定の事業を行う場合
・特定の資金を保有してその運営を行う場合
・一般の歳入歳出と区分して経理する必要がある場合

(2) 財政の範囲・大きさ

　国民経済における財政の規模は、公的需要と国民負担率という概念
で見ることができる。

● 財政の規模

・公的需要…最終消費支出(教育、警察などの経常支出)
　　　　　　　＋公的総資本形成(公共投資と公的在庫品増加)
・国民負担率…租税・社会保障負担／国民所得
　高齢化の進展などにより、今後上昇の見通しである。

3 政府の支出

　政府は予算に基づいて支出活動を行うため、一般会計予算の額と一
般会計歳出の額は等しくなる。また、一般会計歳出は、基礎的財政収
支対象経費、国債費に分かれる。

(1) 基礎的財政収支対象経費

基礎的財政収支対象経費とは、一般会計の歳出から、国債費の一部を除いたものである。

● 基礎的財政収支対象経費の主な経費

社会保障関係費	基礎的財政収支対象経費のなかで最も金額の大きな経費で、年金、医療、介護、福祉等の4つに分類される。
地方交付税交付金	国税として集められた税金を地方公共団体に一般財源として配分するものである。
文教及び科学振興費	文教及び科学技術振興のための経費である。
公共事業関係費	社会資本の整備を行うための経費である。
防衛関係費	防衛は純粋公共財で、私的に供給することができない。そのため、その水準はGDP比約1%で推移。
新型コロナウイルス感染症及び原油価格・物価高騰対策予備費、ウクライナ情勢経済緊急対応予備費	新型コロナウイルス感染症対策予備費は、感染拡大状況に応じた政策対応を行うため、2020年度第1次補正予算から計上。
その他	食料安定供給関係費、経済協力費、エネルギー対策費、中小企業対策費などがある。

参考

防衛費の適正水準
2027年度に2022年度のGDPの2%に達するよう予算措置を講ずる予定。

(2) 国債費

国債費とは、過去に発行した国債の元利払いのために、毎年必要な支出である。一般会計の中で社会保障関係費に次ぐ大きな支出である。

4 租税と公債

(1) 租税

租税とは、国が経費にあてるために国民や企業から集める金銭のことであり、国の収入の中心となる。

● 望ましい税制に求められる原則

垂直的公平	高所得者ほど大きな税負担をすべきという原則
水平的公平	所得が等しい場合、税負担も等しくあるべきという原則

直接税	納税者が直接税務当局に納める。（例：所得税、相続税等）
間接税	課税される主体と納税する主体が異なる。（例：消費税等）

　租税は、国税と地方税、所得課税と消費課税、資産課税などという分類もある。国税とは国に納める租税であり、地方税とは地方公共団体に支払う租税である。

(2) 公債

　公債とは、債券の発行を通じて負う債務、またその発行された債券のことであり、国債と地方債がある。国の歳出は、公債・借入金以外の歳入を財源としなければならないという原則（公債不発行主義）があるが、特例法により特例国債（赤字国債）は発行されている。

5 財政投融資

　財政投融資とは、政策的な必要性があるものの、民間では対応が困難な長期・固定・低利の資金供給や大規模・超長期プロジェクトの実施を可能とするための投融資活動（資金の融資・出資）のことである。財政投融資計画では、国の予算と並行して審議され、国会で同時に承認される。

6 財政と国民経済

　財政は国民の生活において、以下の３つの重要な役割を担う。

● 財政の役割

資源の効率的配分	すべての人々に消費、利用される公共財の供給には、対価をまったく支払わない人にまで便益がおよぶ現象（フリーライダー現象）が避けられないため、政府が公共財を提供することで、資源の効率的な配分を期待できる。
所得再分配	所得税制が累進課税制度（高所得者から多く、低所得者からは少なく税金を徴収する制度）なので、個人から別の個人への所得移転が可能である。所得分配を調整している。
経済安定化効果	景気循環の波をできるだけ小さくし、完全雇用を維持する。

参考

特例国債は、本来の目的（公共事業など、将来の発展のため）とは違い、赤字を補うために特例として発行されているので、そう呼ばれる。

参考

公共財とは、例えば防衛などの特殊なサービスのことである。

第4章 経済・金融・財政の常識／財政の概要

7 財政赤字とプライマリーバランス

　財政赤字とは、政府の歳出が歳入を上回ることである。財政の状態を示す指標の中で、政府が特に重視している指標の1つにプライマリーバランス（PB：基礎的財政収支）がある。プライマリーバランスとは、公債金収入以外の収入（借金以外の収入）と、利払費や債務償還費を除いた支出の収支のことである。この収支が均衡していれば、その年の国民生活に必要な財政支出を、公債金収入に頼らずに国民の税負担等で賄えていることになる。

本番得点力が高まる! 問題演習

問1 財政に関する次の記述のうち、正しいものには○を、誤っているものには×をつけなさい。

① 国の予算は、一般会計と特別会計から構成されている。

② 国民負担率とは、国民所得に対する国債発行額の比率のことである。

③ 基礎的財政収支対象経費は、一般会計の歳出から国債費を除いたものである。

④ 基礎的財政収支対象経費の中で最も金額が大きいのは、防衛関係費である。

⑤ 地方税とは、納税者が地方公共団体に支払う租税である。

⑥ プライマリーバランスとは、公債金収入以外の収入と、利払費や債務償還費を除いた支出の収支のことである。

解答

①○　なお、一般会計は、本予算、暫定予算、補正予算に分けられる。

②×　国民負担率は、国民所得に対する租税・社会保障負担の比率である。

③○　なお、国債費は政策的に変更することが難しいため、それらを除いた一般歳出は、国政のための経費の規模と考えられる。

④×　基礎的財政収支対象経費の中で最も金額が大きい経費は、社会保障関係費である。

⑤○　なお、国に納める租税は、国税である。

⑥○　プライマリーバランスが均衡していることは、基礎的財政収支対象経費を国民の税負担等で賄えていることを意味する。

第 5 章

特別会員
論点

セールス業務

予想配点　10点／300点
出題形式
五肢選択方式…1問
（配点と出題形式はTACの予想です）

関連章　第2章　第6章

　有価証券の売買を担う証券外務員には、業務を行う上で非常に高い倫理観を持つことが求められます。この章では、その詳細と必要性について解説していきます。

証券外務員には、投資家の様々な要望に応える必要があります。そしてその為には高い倫理観❶を持つことが必須条件です。

国際的なルール❷も存在するので、コンプライアンスへの意識とそれを更新し続ける姿勢を強く持つことが大切です。

証券外務員が行うべき公正な取引の実現のため、常に最新のルールに沿った対応が出来るように意識しましょう。

1.

高い倫理観を持つことは、外務員としての基本!

外務員の倫理観

重要度 ★★☆

1 外務員の倫理観とその必要性

外務員の職務権限は、その所属する協会員（金融商品取引業者等）に代わって有価証券の売買その他の取引に関し、一切の裁判外の行為を行う権限を有するものとされているため、常に高い倫理観を有することが求められる。

● 外務員の仕事

外務員の仕事には、以下のような事項が求められる。

・投資家が不安を乗り越えて最終的な判断を下すための一助となる有用なアドバイスや情報をルールの範囲内で提供する
・投資家のニーズを的確に分析・把握するとともに、投資方針や投資目的、資産や収入などを勘案し、未来に対する誠実な洞察と豊富な商品知識に基づく有用な投資アドバイスを行う（明らかに不適切な投資を行おうとした場合には再考を促すよう適切なアドバイスを行う）
・常に最新かつ多くの情報を集め、投資家それぞれのニーズに最適な価値を有する商品・サービスを提供できるよう、自己研鑽に励むことが必要である

2. IOSCOの行為規範原則

国際的な原則も
外務員として、
しっかり守ります！

重要度
★★★

1 IOSCO（イオスコ）の行為規範原則

IOSCOの行為規範原則とは、IOSCO（証券監督者国際機構）が採択した証券業者のための行為規範原則である。

国際的レベルで証券業者の行為原則を共通にするため、IOSCO（証券監督者国際機構）は次に示す7項目の行為規範原則を採択した。これを基に、わが国においても必要な法改正が実現している。

IOSCOは、世界各国・地域の証券監督当局、証券取引所等から形成されている。

①誠実・公正

業者は、その業務にあたっては、顧客の最大の利益及び市場の健全性を図るべく、誠実かつ公正に行動しなければならない。

②注意義務

業者は、その業務にあたっては、顧客の最大の利益及び市場の健全性を図るべく、相当の技術、配慮及び注意を持って行動しなければならない。

③能力

業者は、その業務の適切な遂行のために必要な人材を雇用し、手続きを整備しなければならない。

④顧客に関する情報

業者は、サービスの提供にあたっては、顧客の資産状況、投資経験及び投資目的を把握するよう努めなければならない。

⑤顧客に対する情報開示

業者は、顧客との取引にあたっては、当該取引に関する具体的な情報を十分に開示しなければならない。

⑥利益相反

業者は、利益相反を回避すべく努力しなければならない。利益相反を回避できないおそれがある場合においても、すべての顧客の公平な取扱いを確保しなければならない。

⑦コンプライアンス

業者は、顧客の最大の利益及び市場の健全性を図るため、その業務に適用されるすべての規則を遵守しなければならない。

本番得点力が高まる! 問題演習

問1 IOSCOの行為規範原則に関する次の記述のうち、正しいものには○を、誤っているものには×をつけなさい。

① 業者は、金融商品取引業の業務にあたっては、自己の最大の利益及び市場の健全性を図るべく、誠実かつ公正に行動しなければならない。

② 業者は、サービスの提供にあたっては、顧客の資産状況、投資経験及び投資目的を把握するよう努めなければならない。

③ 業者は、顧客との取引にあたっては、当該取引に関する具体的な情報を十分に開示しなければならない。

④ 業者は、その業務にあたっては、顧客の最大の利益及び資産状況を把握すべく、相当の技術、配慮及び注意を持って行動しなければならない。

⑤ 業者は、顧客の最大の利益及び市場の健全性を図るため、その業務に適用されるすべての規則を遵守しなければならない。

解答

①× 業者は、顧客の最大の利益及び市場の健全性を図るべく、誠実かつ公正に行動しなければならない。

②○ IOSCOの「行為規範原則④　顧客に関する情報」の記述内容である。

③○ IOSCOの「行為規範原則⑤　顧客に対する情報開示」の記述内容である。

④× 業者は、その業務にあたっては、顧客の最大の利益及び市場の健全性を図るべく、相当の技術、配慮及び注意を持って行動しなければならない。

⑤○ IOSCOの「行為規範原則⑦　コンプライアンス」の記述内容である。

第 **6** 章

協会定款・諸規則

予想配点　40点／300点
出題形式
○×方式…5問
五肢選択方式…3問
（配点と出題形式はTACの予想です）

日本証券業協会は、協会員に対して健全な金融商品取引業を行うための自主規制規則が定められています。また、統一慣習規則、紛争処理規則、協会運営規則、その他の規則などの諸規則も存在します。この章では、これらの内容について紹介します。

関連章　　第2章　第5章　第8章　第9章

公正で健全な取引の実現を目指した自主規制機関が、日本証券業協会❶です。

協会はその目的の実現のため、証券会社などの協会員やその従業員を対象に様々な規則❷❸を定めています。

また、取り扱われる各金融商品等にも様々な規則❹❺❻❼が存在します。これらの諸規則も重要なポイントとなります。

1. 日本証券業協会

重要度
★★★

1 日本証券業協会の概要

日本証券業協会は、内閣総理大臣の認可を受けた法人であり、内閣総理大臣の登録を受けた第一種金融商品取引業者、登録金融機関で組織されている。協会は、協会員の営業ルールを確立するために各種の自主規制ルールを制定するほか、外務員（証券外務員）資格試験の実施、外務員の登録に関する事務なども行っている。

(1) 協会員の種類

日本証券業協会から協会への入会の承認を受けた金融商品取引業者を協会員という。協会員は会員、特定業務会員、特別会員の3種類に区分される。

● 日本証券業協会の協会員

日本証券業協会	
第一種金融商品取引業者 ① 会員 ② 特定業務会員	登録金融機関 ③ 特別会員

① **会員**…第一種金融商品取引業を行う者（②の業務のみを行う者を除く）

② **特定業務会員**…第一種金融商品取引業者のうち、特定店頭デリバティブ取引等に係る業務、第一種少額電子募集取扱業務（株式投資型クラウドファンディング業務）、商品関連市場デリバティブ取引取次ぎ等に係る業務のみを業として行う者

③ **特別会員**…登録金融機関（有価証券関連業務の一部を行うとして内閣総理大臣の登録を受けた銀行等）

第一種金融商品取引業とは、主に金融商品取引業のうち次に挙げるいずれかの業務をいう。

● 該当する業務

①流動性の高い有価証券についての、売買・市場デリバティブ取引・外国市場デリバティブ取引、売買・市場デリバティブ取引・外国市場デリバティブ取引の媒介・取次ぎ・代理、売買・市場デリバティブ取引・外国市場デリバティブ取引の委託の媒介・取次ぎ・代理、有価証券等清算取次ぎ、売出し、募集・売出し・私募の取扱い
②商品関連市場デリバティブ取引の媒介・取次ぎ・代理、商品関連市場デリバティブ取引の委託の媒介・取次ぎ・代理、有価証券等清算取次ぎ
③店頭デリバティブ取引又はその媒介・取次ぎ・代理、有価証券清算取次ぎ
④有価証券の引受け
⑤PTS（私設取引システム）業務
⑥有価証券等管理業務

(2) 協会の目的及び諸規則

協会の目的は、協会員の行う有価証券の売買その他の取引等を公正かつ円滑ならしめ、金融商品取引業の健全な発展を図り、もって投資者の保護に資することである。

協会は、自主規制措置として以下のような諸規則を定めることができる。

● 営業ルールの確立のための規則

自主規制規則	有価証券の売買その他の取引等に関する公正な慣習を促進して不当な利得行為を防止し、取引の信義則を助長するための規則
統一慣習規則	取引に関する慣習を統一し、不確定・不統一から生じる紛争を排除するための規則
紛争処理規則	顧客からの苦情の解決及び顧客と協会員、協会員相互間の紛争の迅速かつ適正な解決に資するための規則

信義則
信義に従い誠実に権利の行使や義務の履行を行わなければならないとする原則のことである。

問1 日本証券業協会に関する次の記述のうち、正しいものには○を、誤っているものには×をつけなさい。

① 日本証券業協会の目的は、有価証券の売買その他の取引等を公正かつ円滑ならしめ、金融商品取引業の健全な発展を図り、もって投資者の保護に資することである。

② 日本証券業協会の協会員のうち、「会員」とは、第一種及び第二種金融商品取引業を行う者である。

解答

①○ 協会の目的は、金商法の目的とも共通する部分が多い。

②× 「会員」は第一種金融商品取引業を行う者のことである。日本証券業協会の協会員には、「会員」のほかに「特定業務会員」と「特別会員」がある。

2. 協会員に関する規則

証券会社などに対する
ルールをおさえよう。

重要度
★★★

1 協会員の投資勧誘、顧客管理等に関する規則

協会員の投資勧誘、顧客管理等に関する規則は、協会員が行う有価証券の売買その他の取引等の勧誘、顧客管理等について適正化を図ることを目的とし、協会員が業務を行う上で守るべき基本となるルールである。

(1) 業務遂行の基本姿勢

協会員は、その業務遂行にあたり、常に投資者の信頼を確保し、金商法等諸規則を遵守し、投資者本位の事業活動に徹しなければならないとされている。また、投資勧誘にあたって顧客の投資経験、投資目的、資力等を十分に把握し、顧客の意向と実情に適合した投資勧誘を行うという適合性の原則を遵守し、顧客に十分な説明を行い、理解を得なくてはならない。

(2) 自己責任原則の徹底

協会員は、投資勧誘にあたっては、顧客に対し、「投資は投資者自身の判断と責任において行うべきものである」と理解させる必要がある。

(3) 顧客カードの整備等

協会員は、有価証券の取引等を行う顧客については、次に掲げる事項を記載した顧客カードを備え付けなくてはならない。

● 顧客カード記載事項

・氏名または名称　・住所または所在地　・生年月日　・職業
・投資目的　　　　・資産の状況　　　　・投資経験の有無
・取引の種類
その他必要事項　等

なお、顧客カードは顧客の資産状況等が記録されているため、協会員

参考

顧客カードには顧客の資産状況等が記録されているため、協会員はこれら記載事項により知り得た事項を他に漏らしてはならない。

は顧客に関する情報を漏えいしてはならない。

(4) 顧客情報の漏えい等の禁止

協会員は、顧客に関する情報（例えば、見込み顧客や引受部門、投資銀行部門等の顧客に関する情報を含み、公知の情報を除く）を漏えいしてはならない。また、協会員は、他の協会員の顧客に関する情報や金融商品仲介業者のその顧客に関する情報を不正に取得してはならない。また、不正に取得した顧客に関する情報を業務に使用・漏えいしてはならない。

(5) 勧誘開始基準

協会員は、以下の販売の勧誘を行うにあたり、それぞれに勧誘開始基準を定め、基準に適合した顧客（特定投資家を除く個人に限る）でなければ、勧誘を行うことができない。

● 勧誘開始基準を定める必要のある販売

・店頭デリバティブ取引に類する複雑な仕組債に係る販売
・店頭デリバティブ取引に類する複雑な投資信託に係る販売
・レバレッジ投資信託に係る販売
・「社債券の私募等の取扱い等に関する規則」に規定する審査規定等対象社債券に係る販売

(6) 高齢顧客に対する勧誘による販売

協会員が高齢顧客に対して勧誘による販売を行う場合には、高齢顧客の定義、販売対象となる有価証券等、説明方法、受注方法等に関する社内規則を定め、適正な投資勧誘に努めなければならない。

(7) 取引開始基準

協会員は、信用取引のようなハイリスク・ハイリターンな取引を行うにあたり、それぞれ取引開始基準を定め、その基準に適合した顧客と契約を締結するものとされている。

取引開始基準には、顧客の投資経験、顧客からどのくらいの資産を預かっているかといった内容のほか、各協会員において必要と認める事項について定めなければならない。

● 取引開始基準を定める必要のある取引

・信用取引
・外国株式信用取引
・新株予約権証券の売買その他の取引
・有価証券関連デリバティブ取引等

> ・新投資口予約権証券
> ・特定店頭デリバティブ取引等
> ・商品関連市場デリバティブ取引取次ぎ等
> ・店頭取扱有価証券の売買その他の取引
> ・株式投資型クラウドファンディング業務に係る取引等
> ・株主コミュニティ銘柄の取引等
> ・トークン化有価証券の売買その他の取引
> ・その他各協会員が必要と認める取引等

用語

トークン化有価証券
第1項有価証券のうち、電子記録移転有価証券表示権利等に該当するもの。

協会員が信用取引の注文を受ける際は、そのつど、制度信用取引（PTS制度信用取引を含む）、一般信用取引（PTS一般信用取引を含む）の別について顧客の意向を確認しなくてはならない。

(8) 顧客からの確認書の徴求

協会員は、特定投資家以外の顧客と、下記の取引の契約を初めて締結するときには、契約締結前交付書面等を交付の上説明し、顧客の判断と責任において取引を行う旨記載された確認書を徴求する必要がある。

① 新株予約権証券・新投資口予約権証券やカバードワラントの売買等

② 有価証券関連デリバティブ取引等

③ 特定店頭デリバティブ取引等、商品関連市場デリバティブ取引取次ぎ等

(9) 過当勧誘の防止等

顧客に対し、主観的または恣意的な情報提供となる特定銘柄の有価証券等の一律集中的な推奨をしてはならない。

(10) 仮名取引の受託及び名義貸しの禁止

協会員は、顧客から有価証券の売買等の注文があった場合、仮名取引であることを知りながら注文を受けてはならない。

また、会員は、顧客が株券の名義書換を請求するに際し、自社の名義を貸してはならない。

(11) 内部者登録カードの整備等

協会員は、インサイダー取引を未然に防ぐため、上場会社等の特定有価証券等に係る売買等を初めて行う顧客から、上場会社等の役員等に該当するか否かについて届出を求め、該当する顧客については売買等が行われるまでに内部者登録カードを備え付ける必要がある。

● 内部者登録カード記載事項

> 氏名または名称、住所、生年月日、会社名、役職名及び所属部署、役員を務める当該会社の名称及び銘柄コードなど

用語

カバードワラント
株式や株価指数等のオプション（売り買いする権利）を証券化したものである。

用語

内部者
発行会社の役職員をはじめとする会社関係者など、重要事実の情報を入手できる立場にある者のことである。

参考

上場会社の役員等には、上場投資法人の関係者等も含まれる。

参考

内部者登録カードの記載事項には、本籍や家族構成、続柄などは含まれない点に注意しよう。

第6章

協会定款・諸規則 — 協会員に関する規則

(12) 取引の安全性の確保

協会員は、新規顧客、大口取引顧客等からの注文を受けるときは、あらかじめ買付代金または売付有価証券の全部または一部の預託を受ける等、取引の安全性の確保に努めなければならない。

(13) 顧客の注文にかかる取引の適正な管理

協会員は、有価証券の売買取引等を行う場合、顧客の注文に係る取引と、自己の計算による取引とを峻別（はっきりと区別）し、顧客の注文に係る伝票を速やかに作成、整理、保存する必要がある。

(14) 顧客に対する保証等の便宜の供与

協会員は、有価証券の売買取引等に関連し、顧客が資金または有価証券の借入れを行う場合、保証、あっせん等の便宜の供与について過度にならないよう適正な管理を行わなければならない。

2 有価証券の寄託の受入れ等に関する規則

この規則は、協会員が顧客から有価証券を預かる際の取扱いについて定めており、協会員の顧客管理の適正化を図るための規則である。

(1) 寄託契約

寄託契約とは、預り主が預け主に対してあるものの保管を約束し、そのものを受け取ることにより成立する契約のことである。協会員が寄託の受入れをしてよいのは以下の場合に限定されている。

● 寄託の受入れができるケース

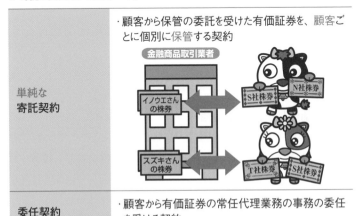

単純な 寄託契約	・顧客から保管の委託を受けた有価証券を、顧客ごとに個別に保管する契約
委任契約	・顧客から有価証券の常任代理業務の事務の委任を受ける契約

用語

常任代理業務
金融商品取引業者が、外国投資家と委任契約を結び、事務の全部または一部を代理・代行することである。

混合**寄託契約**	・複数の顧客から預託を受けた同一銘柄の有価証券を混合して保管（混合保管）し、各自の寄託額に応じて混合物から返還する契約 証券保管振替機構 T社 N社 証券会社 T社株券 N社株券 同銘柄の株をあわせてひとまとめで保管 S社 証券会社 S社株券 S社株券
協会員が質権者の場合	・信用取引に関して、顧客から有価証券を保証金の代用として預かる契約等
消費寄託契約	・協会員が寄託物を消費し、後日それと同種同等、同量のものを返還する契約

（2）保護預り契約

　保護預り契約とは、当該顧客と保護預り約款に基づき締結するものである。保護預り約款には、保護預り証券の保管の方法や保管場所に関する事項、保護預り契約に関する詳細が定められており、受託者である会員と寄託者である顧客との間の権利義務関係を明確にしている。

> ・「単純な寄託契約」または「混合寄託契約」の場合は、保護預り契約を締結しなければならない。
> ・会員等は、保護預り約款を顧客に交付し、顧客の自署による保護預り口座設定申込書の提出を受けたあと、保護預り口座を設定し、その旨を顧客に通知しなくてはならない。
> ・抽選償還が行われることのある債券について顧客から混合寄託契約により寄託を受ける場合は、その取扱方法についての社内規程を設け、事前にその社内規程について顧客の了承を得なければならない。

（3）保護預り契約の適用除外

　累積投資契約、常任代理人契約に基づく有価証券等の寄託については保護預り契約の締結は不要である。

（4）保護預り証券の保管・返還

　保護預り証券は、原則、会員が保管する（証券会社等の金融商品取引業者が保管する）。金融商品取引所や決済会社が行う振替決済は、決済会

用語

累積投資契約

協会員が顧客に有価証券を定期的・継続的に売付け、取得させる契約である。

用語

振替決済

決済を口座の振替えだけで済ませて、実際には株券の移動を伴わないようにすることである。

社が混合保管する。

保護預り証券の返還は、各会員所定の手続きを経て行う。

(5) 照合通知書による報告

照合通知書とは、顧客から預かっている金銭や有価証券等の残高について記載されているものである。

会員は、顧客に対する債権債務の残高について、顧客の区分に従ってそれぞれに定める頻度で照合通知書により報告しなければならない。

● 照合通知書による顧客への報告頻度

有価証券売買取引等のある顧客	1年に1回以上
有価証券関連デリバティブ、特定店頭デリバティブ取引、商品関連市場デリバティブ取引のある顧客	1年に2回以上
残高のある顧客のうち上記の取引等が1年以上行われていない顧客	随時

ただし、取引残高報告書が定期的に交付されており、照合通知書にて報告すべき事項（金銭または有価証券の残高等）がそこで報告されている場合は照合通知書の作成、交付は免除される。

現在残高のない顧客のうち、直近の報告以後1年間のうちに残高があった場合は、現在残高がない旨を報告しなければならない。

(6) 照合通知書の記載事項

照合通知書に記載すべき事項は、次にあげる金銭または有価証券の直近の残高である。

- ・立替金、貸付金、預り金または借入金の直近の残高
- ・単純な寄託契約、委託契約、混合寄託契約または消費寄託契約に基づき寄託を受けている有価証券等の直近の残高
- ・質権の目的物としての金銭または有価証券の直近の残高
- ・信用取引に係る未決済勘定の直近の残高
- ・発行日取引に係る有価証券の直近の残高
- ・有価証券関連デリバティブ取引、特定店頭デリバティブ取引及び商品関連市場デリバティブ取引に係る未決済勘定の直近の残高

(7) 照合通知書の作成、交付

照合通知書の作成は、会員の検査、監査または管理の担当部門で行うこととされている。照合通知書を顧客に交付する場合は、原則郵送しなければならない。ただし、店頭で直接交付する場合や交付方法につ

いて特に申し出があった場合は、協会が定める方法であれば郵送以外でもよい。

　また、顧客から照合通知書の内容について照会があったときは会員の検査、監査または管理の担当部門が遅滞なく回答を行わなければならない。

(8) 契約締結時交付書面の送付

　契約締結時交付書面の交付についても、照合通知書の場合と同様、郵送が原則である（それ以外の方法も認められる場合がある）。

本番得点力が高まる! 問題演習

問1　協会員の投資勧誘、顧客管理等に関する規則に関する次の記述のうち、正しいものには○を、誤っているものには×をつけなさい。

① 顧客カードへの記載事項には、「資産の状況」は含まれない。

② 協会員は、投資勧誘にあたって適合性の原則を遵守し、顧客に十分な説明を行い、理解を得なくてはならない。

③ 協会員は、投資勧誘にあたっては、顧客に対し、「投資は投資者自身の判断と責任において行うべきものである」と理解させる必要がある。

④ 協会員は、新規顧客、大口取引顧客等からの注文を受けるときは、あらかじめ買付代金または売付有価証券の全部または一部の預託を受ける等、取引の安全性の確保に努めなければならない。

解答
①× 顧客カードへの記載事項には、「資産の状況」「投資目的」「投資経験の有無」なども含まれる。

②○ 協会員の基本姿勢の記述である。

③○ 自己責任原則といわれるものである。

④○ 協会員の投資勧誘、顧客管理等に関する規則によって、定められている。

問2　有価証券の寄託の受入れ等に関する規則に関する次の記述のうち、正しいものには○を、誤っているものには×をつけなさい。

① 単純な寄託契約とは、複数の顧客から預託を受けた同一銘柄の有価証券を混合して保管し、各自の寄託額に応じて混合物から返還する契約である。

② 照合通知書に記載すべき事項には金銭または有価証券の残高がある。

③ 照合通知書による報告を行う時点で金銭や有価証券の残高のない顧客は、照合

通知書による報告は不要である。

④　有価証券関連デリバティブ取引がある顧客には、照合通知書にて1年に1回以上、債権債務残高を報告しなければならない。

⑤　照合通知書の交付は、原則、郵送でなければならないが、顧客から他の方法で交付するよう申し出があった場合はこの限りではない。

⑥　照合通知書の作成は、会員の検査、監査または管理担当部門において行われる。

⑦　契約締結時交付書面の交付は店頭での直接交付が原則であるため、郵送で交付するといった方法は認められない。

①×　単純な寄託契約とは、顧客から保管の委託を受けた有価証券を、顧客ごとに個別に保管する契約のことをいう。

②○　なお、報告の頻度は取引の種類ごとに、それぞれ定められている。

③×　照合通知書による報告時点で金銭や有価証券の残高のない顧客は、直前に行った報告以後1年に満たない期間において、残高があった顧客には現在残高が無い旨の報告を照合通知書によって行わなければならない。

④×　有価証券の売買等がある顧客には1年に1回以上、有価証券関連デリバティブ取引等がある顧客には1年に2回以上、照合通知書にて、その顧客に対する債権債務残高を報告しなければならない。

⑤○　照合通知書は、原則、郵送しなければならないが、店頭で交付、または顧客から申し出があった場合は、郵送以外の方法も可能である。

⑥○　なお、残高について照会があったときは、会員の検査、監査または管理担当部門が遅滞なく回答を行わなければならない。

⑦×　契約締結時交付書面の交付は、顧客との直接連絡を確保するため、原則郵送することになっている。ただし、店頭で直接交付したり、交付方法について顧客から特に申し出があった場合は郵送以外の方法をとったりすることも可能である。

3. 協会員の従業員・外務員に関する規則

禁止行為は、金融商品取引に関する事故を防ぐためにあるんだ。

重要度
★★★

1 従業員の定義

　従業員は、日本証券業協会の協会員の使用人であり、出向により受入れた者を含んでいる。従業員に関する規則は一部の規定を除き、役員についても準用される。

(1) 従業員の採用

　協会員は、従業員を採用する場合は、次の規則に従わなければならない。

● 従業員の採用における規則

採用時の照会	協会員は、採用しようとしている者が協会から処分を受けているかどうかを協会に照会しなければならない。
採用の禁止	協会員は、他の協会員の従業員を採用することはできない(出向の場合を除く)。 協会員は、一級不都合行為者については無期限で、二級不都合行為者については決定を下した日から5年間は採用できない。

2 従業員の禁止行為

　金融商品取引に関する事故の未然防止の観点から、協会員の役員や従業員は次のような行為が禁止されている。

● 従業員の禁止行為

信用取引・有価証券関連デリバティブ取引等の禁止

いかなる名義を用いているかを問わず、自己(従業員自身)の計算において信用取引、有価証券関連デリバティブ取引、特定店頭デリバティブ取引、商品関連市場デリバティブ取引を行ってはならない(ただし、報酬の一部として所属協会員から給付されることが決定された株式、またはストック・オプションについては一定の要件のもと除く)。

参考

協会員が、他の協会員の従業員を採用できないのは、協会員の従業員に対する監督責任を明らかにするためである。

仮名取引受託の禁止

顧客から有価証券売買等の注文を受ける場合、仮名取引と知りながら注文を受けてはならない。

損失補塡行為等の禁止

自己または第三者を通じて顧客の損失を補塡、あるいは利益に追加するため自己の財産上の利益を提供する約束、申込み等をしてはならない。
例えば、顧客が取引で損失を出した場合、証券会社等の金融商品取引業者のお金で顧客の損失を穴埋めするという行為がこれにあたる。

損益を共にすることの禁止

顧客と損益を共にすることを約束して勧誘し、または取引を実行してはならない。

自己が相手方となる売買の禁止

顧客から売買等の注文を受けた際、自己(従業員自身)がその相手方となり売買を成立させてはならない。

名義貸し、名義借りの禁止

顧客の有価証券等の売買、または有価証券等の名義換えについて自己(従業員)や自己(従業員)の特別関係者の名義、住所など使用させてはならない。
自己の取引について顧客の名義、住所などを借りることはできない。

所属協会員を通さない手続きの禁止

有価証券の名義換え等の依頼を受けた場合、所属協会員(自分の勤める証券会社等)を通じずに手続きを行ってはならない。

手続き遅延の禁止

顧客から所属協会員(自分の勤める証券会社等)に交付するために預託された金銭、または所属協会員から顧客に交付するために預託された金銭等は、遅滞なく相手方に引き渡さなければならない。
顧客に交付するために預かっている書類も遅滞なく交付しなければならない。

顧客との貸借の禁止

顧客の債務の立替え、あるいは金銭、有価証券の貸借を行ってはならない。

審査を受けない広告等の表示等の禁止

広告審査担当者の審査を受けずに、従業員限りで広告等の表示・景品類の提供を行ってはならない。

空売り規制等

原則として、売付け注文を受ける際、空売りであるか否かを確認せずに注文を受けてはならない（有価証券の取引等の規制に関する内閣府令11条に規定する取引を除く）。

金融商品仲介行為における信用の供与の禁止

登録金融機関が仲介行為を行う場合、顧客の口座に残高不足があっても自動的に信用の供与を行う、あるいは信用の供与を約束してはならない。

顧客情報の漏えい等の禁止

- 役職員が協会員を退職する場合で、顧客に関する情報についてその協会員へ返却または消去しないことの禁止
- 他の協会員の顧客に関する情報または金融商品仲介業者における金融商品仲介業の顧客に関する情報を不正に取得することの禁止
- 禁止行為を通じて保持または取得している顧客に関する情報について、自らの職務に使用することの禁止。また、他者から提供を受けた顧客に関する情報について、その顧客に関する情報が禁止行為を通じて保持・取得されたもの、または他の協会員や金融商品仲介業者から漏えいしたものであることを知りながら自らの職務に使用することの禁止

3 不適切行為

協会員は、その従業員が下記に掲げる行為（不適切行為）を行わないよう、従業員を指導・監督しなければならない。

- 有価証券の売買その他取引等において、銘柄、価格、数量、指値・成行の区別など、内容について確認を行わずに注文を執行すること。
- 有価証券等の性質または取引条件について、顧客を誤認させるような勧誘をすること。
- 顧客の注文執行において、過失により事務処理を誤ること。

4 不都合行為者制度

不都合行為者制度とは、禁止行為や不適切行為があったと判明した従業員を、不都合行為者として協会員の役員、従業員から排除する制度である。協会員は、禁止行為や不適切行為があったと判明した従業員に適正な処分を行い、事故顛末報告書を協会に提出する（過失による不適切行為の場合を除く）。

報告書の提出を受けた協会が審査を行い、不都合行為者として決定した者のうち、金融商品取引業の信用への影響が特に著しい行為を行ったと認められる者を一級不都合行為者として、それ以外の者を二級不都合行為者として取り扱う。

なお、不適切行為を行った従業員が、協会員から解雇処分を受けていない場合でも、協会の決定により不都合行為者として取り扱われる。

5 外務員の資格・登録に関する規則

参考

外務員については、金商法においてもその地位と権限について規定されている。

(1) 外務員とは

外務員とは、協会員の役員・従業員のうち外務員の職務を行う者である。外務員は、担当できる職務に応じて5種類に分類される。

● 外務員の分類

用語

有価証券関連デリバティブ取引等

先物、オプション、スワップ取引などのうちデリバティブ取引の元となる資産（有価証券）の価格の変化に関係のある取引である。

用語

選択権付債券売買取引

国債、地方債などの債券を原資産とする債券店頭オプション取引である。

一種 外務員	原則として、外務員の職務のすべてを行うことができる。
二種 外務員	有価証券及び有価証券等清算取次ぎに係る外務員の職務を行うことができる。 なお、次の職務は行うことができない。 ・有価証券関連デリバティブ取引等 ・選択権付債券売買取引 ・信用取引・発行日取引※ ・新株予約権証券 ・新投資口予約権証券 ・カバードワラント ・店頭デリバティブ取引に類する仕組債、または投資信託 ・レバレッジ投資信託 ※　信用取引・発行日取引については、所属協会員の一種外務員または信用取引外務員が同行して注文を受託する場合や、営業所内で一種外務員または信用取引外務員が二種外務員の営業活動を確認した場合には行うことができる。
信用取引 外務員	二種外務員の職務のほか、信用取引・発行日取引に係る外務員の職務を行うことができる。
特例商先 外務員	商品関連市場デリバティブ取引等に係る外務員の職務を行うことができる。
特例商先 外務員 (ディーリング限定)	協会員の計算による商品関連市場デリバティブ取引に係る外務員の職務を行うことができる。

(2) 外務員の登録

協会員は、営業所の内外を問わず、従業員等に外務員の職務を行わせる場合は（有価証券売買の勧誘のみであっても）、外務員の氏名、生年月日等を協会に備える外務員登録原簿に登録しなければならない。登録外務員以外の者は外務員の職務を行うことは許されない。

(3) 外務員についての処分

協会は、登録外務員が欠格事項に該当、あるいは法令違反、著しく不適当な行為をした場合、その登録を取り消し、または2年以内の期間を定めて職務停止処分を行うことができる。

(4) 外務員の資格更新研修

協会員は決められた期間内に協会の外務員資格更新研修を受けさせなければならない。

● 資格更新研修の期間

すでに登録している外務員	登録後5年目ごとに所定の期間内（登録月の月初から1年以内）である。ただし、過去2年以内に外務員資格試験に合格した者は除く。
新たに外務員登録を受けた場合	登録後180日以内である。

(5) 外務員の資質向上のための社内研修の受講

協会員は、登録を受けている外務員について、資格更新研修とは別に、毎年、外務員の資質向上のための社内研修を受講させなければならない。

本番得点力が高まる! 問題演習

問1 外務員の禁止行為や登録に関する次の記述のうち、正しいものには〇を、誤っているものには×をつけなさい。

① 協会員の従業員は、ストック・オプションなど一定の取引を除き、いかなる名義を用いているかを問わず、自己の計算において信用取引を行うことのないようにしなければならない。

② 協会員の従業員は、ストック・オプションなど一定の取引を除き、いかなる名義を用いているかを問わず、自己の計算において有価証券関連デリバティブ取引を行ってはならない。

③ 協会員の従業員は、顧客から有価証券の売買注文を受ける際、当該顧客の書面による承諾があれば、自己がその相手方となって売買を成立させることができる。

④ 協会員の従業員は、有価証券の売買等の取引において顧客から書面による申請があった場合に限り、顧客と損益を共にすることができる。

⑤ 協会員の従業員は、有価証券の売買等の取引において、空売りであるか否かの確認をせずに有価証券の売付け注文を受けることは、一切、禁止されている。

⑥ 協会員の従業員は、従業員限りで広告等の表示、景品類の提供を行うことはできない。

⑦ 協会員は、その従業員が有価証券の売買等において、銘柄、価格、数量、指値・成行の区別など、顧客の注文内容について確認を行わずに執行することのないよう指導・監督しなければならない。

⑧ 二種外務員は、投資信託の受益証券の募集や新株予約権証券に係る外務行為を行うことができる。

⑨ 二種外務員は、所属協会員の一種外務員の同行がある場合、信用取引に係る取引を行うことができる。

⑩ 協会員は、登録を受けている外務員に対し、5年目ごとの外務員資格更新研修を受講させていれば社内での研修を行う必要はない。

 解答

①○ 従業員自らが過当投機に陥り、その結果、顧客や会社に損害を及ぼすことを防止するために規定されている。

②○ 信用取引・有価証券関連デリバティブ取引等の禁止に関する規則である（第7条4号）。

③× 顧客から売買の注文を受けた際は、いかなる場合も自己（従業員自身）がその相手方となって注文を成立させてはならない。

④× 協会員の従業員は、有価証券の売買等の取引において書面による申請を受けた場合であっても、顧客と損益を共にしてはならない。また、顧客と金銭や有価証券等の貸借を行ってはならない。

⑤× 空売りであるか否かの確認をせずに有価証券の売付け注文を受けることは、原則、禁止されているが、「有価証券の取引等の規制に関する内閣府令（取引規制府令）」11条に規定する取引は除かれる。

⑥○ 広告審査担当者の審査を受けずに従業員限りで広告等の表示、景品類の提供を行ってはならない。

⑦○　顧客の注文内容について確認を行わずに執行することや、有価証券等の性質または取引条件について顧客を誤認させるような勧誘をすることは、不適切行為に該当する。

⑧×　二種外務員は、投資信託の受益証券の募集に係る外務行為を行うことができるが、新株予約権証券、有価証券関連デリバティブ取引等、カバードワラントなどリスクの高い複雑な金融商品等に係る外務行為を行うことはできない。

⑨○　二種外務員の行う信用取引・発行日取引については、所属協会員の一種、または信用取引外務員が同行し注文を受託する場合に限り、職務を行うことができる。

⑩×　協会員は、登録を受けている外務員について、外務員資格更新研修とは別に、毎年、外務員の資質向上のための社内研修を受講させなければならない。

景品の提供は
適切にね

4. 広告等・景品類に関する規則

重要度
★★★

1 基本原則

　協会員の行う広告等の表示については、投資者保護の精神に則り取引の信義則を遵守し、品位の保持を図るとともに、的確な情報提供及び明瞭かつ正確に表示を行うよう努めなければならない。また、景品類の提供については上述の原則に加え、景品類の適正な提供に努めなければならない。

2 禁止行為

　協会員は、広告等の表示に関し、以下の事項に該当する、もしくは該当するおそれのある次のような表示は禁止されている。

・取引の信義則に反するもの
・協会員としての品位を損なうもの
・協会員間の公正な競争を妨げるもの
・判断、評価等が入る場合において、その根拠を明示しないもの
・その他法令に違反する表示、脱法行為を示唆する表示　等

3 内部審査

　協会員は、広告の表示・景品類の提供を行うときは広告審査担当者を定め、次の禁止行為に違反する事実がないかどうかを審査させなくてはならない。

● 禁止行為

・取引の信義則に反するもの
・協会員としての品位を損なうもの
・金商法その他の法令等に違反する表示のあるもの

- ・脱法行為を示唆する表示のあるもの
- ・投資者の投資判断を誤らせる表示のあるもの
- ・協会員間の公正な競争を妨げるもの
- ・恣意的または過度に主観的な表示のあるもの
- ・判断、評価等が入る場合において、その根拠を明示しないもの

本番得点力が高まる! 問題演習

問1 広告等・景品類に関する規則についての次の記述のうち、正しいものには○を、誤っているものには×をつけなさい。

① 協会員は、広告等の表示に関し、判断・評価等が入る場合には、その根拠を明示しなくてもよい。

② 協会員は、広告等の表示に関し、公正な競争を妨げる表示をしてはならない。

③ 協会員は、広告の表示・景品類の提供を行うときは、広告審査担当者を定め、審査をしなければならない。

解答

①× 広告等の表示に関し、判断・評価等が入る場合において、その根拠を明示しないものは禁止されている。

②○ また、協会員としての品位を損なう表示も禁止されている。

③○ 広告審査担当者は、禁止行為に違反する事実がないかどうかを審査する。

5. 株式の取引に関する規則

上場していない株券があるんだ。

重要度 ★★☆

参考

上場とは、株券等を取引所で売買できるようにすることであり、取引所の審査をクリアしなければ上場することはできない。

1 店頭有価証券に関する規則

　株式は、東京証券取引所などの取引所金融商品市場（取引所）で取引できるものと、そうでないものがある。非上場企業が発行する有価証券（店頭有価証券）については、売り・買いの気配を継続的に提示する協会員（証券会社等）に限って投資勧誘ができる。

(1) 店頭有価証券

　店頭有価証券は、取引所金融商品市場に上場されていない株券、新株予約権及び新株予約権付社債券をいう。

　店頭有価証券は、店頭取扱有価証券とそれ以外の有価証券に分かれる。店頭取扱有価証券は、店頭有価証券の中で金商法に基づいて、有価証券報告書を提出する等の一定レベルの情報開示が行われている銘柄をいう。

● 店頭有価証券等の概念図

取引所金融商品市場上場銘柄

①店頭有価証券（いわゆる青空銘柄）

②特定投資家向け銘柄制度（J-Ships）	③株式投資型クラウドファンディング	④株主コミュニティ	⑤店頭取扱有価証券
			⑥フェニックス銘柄（現在該当銘柄なし）

2 店頭有価証券等の特定投資家に対する投資勧誘等に関する規則

　店頭有価証券等（店頭有価証券及び投資信託等）について、金融商品

取引業者等を通じて特定投資家（プロの投資家）向けに発行・流通することを可能にする特定投資家向け銘柄制度（J-Ships）がある。この規則は、特定投資家に対し、私募もしくは特定投資家向け売付け勧誘等について定めている。

　取扱協会員は、新たに特定投資家に対して投資勧誘を行おうとする店頭有価証券等について、その特性やリスクの内容を把握し投資勧誘を行うことがふさわしいか否か及び投資勧誘を行う特定投資家の範囲について検証をしなければならない。

(1) 店頭取扱有価証券の投資勧誘

　協会員は、店頭取扱有価証券について募集等の取扱等に係る投資勧誘を行うことができる。

　協会員は、顧客から店頭取扱有価証券の取引の注文を受ける際は、その都度、店頭取扱有価証券であることを明示し、募集等の取扱い等を行う場合には、有価証券届出書、目論見書または会社内容説明書を取扱部店に備え置き、顧客の縦覧に供しなければならない。

用語

会社内容説明書
協会員などが店頭取扱有価証券の投資勧誘を行う際の説明資料のこと。

3 株式投資型クラウドファンディング業務に関する規則

　クラウドファンディングとは、一般に、新規・成長企業等と資金提供者をインターネットで結びつけ、多数の資金提供者から少額ずつ資金を集めるしくみである。株式投資型クラウドファンディング業務とは、会員等が店頭有価証券のうち株券または新株予約権証券について行う第一種少額電子募集取扱業務である。インターネットのウェブサイト及び電子メールを通じてのみ投資勧誘を行うことができる。

● 第一種少額電子募集取扱業務の内容

①金融商品取引所に上場されていない株券または新株予約権証券の募集の取扱いまたは私募の取扱いであって、これらの有価証券の発行価額の総額及び当該有価証券を取得する者が払い込む額が少額要件※を満たす電子募集取扱業務
②電子募集取扱業務に関して顧客から金銭の預託を受けること

(1) 株式投資型クラウドファンディング業務に関する規則

　株式投資型クラウドファンディング業務を行うにあたっては、以下のような規則が定められている。

● **株式投資型クラウドファンディング業務に関する規則の概要**

①店頭有価証券の発行者について行う審査

会員等は、店頭有価証券の発行者について、発行者及び行う事業の実在性、発行者の財務状況、発行者の事業計画の妥当性、発行者の法令遵守状況を含めた社会性等を厳正に審査しなければならない。

②勧誘手法併用の禁止

会員等は、株式投資型クラウドファンディング業務についてはインターネットのウェブサイトを利用する方法またはウェブサイト利用を前提に電子メールを利用する方法により行わなければならず、電話または訪問の方法等により投資勧誘を行ってはならない。

③顧客への説明等

会員等は、株式投資型クラウドファンディング業務に係る店頭有価証券の取得を初めて行う顧客（特定投資家を除く）が、契約締結前交付書面に記載されたリスク、手数料等の内容を理解し、顧客の判断及び責任において取得を行う旨の確認を得るため、あらかじめ契約締結前交付書面を交付し、確認書を徴求しなければならない。

4 株主コミュニティに関する規則

　株主コミュニティ制度とは、運営会員（証券会社）が店頭有価証券の銘柄ごとに株主コミュニティを組成し、これに参加する投資家に対してのみ投資勧誘を認める店頭有価証券の流通や資金調達を行う仕組みのことである。

(1) 株主コミュニティに関する規則

　株主コミュニティ制度に関して、以下のような規則が定められている。

● **株主コミュニティに関する規則**

①株主コミュニティの組成

・会員は、株主コミュニティの組成にあたっては、協会より運営会員としての指定を受けなければならない。
・運営会員は株主コミュニティを銘柄ごとに組成しなければならない。

②発行者について行う審査

運営会員は、株主コミュニティを組成しようとする店頭有価証券の発行者について、社内規則に従い、以下の事項について厳正に審査を行わなければならない。
・発行者及び行う事業の実在性

・発行者の財務状況
・発行者の法令遵守状況を含めた社会性　等

③株主コミュニティへの参加及び参加に関する勧誘の禁止

・運営会員は、投資者から株主コミュニティへの参加の申出を受けた場合を除き、投資者に係る株主コミュニティへの参加の手続きを行ってはならず、原則として、株主コミュニティへの参加に関する勧誘を行ってはならない。
・運営会員は、自社が運営会員となっている株主コミュニティ参加者以外の者に対し、その株主コミュニティ銘柄の投資勧誘を行ってはならない。

5 フェニックス銘柄に関する規則

(1) フェニックス銘柄とは

　フェニックス銘柄とは、上場廃止銘柄（取引所で取引できなくなった銘柄）を保有する者に対し、流通の機会を提供する必要があると判断された店頭取扱有価証券のことである。協会員や金融商品仲介業者が投資勧誘を行うとして、協会が指定した銘柄である。

① フェニックス銘柄としての指定にあたっての条件

　フェニックス銘柄は以下の条件をすべて満たしていなければならない。

・株主名簿管理人に事務を委託する
・指定日までにその有価証券の譲渡制限を行っていない
・発行会社が反社会的勢力ではないこと及びその発行会社に反社会的勢力を排除する仕組みが構築されていること　等

② フェニックス銘柄の届出

　フェニックス銘柄としての届出は、取扱会員になろうとする会員が、その銘柄の気配提示を開始する日の5営業日前までに行わなければならない。

③ 気配及び売買の報告等

　フェニックス銘柄は、その届出にあたり、気配の更新や売買の報告頻度を日次とするか週次とするかを選択して明示しなければならない。それぞれの場合、以下の頻度で取扱部店の店頭等で継続的に気配を提示しなければならない。

・日次公表の場合、毎営業日
・週次公表の場合、週1回以上

6 上場株券等の取引所外での売買等に関する規則

協会員は、取引所外で売買を成立させることが顧客にとって最良な方法となる場合は、取引所外売買として注文を執行することができる。

(1) 売買価格等の確認及び記録の保存

協会員は、有価証券の取引所外での売買等を行うにあたり、売買の価格や金額が適当であることを確認し、その確認した内容を記録し、保存しなければならない。

(2) 報告及び公表

有価証券の売買等の取引の報告及び公表に関して、会員には以下のような義務がある。

①会員は、同時に多数のものに対し、取引所金融商品市場外での上場株券等の売付けまたは買付けの申込みを行ったときは、銘柄名、価格、数量等を協会に報告しなければならない。

②会員は、取引所外売買が成立したときは、銘柄名、売買価格、売買数量等を協会に報告しなければならない。

③午前8時10分から午後4時59分までに行った申込みや成立した売買は、その申込みや売買成立から5分以内に報告しなければならない。

協会は、①及び②の報告を受けた場合は、所定の時期に他の会員に通知するとともに報告の内容を公表する。

本番得点力が高まる! 問題演習

問1　協会諸規則に関する次の記述のうち、正しいものには○を、誤っているものには ×をつけなさい。

① 店頭有価証券とは、我が国の法人が国内において発行する取引所に上場されて いない株券等をいう。

② 店頭有価証券には、株主コミュニティが含まれる。

③ 株主コミュニティとは、上場廃止された銘柄を売却できる取引制度である。

④ 株式投資型クラウドファンディング業務では、電話または訪問の方法等により投資勧 誘を行うことが認められている。

解答

①○　取引所に上場されていない株券等とは、株券、新株予約権証券及び新 株予約権付社債券のことである。

②○　店頭有価証券には、株式投資型クラウドファンディング、株主コミュニ ティ、店頭取扱有価証券がある。

③×　株主コミュニティとは、協会の指定を受けた会員が株主コミュニティの参加 者に対してのみ投資勧誘を行うことができる非上場株式の取引制度である。

④×　株式投資型クラウドファンディング業務は、インターネットのウェブサイトを 利用する方法やウェブサイト利用を前提に電子メールを利用する方法によ り行わなければならず、電話または訪問の方法での投資勧誘は行っては ならない。

6. 債券の取引に関する規則

債券の値段はこうしてわかるんだね。

重要度
★★☆

1 私設取引システム（PTS）における非上場有価証券の取引等に関する規則

　スタートアップ企業などの非上場の特定投資家向け有価証券は、PTSで取り扱うことができなかったが、2023年7月から解禁された。そのための環境整備が実施され、協会においても規則の整備が行われた。

　取引の対象は、トークン化有価証券、特定投資家向け有価証券である店頭有価証券等である。

① 社内規則の制定等

　非上場PTS運営会員は、非上場PTS運営業務を行うに当たり所定の事項を定めた社内規則を定めなければならない。非上場PTS取引協会員は、非上場PTS取引業務を行うに当たり、非上場PTS運営会員が社内規則で定める事項を遵守しなければならない。

② 業務内容の公表

　非上場PTS運営会員は、自社が行う非上場PTS運営業務の内容について自社のウェブサイトに掲載する方法その他のインターネットを利用した方法により公表しなければならない。

③ 非上場PTS銘柄の適正性審査

　非上場PTS運営会員が非上場有価証券を新たに非上場PTS銘柄に追加する場合に、あらかじめ、その非上場有価証券の適正性について審査しなければならない。

④ 特定投資家向け有価証券に係る特則等

　非上場PTS取引協会員は、特定投資家以外の者である顧客から、私設取引システムにおける特定投資家向け有価証券の買付けの受託を行ってはならない。

用語

非上場PTS運営会員
自社が開設するPTSにおいて、取引または媒介等を行う会員。

非上場PTS取引協会員
他社が開設するPTSにおいて、取引または媒介等を行う協会員。

2 店頭売買の参考値等の発表及び値段に関する規則

(1) 社債券等

会員が社債券等の募集の引受けにあたり、需要情報及び販売先情報の発行者への提供等について必要な事項を定めた規則である。

この規則の対象となる対象社債券等は、主として個人向けに取得勧誘を行う債券（いわゆるリテール債）を除く、主幹事方式で発行される債券（地方債、財投機関債、社債、投資法人債、サムライ債、本邦で発行されるソブリン債）である。

需要情報とは、個人以外の対象社債券等に係る発行条件ごとの顧客の名称や業態別の顧客数及びその需要額のことをいう。

① 需要情報の発行者等への提供

代表主幹事会員は、プレ・マーケティングにより取得した需要情報を速やかに発行者に提供しなければならない。なお、代表主幹事会員は、発行者の同意を得て、共同主幹事会員及び他の引受会員から直接発行者に対して需要情報を提供することができる。

② 販売先情報の発行者等への提供

販売先情報とは、個人以外の対象社債券等の販売先の顧客の名称、または業態別の顧客数及びその販売額のことをいう。代表主幹事会員は、販売先情報を遅滞なく発行者に提供しなければならない。

③ 情報提供が必要となる顧客の範囲等

主要な投資家及び需要額または販売額が10億円以上の者については、実名で発行条件ごとの需要額または販売額を発行者等へ提供する必要がある。

④ 社内規則の制定

引受会員は、対象社債券等の引受けにあたり、需要情報及び販売先情報の提供に関する社内規則を作成のうえ、次の項目を規定しなければならない。

- 需要情報の取得・提供方法
- 販売先情報の取得・提供方法
- 需要情報及び販売先情報の作成に用いた根拠資料の保管・保存方法
- 報道機関への適正な情報提供
- 社内検査手続
- その他会員が必要と判断する事項

用語

主幹事方式
主幹事方式は、有価証券の募集等に際し、発行者から主幹事会員として指名を受けた引受会員が主となって発行条件の決定に関与する方式である。

第6章

協会定款・諸規則 債券の取引に関する規則

(2) 公社債

公社債は、そのほとんどが店頭市場で取引される。店頭取引における売買価格等を広く投資者に知らせ、公正な価格形成を図り、投資者を保護するため、協会は「公社債の店頭売買の参考値等の発表及び売買値段に関する規則」を定めている。

① 売買参考統計値等の発表

協会は、協会員が顧客との間で行う公社債の店頭売買の際に協会員及び顧客の参考となるように、売買参考統計値や社債の取引情報、月間売買高等を発表している。

② 取引公正性の確保等

協会員は、公社債の店頭売買を行う場合、その取引の公正性を確保するために、合理的な方法で算出された時価（社内時価）を基準として、適正な価格により取引を行わなければならない。

また、公社債の額面1,000万円未満の取引を行う小口投資家との店頭取引にあたっては、より一層取引の公正性に配慮し、取引所での取引と店頭取引の違いを説明し、これから行う取引は店頭取引であるとはっきりと示さなければならない。

③ 異常な取引の禁止

協会員は異常な取引を行ってはならない。異常な取引とは、例えば顧客に公社債を売却し、または顧客から買い付ける際に、当該顧客に有利となるように買い戻したり売却したりするような取引である。

④ 約定処理の管理等

協会員は、公社債の店頭取引を行ったときは、当該注文に係る伝票等を速やかに作成し、整理、保存する等適切な管理を行うため、社内規程を定めなければならない。

本番得点力が高まる! 問題演習

 協会定款・諸規則においての債券取引に関する次の記述のうち、正しいものには○を、誤っているものには×をつけなさい。

① 協会は、公社債の店頭売買の際に協会員及び顧客の参考に資するため、売買参考統計値を発表している。

② 協会員は、公社債の店頭売買を行うにあたっては、合理的な方法で算出された時価を基準として適正な価格により取引を行う。

③ 協会員は、公社債の額面1,000万円未満の取引を行う小口投資家との店頭取引を行ってはならない。

解答

①○ なお、売買参考統計値は、毎営業日発表している。

②○ 合理的な方法で算出された時価のことを、社内時価という。

③× 公社債の額面1,000万円未満の取引を行う小口投資家との店頭取引を行うことはできる。ただし、取引所取引と店頭取引との違いを説明し、その取引が店頭取引であることを示さなければならない。

第6章

協会定款・諸規則／債券の取引に関する規則

7. 外国証券の取引に関する規則

外国証券の取引の
ための口座を開設し
ないといけないんだ!

重要度
★★☆

1 外国証券の取引に関する規則

参考

外国証券は、募集や売出しの場合を除いて金商法に基づく企業内容等の開示が行われていない。そのため、顧客に外国証券の投資勧誘を行う場合は、顧客の意向、投資経験、資力等に適合した投資が行われるよう、十分な配慮が必要となる。

外国証券とは、日本国外で発行される有価証券であり、外国株式、外国債券などがある。この規則は、協会員が顧客や他の協会員との間で外国証券の取引を行う場合について投資者保護の観点から定められているものである。ただし、デリバティブ取引及び外国証券が国内の取引所で取引される場合は、取引所の諸規則による規制が適用されるため、この規則の対象から除かれている。

(1) 契約の締結

協会員は、顧客または他の協会員から外国証券の取引の注文を受けるときは「外国証券の取引に関する契約」を締結しなければならない。その際、「外国証券取引口座に関する約款」を当該顧客に交付し、約款に基づく「取引口座の設定に係る申込み」を受けなければならない。

(2) 外国証券取引口座に関する約款

外国証券取引口座に関する約款には、次の事項が定められている。

・外国証券の売買等の執行
・売買代金の決済
・証券の保管
・配当・新株予約権その他の権利の処理等

顧客との外国証券の取引は、原則として約款の条項に従って行わなければならない。

（3）資料の提供等

- 協会員は、国内で開示が行われていない外国証券の取引の注文を受ける場合には、顧客にこの旨を説明し、あらかじめ注意喚起をしなければならない
- 協会員は、顧客から保管の委託を受けた外国証券については、発行者から交付された通知書や資料等を保管し、顧客が閲覧できるようにしなければならない
- 協会員は、顧客より請求を受けた場合には発行者から交付された通知書や資料等を交付しなければならない

（4）国内店頭取引における取引公正性の確保

- 協会員が顧客との間で外国株券等、外国新株予約権証券及び外国債券の国内店頭取引を行うにあたっては、合理的な方法で算出された社内時価を基準とした適正な価格により取引を行わなければならない
- 協会員は、顧客から求めがあった場合には、取引価格の算定方法等について口頭または書面によってその概要を説明しなければならない

（5）外国投資信託証券の販売等

- 協会員が顧客に勧誘を行うことにより販売できる外国投資信託証券は、規則で規定する要件を満たす国や地域の法令に基づき設立され、選別基準に適合し、投資者保護上問題がないと協会員が確認したものでなくてはならない。
- 協会員は、顧客に販売した外国投資信託証券が選別基準に適合しなくなった場合、顧客から買戻しの取次ぎや解約の取次ぎ注文があったときには、これに応じなければならない

問1 外国証券の取引に関する次の記述のうち、正しいものには〇を、誤っているものには×をつけなさい。

① 外国証券取引口座に関する約款には、外国証券の売買等の執行、売買代金の決済、証券の保管などについての事項が定められている。

② 協会員は、顧客からの選別基準に適合しなくなった外国投資信託証券の買戻しの取次ぎ注文があったときはこれに応じなければならない。

③ 協会員が顧客との間で外国株券等の国内店頭取引を行うにあたっては、社内時価を基準とした適正な価格により行わなければならない。

④ 協会員が顧客との間で外国債券の国内店頭取引を行うにあたっては、取引価格の算定方法について、取引のつど、必ず口頭または書面により、説明しなければならない。

解答

①〇 顧客との外国証券の取引は、約款の条項に従って行わなければならない。

②〇 外国投資信託証券が選別基準に適合しなくなった場合でも、顧客から買戻しの取次ぎまたは解約の取次ぎ注文があったときには、これに応じなければならない。

③〇 なお、社内時価は、入手方法や算出方法の継続性を考慮しなければならない。

④× 取引価格の算定方法について、顧客から求めがあった場合に限り（取引のつどではない）、その概要を説明しなければならない。

第 **7** 章

特別会員論点

取引所定款・諸規則

予想配点　10点／300点
出題形式
○×方式…5問
（配点と出題形式はTACの予想です）

有価証券の売買や市場デリバティブ取引を行う市場（金融商品市場）である「金融商品取引所」の基本的規則である定款や諸規則について見ていきます。今回は、株式会社東京証券取引所（東証）及び株式会社大阪取引所（OSE）における諸規則を中心に解説します。

関連章　　　第8章

有価証券の売買をはじめとする取引を行う取引所の定款や規則❶について紹介します。

有価証券が上場するまでの規程❷や業務規程❸などは基本知識として押さえておきたいところです。

業務規程

また、取引参加者が有価証券の売買等を受託するための規則❹もあるので確実に理解しましょう。

1.

取引所金融商品市場

1 取引所市場の取引所定款

　株式会社日本取引所グループ(JRX)は、会社法上の株式会社(法人)で、株式会社東京証券取引所(東証)と株式会社大阪取引所(OSE)等を傘下に置く。

　取引所市場の取引所定款には、取引所市場において行う取引の種類について、有価証券の売買または市場デリバティブ取引(以下、有価証券の売買等と略す)であること、と規定されている。

● 取引所市場

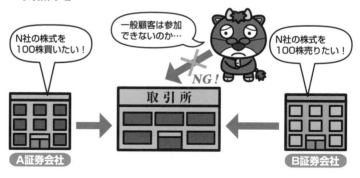

2 取引参加者規程

　取引参加者規程には、その取引所に参加する者に関する必要事項が定められている。

(1) 取引参加者

　取引参加者とは、取引所市場に直接参加することのできる者のことである。取引資格を取得しようとする者は、取引資格の取得の申請を行い、承認を受けなければならない。

参考

わが国に支店等がない外国証券業者に対しては、「取引所取引所許可業者」として取引所市場への直接参加を認めるリモート取引参加者制度がある。

東京証券取引所における取引参加者は、総合取引参加者の1種類のみである。総合取引参加者とは、東京証券取引所において、有価証券の売買を行うための取引資格を有する者で、東京証券取引所に承認を受けた金融商品取引業者または取引所取引許可業者だけが、その資格を取得できる。

(2) 取引参加者の義務

取引参加者は、取引所との間で取引参加者契約を締結しなければならない。また、事故防止の観点から、取引所市場における有価証券の売買等の委託を受けるときは、あらかじめ顧客の住所、氏名、その他の事項を調査しなければならない。

本番得点力が高まる! 問題演習

問1 取引所定款・取引参加者規程に関する次の記述のうち、正しいものには○を、誤っているものには×をつけなさい。

① 東京証券取引所における取引参加者は、総合取引参加者の1種類のみである。

② 取引所の取引参加者の資格取得において総合取引参加者になれるのは、登録金融機関である。

③ 取引参加者は、取引所市場における有価証券の売買等の委託を受けるときは、あらかじめ顧客の住所、氏名その他の事項を調査しなければならない。

解答

① ○ 東京証券取引所における総合取引参加者とは、有価証券の売買を行うことができる者のことである。

② × 総合取引参加者になれるのは、金融商品取引業者または取引所取引許可業者である。

③ ○ 取引参加者が、あらかじめ顧客の住所・氏名その他の事項を調査するのは、取引における事故を防止するためである。

2.

有価証券上場規程

上場の手続き・審査についてきちんとおさえよう!

重要度
★★★

1 上場とは

　　有価証券の上場とは、取引所が企業等の発行する有価証券を、その取引所が開設する取引所市場において売買できる有価証券として認めることである。東証で上場の対象となる有価証券には、次のものがある。

参考

企業が発行している株券の名前を銘柄というが、必ずしも企業名と一致するとは限らない。企業名と4桁の証券コードが割り当てられ、これに従って株価の表示や売買が行われている。

・株券
・国債証券
・地方債証券
・社債券及び転換社債型新株予約権付社債券

● 東証の市場区分

プライム市場	スタンダード市場	グロース市場
多くの機関投資家の投資対象になりうる規模の時価総額（流動性）を持ち、より高いガバナンス水準を備え、投資家との建設的な対話を中心に据えて持続的な成長と中長期的な企業価値の向上にコミットする企業向けの市場	公開された市場における投資対象として一定の時価総額（流動性）を持ち、上場企業としての基本的なガバナンス水準を備えつつ、持続的な成長と中長期的な企業価値の向上にコミットする企業向けの市場	高い成長可能性を実現するための事業計画及びその進捗の適時・適切な開示が行われ一定の市場評価が得られる一方、事業実績の観点から相対的にリスクが高い企業向けの市場

2 上場手続

　　東証では、有価証券の上場に関して有価証券上場規程を定め、上場審査や上場管理が行われている。

東証に株券等の上場を申請しようとするときは、発行者が東証所定の「有価証券新規上場申請書」と、「新規上場申請に係る宣誓書」等を提出しなければならない。東証は申請を受理し、上場可能かどうかを審査のうえ、内閣総理大臣に上場届出書を提出する。

例外として、国債証券の上場については発行者（国）からの上場申請がなくても上場できるが、地方債証券や外国国債証券などは上場申請が必要である。

3 株券等の上場審査基準（スタンダード市場への新規上場）

(1) 形式要件による審査

東証では、上場申請するにあたって最低限クリアしなければならない要件として、「形式要件」を定めている。次のすべての形式要件に適合することが必要である。

● 上場審査における形式要件（2023年4月1日時点）

①株主数、②流通株式、③事業継続年数、④純資産の額、⑤利益の額、⑥虚偽記載または不適正意見等、⑦登録上場会社等監査人による監査、⑧株式事務代行機関の設置、⑨単元株式数、⑩株券の種類、⑪株式の譲渡制限、⑫指定振替機関における取扱い、⑬合併等の実施の見込み

(2) 実質審査

東証は、形式要件に適合する株式を対象に、発行者に関して実質審査を行い、適当と認められた株式が上場される。

● 上場審査における実質審査（2022年4月4日時点）

①企業の継続性及び収益性、②企業経営の健全性、③企業のコーポレート・ガバナンス及び内部管理体制の有効性、④企業内容等の開示の適正性、⑤その他必要事項

なお、東証にすでに上場されている株券等の発行者が、同一種類の株券等を新たに発行する場合は、原則として上場を承認するものとしている。

4 適時開示等上場管理

　東証は、上場された株券等について、常時、次のような重要な決定等の開示を義務付けている。

- ・株式の発行、減資、合併など投資判断上重要な事項
- ・損害の発生、主要株主の異動、手形等の不渡りなど投資判断上重要な事実
- ・子会社に関する事実

　また、東証は、発行者に対して、公衆縦覧に供する同意の義務付け、及び、発行者はTDnetを利用した会社情報の適時開示を行う。

用語

TDnet
東証の適時開示情報
伝達システム

5 市場区分の変更と上場廃止基準

(1) 市場区分の変更

　東証では、他の市場区分への市場区分の変更申請を受けた場合には新規上場申請時と同様に審査を行う。

(2) 上場廃止に該当する基準

　取引所に上場されている内国株券は、上場廃止基準のいずれかに該当すると、その上場を廃止される。

● 上場廃止基準

①上場維持基準への不適合、②銀行取引の停止、③破産手続、再生手続または更生手続、④事業活動の停止、⑤不適合な合併等、⑥支配株主との取引の健全性のき損、⑦有価証券報告書等の提出遅延、⑧虚偽記載または不適正意見等、⑨特設注意銘柄等、⑩上場契約違反等、⑪株式事務代行機関への不委託、⑫株式の譲渡制限、⑬完全子会社化、⑭指定振替機関における取扱いの対象外、⑮株主の権利の不当な制限、⑯上場会社による株式の全部取得、⑰株式等売渡請求による取得、⑱株式併合、⑲反社会的勢力の関与、⑳その他(公益または投資者保護)

(2) 監理・整理銘柄

　上場廃止、あるいはそのおそれがある銘柄は、取引所が一定期間(整理銘柄の場合は上場廃止日の前日までの間)監理銘柄・整理銘柄に指定して売買を行わせ、投資者にその事実を周知させている。

● 監理銘柄と整理銘柄への指定

監理銘柄	上場廃止基準に該当するおそれがある、または上場廃止申請が行われた銘柄
整理銘柄	上場廃止基準に該当し、上場廃止が決定した銘柄

参考

上場銘柄から、監理銘柄や整理銘柄になっても、しばらくの間は売買取引ができる。

6 普通株式以外の有価証券の上場

普通株式以外の有価証券の上場は、上場手続は基本的に株券等と同じだが、上場審査基準、上場廃止基準については、「発行者、管理会社、投資信託委託業者等、上場を申請する者に対する基準」と、「当該有価証券に対する基準」の２つがある。

参考

内国株券等の上場審査基準、上場廃止基準は、発行者に対するものだけである。

(1) 非参加型優先株・子会社連動配当株

非参加型優先株とは、優先株式の一種で、優先株主配当を受けてしまうと普通株主配当は受け取ることができない優先株である。

子会社連動配当株とは、発行企業の連結子会社の業績、配当等に応じて株主に剰余金配当を支払うとする優先株の一種である。

用語

普通株
標準となる一般の株式である。

● 非参加型優先株等の上場審査及び上場廃止基準

上場審査基準	形式要件(発行者の普通株が上場していることや、優先株等の所有者数等)を満たす新規上場申請銘柄を対象として、実質審査(剰余金配当を行うに足りる利益を計上する見込みがある等)を行う。
上場廃止基準	発行する普通株が上場廃止基準に該当した場合などは、発行する優先株等全銘柄の上場が廃止となる。

用語

優先株
優先的に配当金を受け取れるが、その代わり経営への参加権(議決権)が制限される株式である。

(2) 債券、社債券、転換社債型新株予約権付社債券

国債証券以外の有価証券(地方債証券、社債券など)を上場させるには、発行者からの上場申請が必要である。

● 社債券の上場

上場審査基準	・発行者に対する基準は、東証の上場会社であること ・上場申請債券の基準は、未償還額面総額や当該債券の消化件数など
上場廃止基準	・発行者に対する上場廃止基準のいずれかに該当すると、発行する債券の全銘柄が上場廃止 ・上場社債券に対する上場廃止基準に該当すると、その銘柄のみが上場廃止

第7章

取引所定款・諸規則／有価証券上場規程

● **転換社債型新株予約権付社債券の上場審査基準**

> ・発行会社の株券が上場されていても、転換社債型新株予約権付社債券の上場審査を行い、上場を決定する
> ・発行者に対する基準は、東証の上場会社であること
> ・上場申請銘柄の基準は、発行額面総額、新株予約券の行使条件が適当であることなど

参考

内国ETFについては、投資信託委託会社や信託会社から上場申請があったものについて上場審査を行い、上場決定している。

(3) ETF（Exchange Traded Fund：上場投資信託）

　ETFとは、特定の指標や特定の商品の価格に連動する投資成果を目指す投資信託であり、取引所に上場することができる投資信託である。

● **ETFの上場**

上場審査基準	管理会社に対する上場審査基準として投資信託協会の会員であることが求められるほか、上場申請銘柄に関しても投資信託の受益証券であること、約款記載事項、指定参加者の適格性等、などといった形式基準が定められている。
上場廃止基準	管理会社の金融商品取引業登録の失効・取消し等、上場契約を締結している者に対する基準の他に、当該個別銘柄についても上場廃止基準があり、これらのいずれかに該当した場合に上場が廃止される。

(4) 不動産投資信託証券（REIT：Real Estate Investment Trust）

　不動産投資信託証券（REIT）とは、投資者の資金を主として不動産等に対する投資として運用するものをいう。

● **不動産投資信託証券の上場**

上場審査基準	投資信託委託会社等に対する上場審査基準は、投資信託協会の会員であることとされており、上場申請銘柄に関しては運用資産等のうち不動産等の額の比率など商品特性に係る基準が定められている。
上場廃止基準	投資法人が解散事由に該当する場合といった、上場契約を締結している者に対する基準の他、個別銘柄についての基準も別途定められており、これらのいずれかに該当した場合に上場が廃止される。

問1 有価証券上場規程に関する次の記述のうち、正しいものには〇を、誤っているものには×をつけなさい。

① 株券同様、国債証券は、発行者からの上場申請が必要である。

② 地方債証券や外国国債証券の上場に関しては、発行者からの上場申請が必要である。

③ 取引所における上場審査基準である形式要件には株主数や流通株式、事業継続年数などがある。

④ 取引所は、当該取引所にすでに上場されている株券の発行者が新たに発行する株券についても、原則として上場審査を行う。

⑤ 上場会社の普通株が上場廃止となっても、その会社が発行している優先株は上場廃止とはならない。

⑥ 転換社債型新株予約権付社債券は、発行者が上場申請しなくても上場できる。

⑦ 転換社債型新株予約権付社債券の上場審査では、発行者が取引所の上場会社であれば、無条件で上場が認められる。

解答

①× 上場できる有価証券の中で国債証券だけは上場申請がなくても上場できる。

②〇 国債証券以外は発行者による上場申請が必要である。

③〇 なお、上場審査基準である形式基準はすべて適合することが必要である。

④× 取引所にすでに上場されている株券等の発行者が、新たに発行する場合は、原則として上場を承認するものとしている。

⑤× 上場している優先株を発行している会社の普通株が上場廃止となった場合、優先株も同時に上場廃止となる。

⑥× 転換社債型新株予約権付社債券は、発行者が上場申請しなければ上場できない。

⑦× 転換社債型新株予約権付社債券の上場審査基準は、発行会社が上場会社であるという発行者に対する基準の他に、上場申請銘柄に対する基準がある。

3.

普通取引は
3日目に決済!

業務
規程

業務規程

重要度
★★☆

1 有価証券の売買の種類

(1) 有価証券の売買の種類

　取引所市場内における有価証券の売買は、①立会市場における売買、②立会市場以外の市場 (ToSTNeT市場) における売買に分けられる。

　立会市場とは、取引所に開設された、個別競争売買により取引の行われる「市場」のことであり、「売買立会による売買」と「売買立会による売買以外」に分けられる。

① 立会市場における売買の分類

● 立会市場の売買

用語

売買立会
取引所の市場で売買を行うことである。

用語

株主有償割当増資
新株予約権を既存の株主に与えるものであり、株主はお金を払い込むことで新株の割当を受けられる。

売買立会による売買	(イ) 当日決済取引	売買契約締結の当日に決済を行う。
	(ロ) 普通取引	売買契約締結の日から起算して3営業日目の日に決済を行う。
	(ハ) 発行日決済取引 (内国株券、優先出資証券対象)	内国株券の株主有償割当増資が行われる際に発行される新株券について、その株券が発行される前に行う取引である。原則として、権利落として定める期日から新株券に係る新規記録日の2営業日前までに行い、決済は新株券の新規記録日に一括して行う。
売買立会による売買以外	過誤訂正等のための売買	やむを得ない事情による過誤により本旨に従って執行できなかった顧客の売買について、厳重な条件下で自己が相手方となって売買立会等によらずに執行する便宜的な市場内売買である。

（立会市場における、通常の取引とは異なる取引）	立会外分売（たちあいがいぶんばい）	顧客から大口の売付注文を受託した際、取引所が分売条件を公表して一般投資者の参加を求める取引。大口注文の換金性を確保し相場の激変を回避するために行う。

参考

立会外分売は、「立会市場以外の市場における売買」とは別物であるので注意しよう。

② 立会市場以外の市場（ToSTNeT市場）における売買の分類

　立会市場以外の市場（ToSTNeT市場）とは、立会市場から独立した「市場」で、取引時間外でも取引ができ、主に大口の取引や機関投資家からの注文を個別競争売買ではなく、売方と買方が合意した価格、数量、決済日等で成立させるという取引が行われる。

(2) 権利落、配当落等の売買

　株券等の取引所取引は、原則として約定日から起算して3営業日目に決済が行われる（3日決済）。また、権利落・配当落の期日は権利確定日の前日、その売買の決済は3営業日目である。

● 株券の受渡しの例

用語

権利落・配当落
権利落は、権利確定日を過ぎて株主としての権利がなくなること。配当落は、権利確定日を過ぎて配当を受ける権利がなくなることである。

月	2営業日前	権利付最終売買日・配当付最終売買日（決済は3営業日目）
火	―	権利落日・配当落日
水	権利確定日	権利付・配当付の決済日
木	―	権利落・配当落の決済日

2 売買立会（ばいばいたちあい）

(1) 呼値（よびね）・売買単位

　売買立会により売買を行うときは、呼値を行わなければならない。呼値とは、1株当たりの売り買いの値段のことであり、呼値の単位（一株当たりの売り買いの値段の単位）は、それぞれの株価に応じて決められている。

　売買単位は売買を行う単位で、1単元の株式数が決まっている銘柄は1単元、決まっていない銘柄は1株単位で取引される。

　なお、国債証券の呼値の単位は額面100円につき1銭、売買単位は額面5万円である。

参考

特に流動性の高いTOPIX100を構成する銘柄の呼値の単位は、1株当たり3,000円以下の銘柄については1円未満である。

第7章

取引所定款・諸規則／業務規程

(2) 売買契約の締結

　取引所内での売買契約の締結は、価格優先の原則と時間優先の原則に従い、競争売買により行われている。売買注文を売り・買い別に市場に集め、まず、価格優先の原則に当てはめ、次に時間優先の原則に当てはめることで売買契約の締結の優先順位を決め、順番に売買を成立させていく。

① 価格優先の原則

・成行による呼値(値段を指定しない注文)は指値による呼値よりも優先される
・売呼値は、低い値段が高い値段に優先する

> 例えば、「300円で1,000株売りたい」という注文と「301円で1,000株売りたい」という注文が同時であった場合、「300円で1,000株売りたい」の注文が優先される

・買呼値は、高い値段が低い値段に優先する

> 例えば、「300円で1,000株買いたい」という注文と「301円で1,000株買いたい」という注文が同時であった場合、「301円で1,000株買いたい」の注文が優先される

② 時間優先の原則

・同一の値段の呼値の間では、先に行われた呼値が後に行われた呼値に優先する

> 例えば、9時0分にAさんが「300円で1,000株買いたい」という注文を出し、9時3分にBさんが同じ銘柄を「300円で3,000株買いたい」と注文を出した場合、注文の早いAさんの注文が優先される

(3) 約定値段の決定

　約定値段の決定方法には、個別競争売買と板寄せの方法がある。

① 個別競争売買(ザラ場方式)

　個別競争売買は、ザラ場方式とも呼ばれ、通常の取引時間中の取引のことである。個別競争売買では、売呼値の中の最も低いものと、買呼値の中の最も高いものが値段的に合致したとき、その値段を約定値段とする。

② 板寄せの方法

　板寄せの方法とは、売買立会の始値・終値を定める場合や特定銘柄

の売買が中断された場合の価格決定方法である。約定値段を決める前の呼値（注文）をすべて注文控え（板）に記載したうえで価格的に優先順位の高いものから付け合せながら、数量的に合致する値段を求める。

　まず、一斉に売買注文を集めて価格的に優先順位の高いものから、売りと買いを対当させる。数量的に合致する値段を求め、成立過程で対当された呼値はすべて単一価格で約定される。以下、板寄せの方法による価格決定手順について説明する。

● **始値直前の注文控（板）の状況**

売呼値	値段	買呼値
①20,000株	成行	a.25,000株
⑥2,000	501	
⑤3,000	500	b.3,000
④3,000	499	c.5,000
③2,000	498	d.4,000
②5,000	497	e.5,000
	496	f.6,000

① まず、成行の注文が指値の注文より優先されるので、成行の売呼値と買呼値を対当させる。

　　a.25,000−①20,000＝a.5,000株の買呼値が残る。

② 残ったa.5,000株の買呼値と最も低い売呼値である②497円の5,000株の売呼値を対当させる（価格優先）。

　　497円の売呼値5,000株と成行a.の買呼値5,000株はすべて売買成立するが、497円より高い呼値b.c.d.がまだ残っているので、次にこれらを呼値の高い順から対当させる（価格優先）。

③ ③498円の売呼値2,000株とb.500円の買呼値3,000株
　　⇒b.500円の買呼値が1,000株残る。

④ b.500円の買呼値1,000株と④499円の売呼値3,000株
　　⇒④499円の売呼値2,000株が残る。

⑤ ④499円の売呼値2,000株とc.499円の買呼値5,000株を対当させる。

　　売呼値と買呼値の呼値が一致したところが約定値段となり、始値が

決まる。

　これまで対当させてきた株はすべて同一の値段499円で約定される。

3 有価証券の売買等の適正化措置・取消し

　取引所では売買が適正に行われるための措置や売買の取消しについて規定している。

(1) 呼値の値幅の制限

　取引所では、価格の急激な変動を防止するため、有価証券の1日の売買における値幅を前日の終値から一定の範囲に制限している。制限値幅の上限まで値段が上がることを「ストップ高」、下限まで下がることを「ストップ安」という。株券の売買における制限値幅は、株券の価格によって区分されているが、債券の制限値幅は上下1円となっている（転換社債型新株予約権付社債券及び交換社債券にも制限値幅はあるが、算出方法は異なる）。

(2) 有価証券売買等の取消し

　有価証券の売買等は、原則として一度成立した約定は取り消されることはない。しかし、その決済が困難であり、取引所の市場が混乱するおそれがあると取引所が認めるとき等は、過誤のある注文（誤発注）により成立した売買を取り消すことができる。

取引所市場における業務規程に関する次の記述のうち、正しいものには○を、誤っているものには×をつけなさい。

① 取引所内での売買契約の締結は、価格優先の原則にあてはめ、次に時間優先の原則にあてはめることで優先順位が決められる。

② 指値による呼値は、成行による呼値に優先する。

③ 売呼値は、低い値段が高い値段に優先する。

④ 株券等の取引所取引における権利落・配当落の期日は、権利確定日の4営業日前である。

⑤ 売買立合の始値・終値を決定する場合は、個別競争売買(ザラ場方式)で行われる。

⑥ 国債の制限値幅は上下3円である。

解答

①○　取引所における売買は、価格優先の原則、時間優先の原則に従い、個別競争売買によって行われる。

②×　記述が逆である。成行による呼値が、指値による呼値に優先する。

③○　なお、買呼値は、高い値段が低い値段に優先する。

④×　権利確定日の前日が権利落・配当落の期日である。

⑤×　売買立合の始値・終値は板寄せの方法により行われる。

⑥×　国債の制限値幅は上下1円である。

問2 売買立会の始値決定の直前の注文控（板）の状況が、以下のとおりであるとき、始値はいくらになるか、正しいものはどれか、1つを選びなさい。

売呼値記載欄	値段	買呼値記載欄
2,000	501	
3,000	500	3,000
3,000	499	5,000
2,000	498	4,000
6,000	497	5,000
	496	6,000

（注）成行売呼値10,000株、成行買呼値7,000株とする。

① 500円
② 499円
③ 498円
④ 497円

解答 正しいものは、③

まず、成行の売呼値10,000株と成行の買呼値7,000株を対当させる。

① 成行の売呼値3,000株が残るので、最も高い500円の買呼値3,000株と対当させる。

② 成行の売呼値はすべて約定するが、500円より低い売呼値がまだ残っているので、次にそれらを価格優先の原則に従い対当させていく。

③ 最も低い497円の売呼値6,000株と499円の買呼値5,000株と対当させる。

⇒残った497円売呼値1,000株と498円の買呼値4,000株を対当させる。

⇒残った498円の買呼値3,000株と498円の売呼値を対当させる。

498円で売呼値・買呼値が合致したので、板寄せの方法による約定値段決定の条件が整い、ここで始値498円が決定される。成立過程で対当された呼値はすべて498円の単一値段で約定される。

4.
清算や決済の
規程・受託契約準則

受託契約準則
守ってくださいね。

重要度
★ ☆ ☆

1 清算・決済規程

(1) 清算機関制度

日本証券クリアリング機構とは、日本証券業協会と各取引所が、それぞれの開設する市場で行われた取引の清算を1つの清算機関で一元的に行うため、共同で設立した証券取引清算機関（以下、清算機関と略す）である。

日本の各取引所における有価証券の売買については、すべて株式会社日本証券クリアリング機構が清算業務を行っている。清算機関の主な機能としては債務引受、ネッティング決済等がある。

ネッティング決済とは、決済日を同一とする各清算参加者の証券及び代金に係る売り買い数量、金額をそれぞれ相互に相殺し、その差額を受け渡すことにより決済を行うことである。一方、グロス決済とは、取引毎に売買の相手方と一件ずつ個別に決済を行うことである。

(2) 有価証券等清算取次ぎ

有価証券等清算取次ぎとは、清算参加者が非清算参加者（清算資格がない取引所の取引参加者）から委託を受けて、取引を成立させることである。実質的には非清算参加者の売買だが、清算参加者に清算機関との間で決済を行わせるために、名義上清算参加者の名で売買を成立させるものである。

2 受託契約準則

受託契約準則とは、取引所で有価証券の売買を受託する際に従わなくてはならない規則のことである。取引参加者が取引所市場における有価証券の売買等の注文を受けるときは、取引所の定める受託契約準則に従わなければならない。顧客もまた対等の契約を締結した者として、こ

用語

清算参加者
清算機関が債務引受をする相手となる金融商品取引業者等のことである。一定の基準を満たさなければこの資格を得ることはできない。

の規則を熟知し、遵守すべき義務がある。主な受託契約準則の詳細は以下のとおりである。

（1）取引の受託

　顧客が取引参加者に取引を委託する場合には、その住所・氏名等を通告する義務がある。また、顧客は有価証券の売買の委託に際し、売買の種類、銘柄、売・買の区別、数量等を明確に指示しなければならない。

（2）発行日決済取引

　発行日決済取引による売買が成立した時は、顧客は約定価額の30％以上の金銭を委託保証金として差し入れなければならない。委託保証金は売買成立の日から起算して3営業日目の日の正午までの、取引参加者が指定する日時までに差し入れるものとされている。なお、委託保証金は国内の取引所に上場されている株券、国債証券、地方債証券などの有価証券で代用することができる。また、外国国債証券や外国地方債証券も、国内の取引所に上場されていれば代用有価証券とすることができる。代用有価証券の代用価格は差し入れる日の前日の時価に一定の代用掛目を乗じた額以下とされる。

（3）外貨による金銭の授受

　有価証券の売買に係る顧客と取引参加者との金銭の授受はすべて円貨で行うことが前提だが、受託取引参加者が同意した場合は、顧客の指定した外貨により行うことができる。

受託契約準則は、取引所を利用するための重要なルール。
「取引参加者」のほか、「顧客」もこのルールを守らなければいけない。

問1 清算・決済規程及び受託契約準則に関する次の記述のうち、正しいものには○を、誤っているものには×をつけなさい。

① ネッティング決済とは、決済日を同一とする各清算参加者の証券及び代金に係る売り買い数量、金額をそれぞれ相互に相殺し、その差額を受け渡すものである。

② 取引所の定める受託契約準則は、取引参加者だけでなく、その顧客も遵守すべき義務がある。

③ 発行日決済取引による売買が成立した時は、顧客は約定価額の20%以上の金銭を委託保証金として差し入れなければならない。

④ 有価証券の売買に係る金銭の授受は、すべて円貨で行うことが前提であり、外貨による受渡しは一切認められていない。

⑤ 国内の取引所に上場されている外国国債証券は、発行日決済取引の委託保証金の代用有価証券とすることができる。

解答

①○ 日本の各取引所における有価証券の売買は、清算機関によるネッティング決済により決済が行われている。

②○ 受託契約準則は、「取引参加者と顧客は、あくまでも対等の立場で契約を締結する」という観点で定められている。

③× 委託保証金は、約定価額の30%以上である。なお、売買成立の日から起算して3営業日の日の正午までの取引参加者が指定する日時までに差し入れなければならない。

④× 受託取引参加者が同意した場合は、顧客が指定した外貨にて行うことができる。

⑤○ 外国国債証券や外国地方債証券も、国内の取引所に上場されていれば、発行日決済取引の委託保証金の代用有価証券とすることができる。

第8章

株式業務

予想配点　30点／300点
出題形式
○×方式…5問
五肢選択方式…2問
（配点と出題形式はTACの予想です）

株式取引の種類や売買の形態や有価証券の売買等の受託に必要な注意事項など、株式の売買取引をする際に必要な知識について学習します。また、株の値上がり益や配当金の受取りなどに必要な投資計算についても解説します。

関連章　　第7章

株式について、その取引❶、取引所での売買❷、株式の上場❺、外国株式の取引❻などの基本情報をベースに紹介します。

若干イレギュラーとなるやりとり❸❹も同時に紹介し、株式業務の奥深さを垣間見て貰えればと思います。

また試験頻出の証券投資計算❼についても解説するので、試験対策としても注目すべき論点となります。

1.

株式は自由に売買することができるけど、ルールがあるんだ。

株式の取引

重要度
★★★

1 株式とは

　株式（株券）とは、株式会社に資金を出資している証明として株主に発行されるものである。株式会社は株主に株式を買ってもらうことによって会社の運転資金等（資本金）を集めることができる。株式を買うということは、株券を発行している会社に、株主として出資していることになる。株主には出資する見返りとして、株主総会で議決権を使い経営に参加する権利、会社の利益の一部を配当金という形で受け取る権利が与えられる。

● **株式会社が株式を発行するしくみ**

2 株式の取引の種類

（1）株式取引の種類

　株式の取引は、上場区分や売買される場所により以下のように区別される。

● 株式の取引の種類

取引所(市場)売買	上場株式の売買	証券取引所で開設されている取引所金融商品市場で行われる売買である。東京、名古屋、福岡、札幌がある。
取引所(市場)外売買	上場株式等の売買	取引所集中義務が撤廃されたことに伴い、上場株券等の取引所金融商品市場外での売買(以下「取引所外売買」と略す)が可能となった。
店頭取引	非上場株式の売買	取引所に上場していない有価証券の取引である。

参考

取引所金融商品市場とは、証券取引所が開設する有価証券の売買を行う場所である。

参考

店頭取引は、広い意味では有価証券の上場区分にかかわらず取引所の外(金融商品取引業者の店頭)で売買される取引も含まれる。ここでは「取引所に上場していない有価証券の取引」に限定する。

ここで、取引所とは、売りたい人と買いたい人を引き合わせるお見合いの場所のようなところである。

有価証券の現物の売買を行う取引所には、東京証券取引所(東証)、名古屋証券取引所(名証)、福岡証券取引所(福証)、札幌証券取引所(札証)がある。このほか、デリバティブに特化した大阪取引所(大証、OSE)がある。

● 取引所の役割

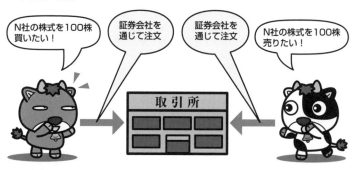

(2) 取引所売買(東証)

①市場区分

● 東証の市場区分

・プライム市場
・スタンダード市場
・グロース市場

②売買立会時

売買立会は、休業日を除いて、一定の時間に行われる。この時間を売買立会時という。

参考

東証は2024年11月5日をめどに後場の取引終了時刻を15:30に変更する予定。
また、後場大引けに「クロージング・オークション」を導入予定（15:25〜15:30の5分間）。直前約定値段等から更新値幅の2倍までの取引が成立可能となる。

③立会時間

	東証	名証、札証、福証
前場	9:00 〜 11:30	9:00 〜 11:30
後場	12:30 〜 15:00	12:30 〜 15:30

④売買単位

　内国株券は、上場会社が単元株式数を定めているときは当該単元株式数、定めていないときは1株とされる。

3 株式の売買の形態

　株式の売買の形態については、以下のように区別される。

● 株式売買の形態

参考

「自己の計算」とは、「自分（金融商品取引業者）のお金」で「自分の名前」を取引相手に示して行う売買のこと。
一方、「取次ぎ」は、「他人（顧客）のお金」で「自分の名前」を取引相手に示して行う売買のこと。

株式の売買 （自己取引）	株式の売買（自己取引）とは、金融商品取引業者が自己の計算で行う売買である。自己取引には、取引所売買と、取引所を通さずに金融商品取引業者自身が相手方となって顧客の売買注文に応じる仕切取引がある。
株式の売買の取次ぎ（委託取引）	株式の売買の取次ぎ（委託取引）とは、顧客からの売買注文を、顧客の計算において金融商品取引業者の名をもって（顧客のお金で金融商品取引業者の名義で）行う取引である。
株式の売買の代理	株式の売買の代理とは、顧客からの売買注文を、顧客の名義で、金融商品取引業者が代理人であることを明示して行う取引である。金融商品取引業者が顧客との間に代理人契約を結んで行われる。
株式の売買の媒介	株式の売買の媒介とは、株式の売買に際し、金融商品取引業者が売り手、買い手の間に入り売買を成約させようとする行為である。

4 売買の受託にあたっての注意事項

　金融商品取引業者が有価証券の売買等を引き受ける場合は、投資者保護、不公正取引防止などの観点から様々な確認をしなければならない。

(1) 顧客の住所、氏名等の調査と取引時確認及び個人番号の提示

　金融商品取引業者は、顧客カードを備え付け、顧客から本人確認書類及び個人番号（マイナンバー）確認書類の提示を受け、取引時確認を行わなければならない。

（2）投資勧誘

金融商品取引業者には、投資勧誘を行う場合、適合性の原則の遵守義務、自己責任の原則を顧客に周知させる義務がある。取引の形態に応じてそれぞれ金融商品取引業者が取引開始基準を定め、契約締結前交付書面を交付し、確認書を徴収しなければならない。

● **取引開始基準の定められている取引における必要書類等**

信用取引・発行日決済取引	信用口座の設定にあたって、顧客から信用取引口座設定約諾書を受け入れなければならない（発行日決済取引もこれに準じる）。
新株予約権証券取引	契約締結前交付書面を顧客に交付し、十分説明を行った上で、「顧客の判断と責任において取引を行う」という内容が記載された確認書を徴収する。

外国証券取引は、取引の注文を受ける場合、外国証券の取引に関する契約を締結する。また、「外国証券取引口座に関する約款」を顧客に交付し、この約款に基づき取引口座の設定を申し込む旨記載された申込みを受ける必要がある。

（3）不公正取引防止

金融商品取引業者は、売買等の注文を受けた時点で法令諸規則により禁止された以下のような取引に該当しないよう、顧客属性の確認を行わなければならない。

・内部者（インサイダー）取引の受託
・仮名取引の受託及び名義貸し

（4）その他受託時の注意事項

① 取引態様の事前明示義務

金融商品取引業者は、顧客から売買注文を受けた際に取引態様を事前に明示しなければならない。

② 空売り規制

顧客から有価証券の売付けの注文を受ける場合は、その売付けが空売りに該当するかどうかの確認が必要である。空売り価格についてはトリガー方式が導入され、一定の条件を満たした銘柄のみ規制の対象となる（前日終値等を基礎とした基準価格から10％以上低い価格で約定した場合は、価格

規制が適用される)。ただし、トリガーに抵触して規制の対象となった場合でも、直近価格(今現在表示されている価格)がその直前の価格を上回っている場合は、直近価格での空売りは認められる。

(5) 安定操作期間中の受託

参考
安定操作取引は、金融商品取引業者が意図的に買い支えて、価格の安定を図ることを目的に行われる。

安定操作取引とは、相場を安定させるために行われる一種の相場操縦であり、本来は禁止されているが、有価証券の募集や売出しを行う場合は一定の条件下で認められている。安定操作期間とは、安定操作取引のできる期間のことで、募集または売出し等の価格決定日の翌日から、募集または売出しの申込み最終日までをいう。

注文の受注、執行の管理に注意を払う必要がある期間をファイナンス期間といい、募集、売出し等の発表日の翌日から払込日までの期間を指す。

● **ファイナンス期間と安定操作期間のイメージ**

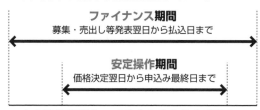

安定操作期間中、元引受金融商品取引業者(募集・売出し等を引受けた証券会社)は、自己対当取引(自己が取引の相手方となる売買)を伴う取引を顧客から受託できない。また、安定操作期間中は、顧客に対し安定操作取引が行われた旨表示せずに、買付け等の受託をしてはならない。

5 注文の執行と決済 (受渡し)

顧客から受けた注文を実際に執り行い、売買代金や証券の受渡しをする場合、業務の流れがどのようになっているかは、下記のとおりである。

参考
寄付き=取引時間が始まる時間帯
引け=取引時間が終わる時間帯
ザラ場=寄付き、引け以外の取引時間中

(1) 委託注文内容の確認

顧客は、金融商品取引業者に売買の注文を出す際は、買い注文、売り注文いずれの場合も、以下の事項をそのつど指示しなければならない。

用語
計らい
指値の上下〇%なら注文を成立させてほしいと、ある程度金融商品取引業者の裁量に任せる注文のことである。

● **委託注文内容の指示項目**

売買の種類、銘柄、売付けまたは買付けの区別、数量(売買の単位)、値段の限度(指値、成行)、売付けまたは買付けを行う売買立会時(寄付き、引け、ザラ場、計らい)、委託注文の有効期間、現物取引または信用取引の別

(2) 注文伝票の作成

　金融商品取引業者は、顧客から売買を受託した場合、注文伝票を作成し、以下の事項を記載しなければならない。

● 注文伝票への記載事項

> 自己または委託の別、顧客からの注文の場合にはその顧客の氏名または名称、取引の種類、銘柄、売付けまたは買付けの別、受注数量、約定数量、指値または成行の別、受注日時、約定日時、約定価格

(3) 契約締結時交付書面の作成

　売買が成立した場合、金融商品取引業者は、手数料の金額等を記載した契約締結時交付書面を作成し、遅滞なく顧客に交付しなければならない。顧客からの承諾を得た場合、インターネット等の情報通信技術を利用する方法で書面の内容を提供できる。

(4) 受渡し

　受渡しとは、株式を売買したとき、顧客が買付代金を渡して株券を受け取り、または株券を渡して売付代金を受け取り、決済することをいう。

　取引所において株式を普通取引で売買したときの受渡しは、売買成立の日から起算して3営業日目に行われる。

(5) 株式の売買に係る手数料

　顧客が金融商品取引業者を通じて株式の売買を行う場合は、主に委託取引と仕切取引に分けられる。

　委託取引で売買注文が成立した場合の手数料は、顧客と金融商品取引業者との合意により定められる。

　仕切取引においては、顧客との合意により定められた手数料を徴収する場合、売買値段に手数料相当分を含めて約定することにより手数料を別途徴収しない場合の2通りある。

参考

受渡しは、買付代金と引き換えに有価証券を受け取ることをいうが、株券は電子化されているので券面の授受はない。

用語

仕切取引
取引所外で金融商品取引業者が顧客と直接相対で売買する取引である。

問1 株式売買に関する次の記述のうち、正しいものには〇を、誤っているものには×
をつけなさい。

① 委託取引は、顧客の計算において金融商品取引業者の名をもって行う取引である。

② 株式の売買の代理とは、顧客からの売買注文を、金融商品取引業者の名義で金
融商品取引業者が代理人であることをはっきりと伝えて執り行う取引である。

③ 上場銘柄について直近価格がその直前の価格を上回っている場合は、直近価格
での空売りは認められる。

④ 注文伝票への記載事項には、自己または委託の別は無い。

⑤ 金融商品取引業者は顧客からの売買注文が成立した場合、契約締結時交付書
面を交付しなければならない。

⑥ 手数料の金額は、契約締結時交付書面に記載すべき事項である。

解答

①〇 顧客からの注文を取引所で執り行うには、委託取引の場合が多い。

②× 株式の売買の代理とは、顧客からの売買注文を、顧客の名義で金融商
品取引業者が代理人であることをはっきりと伝えて執り行う取引である。

③〇 なお、空売りの価格についてはトリガー方式が導入され、一定の条件を
満たした銘柄のみ規制の対象となる。

④× 注文伝票への記載事項には、自己または委託の別がある。

⑤〇 なお、顧客からの承諾を得れば、インターネット等による提供ができる。

⑥〇 金融商品取引業者は、売買が成立した場合、契約締結時交付書面に
手数料の金額等を記載して顧客に交付する。手数料の金額は注文伝
票への記載事項ではない。

取引所の売買と
いっても、いろいろ
な区分があるんだ。

2.

金融商品取引所での
売買と店頭取引

重要度
★★☆

1 取引所での株式売買の区分と内容

　金融商品取引所における株式の売買は、決済日の違い、売買立会によるか否か、信用供与の有無、などにより区分することができる。

● **株式売買の種類**

決済日による区分	普通取引・当日決済取引・発行日決済取引
売買立会の違いによる区分	立会内売買・立会外売買

● **決済日による区分**

普通取引	・最も一般的な取引 ・売買契約締結の日から起算して3営業日目に決済を完了させる取引
当日決済取引	・売買契約締結の日に決済を行う取引
発行日決済取引	・内国株券の発行者（企業）が株主割当によって新たに発行する株券を対象にした取引 ・権利落として定める期日から新株券に係る新規記録日の2営業日前までに行い、決済は新株券の新規記録日に一括して行う。 ・顧客が発行日決済取引の売買を金融商品取引業者に委託注文する場合は「発行日決済取引の委託についての約諾書」に所定事項を記載し、これに署名または記名押印し、金融商品取引業者へ差し入れなければならない

参考

立会外売買は、個別競争売買ではない市場での取引という意味であり、取引所の外で行われる取引という意味ではない。

　なお、取引所における金融商品取引業者間の現物取引決済には、資金と証券の同時または同日中の引渡しを行うDVP決済が導入されている。この決済により、取引相手の決済不履行による元本リスク（資金や証券を

163

交付した後にその対価を受け取れないというリスク) を排除することができる。

2 売買立会市場によるか否かの区分

（1）立会内売買（立会市場による売買）

　立会内売買とは、取引所に開設されている立会市場で行われる売買のこと。この取引はオークション方式、すなわち個別競争売買により売買が行われる。投資家の売り・買いの注文を銘柄ごと、値段ごとに集計し、最も低い値段の売り注文と、最も高い値段の買い注文が合致することにより取引が成立する。

（2）立会外売買（立会市場以外の市場における売買）

　立会外売買は立会内売買のように個別競争売買ではなく、売方と買方が合意した価格、数量、決済日等に基づきクロス取引 (同一銘柄・同一数量の売買) で約定を成立させる取引である。

　ToSTNeT市場では、取引時間外のみならず売買立会時間中でも取引が行えるようになっている。

参考

例えば大口の売り注文はオークションによる立会内売買では執行困難な場合が多い。クロス取引とは、このような場合に、金融商品取引業者が取引の相手方となって顧客の注文に買い向かい、売買を成立させることである。

● 立会外売買（ToSTNeT市場での売買）での主な取引

立会外 単一銘柄取引	単一銘柄のクロス取引。 東証、名証では立会時間内にも立会外売買を行える。
立会外 バスケット取引	複数の銘柄で構成されるポートフォリオをワンセットで売買する取引。 15銘柄以上で構成され、かつ総額1億円以上のポートフォリオであれば売買可能で、東証では立会時間内の取引も可能である。
終値取引	直近の終値あるいはVWAPに基づき行う取引。 VWAPとは、売買高加重平均価格のことで、当日の取引所で成立した価格を価格毎の出来高で加重平均した値である。
自己株式立会外 買付取引	買方を発行会社に限定した自己株式取得専用の取引 (東証)。

3 信用供与の有無による区分

(1) 現物取引

現物取引とは、売買する人 (法人) が、自己の有価証券の売却または自己の資金で有価証券の買付けを行う取引である。

(2) 信用取引

信用取引とは、「金融商品取引業者が、顧客に信用を供与して行う有価証券の売買その他の取引」である。信用の供与とは、顧客 (金融商品取引業者も含む) に対する金銭または有価証券の貸付けまたは立替えのことである。

4 店頭取引

(1) 店頭有価証券の種類

店頭取引とは、取引所に上場していない有価証券の取引である。

取引所に上場していない有価証券は「店頭有価証券」と定義され、「店頭取扱有価証券」、「それ以外の店頭有価証券」に分類される。

(2) 売買の形態

店頭取引は、委託または仕切りの形式で、会員 (金融商品取引業者) 間または顧客と会員間の相対売買により行われる。

委託形式の売買	顧客から売買を委託された会員が、顧客の計算において、他の会員等に売買の取次ぎ等を行う取引のこと
仕切形式の売買	顧客の売買に対し、注文を受けた会員自ら取引の相手方となって、約定を成立させる取引のこと

なお、店頭有価証券については、非上場PTS銘柄取引の場合を除き、成行注文の受託、信用取引、未発行店頭有価証券の店頭取引が禁止されている。

(3) 店頭取扱有価証券

店頭取扱有価証券及び上場有価証券の発行会社が発行した店頭取扱有価証券については、一定の要件のもと、適格機関投資家以外の顧客等に対しても、投資勧誘を行うことができる。

(4) 店頭取扱有価証券以外の店頭有価証券

店頭取扱有価証券以外の店頭有価証券は、原則、顧客に対して、投資勧誘を行うことはできない。ただし、次の場合は投資勧誘ができる。

参考

現物取引は、投資家が自分の投資資金や手持ちの有価証券の範囲内で売買を行う。一方、信用取引は、顧客が委託保証金を金融商品取引業者に担保として預託し、資金や証券を借りて売買を行う取引である。つまり、投資家は手持ちの資金以上の取引をすることができる。

用語

相対売買 (相対取引)
売る方と買う方が1対1で数量や価格、決済方法を取り決めて行う取引である。

・経営権の移転等を目的とした一連の店頭有価証券の取引または取引の媒介の場合

　なお、経営権の移転等を目的とした場合でも、買付者または買付者が指名した者が発行会社の代表者に就任することは求められない。

・少数（50人未満）の投資家に対してのみ勧誘を行う場合で、自ら企業価値評価等が可能な特定投資家（個人を除く）に対して行う場合

・株主コミュニティ規則に係る「株式コミュニティ銘柄」及びクラウドファンディング規則に係る「株式投資型クラウドファンディング業務に係る株券」の場合

・「店頭有価証券等の特定投資家に対する投資勧誘等に係る規則」の規定に係る店頭有価証券等

3. 上場株券等の 取引所外での売買

取引所外での売買、
PTSについておさえよう。

重要度

1 取引所外での売買の概要

　上場株券等が取引所では取引されずに、取引所の外で（証券会社等の金融商品取引業者の店頭で）相対取引される場合がある。

　取引所外での売買は、相対取引により売買が行われる。取引所外売買は、立会時間内、立会時間外いずれも取引可能である。取引所売買と取引所外売買は同一時間に成立した売買でも価格が異なることがある。

　また、取引所外売買の受渡決済については当事者間で取り決めなければならない。

2 取引所外での売買の対象となる有価証券

　国内の取引所に上場されている次の有価証券が、取引所外での売買の対象となる。

● 取引所外で取引できる有価証券

株券、出資証券(優先出資証券を含む)、転換社債型新株予約権付社債券、交換社債券、新株予約権付社債券、新株予約権証券、投資信託受益証券、外国投資信託受益証券、投資証券、新投資口予約権証券、外国投資証券、外国株預託証券

3 PTS（私設取引システム）

　PTSは、取引所外売買の1つであり、金商法の定めるところにより原則、内閣総理大臣の認可を受けた金融商品取引業者のみが開設できる「電子取引の場」である。このPTSへ投資家や金融商品取引業者が注文を出し、取引が行われる。

　PTSにおいては、非上場の特定投資家向け有価証券の取扱いが認め

られている。

　主な売買価格の決定方法には①オークションの方法、②上場有価証券について、当該有価証券が上場されている取引所における売買価格を用いる方法、③店頭売買有価証券について、協会が公表する売買価格を用いる方法、④顧客の間の交渉に基づく価格を用いる方法がある。

本番得点力が高まる! 問題演習

問1　株式売買に関する次の記述のうち、正しいものには○を、誤っているものには×をつけなさい。

① 普通取引の決済日は、売買契約締結日から3営業日目である。

② DVP決済は、取引相手の決済不履行による信用リスクを排除できる。

③ 立会外バスケット取引とは、10銘柄以上で構成され、かつ総額1億円以上のポートフォリオをワンセットで売買する取引である。

④ 金融商品取引業者が顧客に信用を供与して行う有価証券の売買等を、信用取引という。

⑤ 取引所金融商品市場外で上場株券の売買等を行う場合は、立会時間内に行わなければならない。

⑥ 私設取引システム（PTS）における売買価格は、すべて顧客の間の交渉に基づき決定される。

解答

①○　普通取引の決済日は、売買契約締結日から起算して3営業日目である。

②×　DVP決済で排除できるリスクは、取引相手の決済不履行による元本リスクである。

③×　立会外バスケット取引は、15銘柄以上で構成され、かつ総額1億円以上のポートフォリオをワンセットで売買する取引である。

④○　なお、信用の供与とは、顧客に対する金銭、有価証券の貸付けまたは立替えのことである。

⑤×　取引所金融商品市場外で上場株券の売買等を行う場合、立会時間内、立会時間外、いずれも取引可能である。

⑥×　PTSにおける売買価格の決定方法には、オークションの方法やその株式が上場されている取引所の売買価格を用いる方法もある。

4.
株式累積投資・株式ミニ投資

株式累積投資や株式ミニ投資のしくみ、取扱方法をみていこう。

重要度

1 株式累積投資

　投資者から資金を預かり、毎月一定日に特定の銘柄の株式等を買い付ける制度を株式累積投資という。投資者が買い付けできる銘柄は金融商品取引業者が選定する銘柄（選定銘柄）となる。株式累積投資の特徴は、投資者が少額の資金で株式等の投資を行うことが可能な点である。一般に月々1万円から1,000円単位で投資できる。払込金額は、1顧客の1銘柄に係る買付金額は100万円未満である。

2 株式ミニ投資とは

　株式ミニ投資とは、取引所の定める1売買単位に満たない株式の売買のことで、任意のときに単元未満株のまま、任意の銘柄を売買する制度である。なお、1売買単位に満たない株式を取得できるという点では株式累積投資と似ているが、株式ミニ投資は株式累積投資に比べ投資家がより機動的に売買を行うことができる。

3 株式ミニ投資契約のしくみ

　株式ミニ投資のしくみと取扱方法は以下のとおりである。

● 株式ミニ投資のしくみ、取扱方法

株式ミニ投資契約の締結	取扱金融商品取引業者は、顧客から注文を受ける場合には、株式ミニ投資に関する約款を交付の上契約を結ばなければならない。
取引単位	取引所の定める1売買単位の10分の1 （顧客から受託できる株数は、同一営業日、同一銘柄につき1取引単位に9を乗じて算出した単位まで）

参考

株式累積投資は、毎月自動引き落としとされ、一定額から株式等を購入するスタイルなので、ミニ株のように自分で好きなときに買うことができない。

対象銘柄	取扱金融商品取引業者が上場されている単元株採用銘柄の中から選定する。
注文方法	注文のつど、銘柄、買付けまたは売付けの別、数量を顧客が伝える必要がある。
約定日及び受渡日	約定日：顧客から注文を受託した日の翌営業日 受渡日：約定日から起算して3営業日目
約定価格	約定日における指定取引所の価格に基づき決定（取引所の翌取引日における始値としている場合が一般的。成行または指値の別について指定できない）。
区分管理	金融商品取引業者は、顧客が株式ミニ投資に寄託している銘柄が1売買単位に到達した場合、顧客からの申し出の有無にかかわらず、その銘柄の1売買単位の部分の株数を株式ミニ投資によらないその顧客名義の振替決済口座へ移管しなければならない。

本番得点力が高まる! 問題演習

問1 株式ミニ投資に関する次の記述のうち、正しいものには○を、誤っているものには×をつけなさい。

① 株式ミニ投資とは、取引所の定める1売買単位に満たない株式の売買のことで、任意のときに単元未満のまま、任意の銘柄を売買する制度である。

② 株式ミニ投資の注文においては、初めて売買をするときに銘柄を伝えておけば、以後は銘柄の指定は不要である。

③ 株式ミニ投資における約定日は、顧客から注文を受けたその日である。

 解答

①○ 株式るいとうに似ているが、株式るいとうに比べて、より機動的に売買を行うことができる。

②× 株式ミニ投資の注文においては、注文のつど、銘柄、買付けまたは売付けの別、数量を顧客が伝える必要がある。

③× 注文を受託した日の翌営業日である。なお、受渡日は約定日から起算して3営業日目となる。

5. 株式の上場

上場すると資金調達できるんだ。

重要度 ★★☆

1 株式の上場のメリット

株式の上場とは、企業の発行する株式を、取引所が開設する取引所市場において売買できるようにすることである。

● **株式上場のメリット**

① 資金調達力の拡大
　資本市場を通じて広く投資者から資金を調達できる。

② 社会的信用の向上
　取引先や一般からの信用が得られ、取引の拡大や社員の採用に有利になる。

③ 企業のPR
　メディアに社名や株価が紹介され、優秀な人材確保に有利となり、社員の勤労意欲も増す。

④ 財産保全機能の拡大
　取引所で形成される株価は、いろいろな法律行為を行ううえで重要な裏づけとなるとともに、自社の株式の換金性、担保力が増す。

⑤ 経営管理体制の確立
　上場会社は一定レベル以上の経営管理体制を確立しなければならないので、経営管理システムが向上することで会社の利益にも貢献する。

2 公開価格の決定

株券の新規上場に際しては、上場する取引所の規則により株式公開の公正を確保するために必要な事項が定められている。上場とは株式市場で売買可能な状態にすることで、株式の公開とも呼ばれる。株式を公開するには、公開価格を決定しなければならない。

公開価格の決定方法には以下の2種類があるが、現在ではブックビルディング方式が主流となっている。

参考

公開価格に対して、上場後、取引所で初めてついた値段は初値という。人気のある銘柄は初値が公開価格を上回る場合がある。

用語

公開価格
株式市場で取引が初めて行われる直前の価格であり、新規上場株式を引き受けた金融商品取引業者が公募や売出しを行って投資家に売り出す際の1株当たりの価格を決める。

● **公開価格の決定方法**

① ブックビルディング方式
　有価証券投資に対する専門知識等を有する者の意見等をもとに仮条件（価格帯）を決定し、その後投資者からの需要状況やその他市場動向を総合的に勘案して価格を決定する。

〈ブックビルディング方式の流れ〉

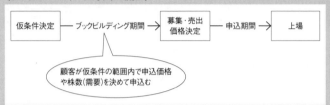

② 競争入札
　上場前の公開株式数の50%以上の株式を一般投資家の参加する入札に付し、公開価格を決定する。

本番得点力が高まる! 問題演習

問1　株式の上場に関する次の記述のうち、正しいものには○を、誤っているものには×をつけなさい。

① 株式の新規上場に際し、公開価格の決定方法は競争入札のみである。

② 株式の公開価格の決定方法は、ブックビルディング方式が主流である。

③ ブックビルディング方式は、有価証券投資に対する専門知識等を有する者の意見をもとに仮条件を決定し、その後投資家からの需要状況、その他市場動向を総合的に勘案して価格を決定する方法である。

解答

①× 公開価格の決定方法には競争入札、ブックビルディング方式の2種類があり、ブックビルディング方式が主流である。

②○ 1997年にブックビルディング方式が導入され、すべての企業がこの方式で公開価格を決定している。

③○ なお、競争入札は、上場前の公募株式数の50%以上の株式を一般投資家の参加する入札に付し、公開価格を決定する方法である。

外国の株式も
売買できるんだ。

6.

外国株式の取引

重要度

1 外国証券取引口座の設定

　金融商品取引業者が顧客から外国株式の売買の注文を受ける場合や顧客と外国株式の取引に関する契約を結ぶときは、あらかじめ「外国証券取引口座に関する約款」を顧客に交付（インターネット交付も可能）し、「外国証券取引口座設定申込書」の提出を受ける必要がある。

　また、取引の注文を受ける際には、その外国株式においては、日本の金商法に基づく企業内容の開示が行われていないということを説明しなければならない。なお、外国投資証券、外国ETF等についても同様である。

2 外国株式の取引の形態

　一般投資家が行う外国株式取引には、以下の3つの形態がある。

● **外国株式の取引の形態**

国内委託取引	国内に上場されている外国株式の取引	取引の種類は当日決済取引、普通取引(信用取引も可)。 売買された株券は当該発行会社の本国内の保管機関に証券保管振替機構(ほふり)名義で預託される。
外国取引	顧客からの外国証券の委託注文を外国の有価証券市場に取り次ぐ取引	取引証券の取引価格や、発行者に関する財務諸表等の投資情報が入手可能である等、一定の条件のみ、顧客に対し投資勧誘を行える。海外への注文となるため注文発注日時と約定日は必ずしも一致しない。決済は原則として約定日から3営業日目に行い、買い付けた証券は金融商品取引業者の指定する現地の保管機関に金融商品取引業者名義で保管される。

国内店頭取引	外国証券の国内における店頭取引をいい、金融商品取引業者が投資家の相手方として仕切り売買する取引	金融商品取引業者等が保有する外国株式を国内で取引する方法。外国取引と同様、一定の要件を満たす銘柄のみ投資勧誘を行える。合理的な方法で算出された時価(社内時価)を基準とした適正な価格で取引しなければならない。 証券の保管、権利の処理等については外国取引と同様である。

本番得点力が高まる! 問題演習

問1 外国株式の取引に関する次の記述のうち、正しいものには〇を、誤っているものには×をつけなさい。

① 顧客と外国株式の取引に関する契約を結ぶときは、あらかじめ「外国証券取引口座に関する約款」を交付し、「外国証券取引口座設定申込書」の提出を受ける必要がある。

② 国内店頭取引においては、売買された株券は発行会社の本国内の保管機関に証券保管振替機構名義で預託される。

③ 国内店頭取引を行うにあたっては、当該外国株式の現地における取引価格を基準とした適正な価格で取引しなければならない。

④ 外国株式の国内委託取引は、当日決済取引と普通取引がある。

解答

①〇 なお、約款の交付、申込書の提出はインターネットによる方法も可能である。

②× 問題は国内委託取引に関する記述である。国内店頭取引の場合は、外国取引と同様現地の保管機関に金融商品取引業者名義で保管される。

③× 現地における取引価格、ではなく、合理的な方法で算出された時価(社内時価)を基準とする。

④〇 なお、売買された株券は当該発行会社の本国内の保管機関に証券保管振替機構(ほふり)名義で預託される。

7.
証券投資計算

証券投資計算は頻出！何度も練習して必ずできるようにしよう。

重要度 ★★★

1 株式の利回り

株式の利回りとは、投資金額に対する年間の受取配当金の割合である。株式会社が株主に対して剰余金の分配をすること、あるいはその剰余金を配当といい、1株当たりいくらと金額で表す。

株式の利回りは次の式で求めることができる。

$$株式利回り（\%）= \frac{1株当たり配当年額}{株価} \times 100$$

2 権利付相場と権利落相場

株式分割や株主割当有償増資が行われる場合、新株割当期日の2営業日前までは、新株の割当を受ける権利を含んだ価格で取引され、これを権利付相場という。その翌日にあたる新株割当期日の1営業日前からは、その株は新株の割当を受ける権利を失い、一般的に株価はその権利の分だけ値下がりする。このことを権利落相場という。

用語

株式分割
資本金を変えずに1株を分割することである。新株を発行することになるのでその株の市場の流通量が増える。

株主割当有償増資
新株予約権を既存の株主に与えるものであり、株主はお金を払い込むことで新株の割当を受けられる。企業が資本金を増やしたい場合に行われる。

175

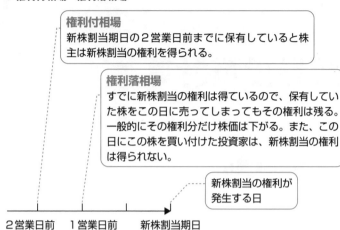

● 権利付相場・権利落相場

権利付相場
新株割当期日の2営業日前までに保有していると株主は新株割当の権利を得られる。

権利落相場
すでに新株割当の権利は得ているので、保有していた株をこの日に売ってしまってもその権利は残る。一般的にその権利分だけ株価は下がる。また、この日にこの株を買い付けた投資家は、新株割当の権利は得られない。

新株割当の権利が発生する日

2営業日前　　1営業日前　　新株割当期日

権利付相場、権利落相場の価格は、次の公式で求めることができる。

$$権利付相場（円）＝権利落相場×分割比率$$

$$権利落相場（円）＝\frac{権利付相場}{分割比率}$$

3 株価収益率（PER）

参考

EPSとは、Earnings Per Shareの略である。

会社の収益力をはかるには、1株当たり利益（EPS）を求める方法がある。この数値が高いほど企業の収益力が高いことを表している。

$$1株当たり当期純利益（EPS）（円）＝\frac{税引後当期純利益}{発行済株式総数}$$

参考

PERとは、Price Earnings Ratioの略である。

この1株当たりの収益力に対して株価が何倍まで買われているのかを見る指標が株価収益率（PER）である。この数値が低いほど割安であると判断できる。

$$株価収益率（PER）（倍）＝\frac{株価}{1株当たり当期純利益}$$

参考

1株200円の株から100円の利益が出るとしたら、もとを取るまでに2年だが、1株300円の株だとしたら、もとを取るまでに3年かかる。もとを取るのに時間がかかるということは、割高ということである。この考え方を利用したのがPERである。

4 株価キャッシュ・フロー倍率（PCFR）

株価キャッシュ・フロー倍率とは、株価を1株当たりのキャッシュ・フローで割った数値である。キャッシュ・フローとは、当期純利益に減価償却費を加えたものである。

この倍率は企業が期中に生み出した自己資金を表しており、この数値が低いほど割安であると判断できる。

$$株価キャッシュ・フロー倍率（PCFR）（倍） = \frac{株価}{1株当たりキャッシュ・フロー}$$

5 株価純資産倍率（PBR）

企業の安定性をはかるものとしては、1株当たり純資産（BPS）がある。この値が大きいほど安定した企業であると判断できる。

BPSに対して株価が何倍まで買われているかを表すのが株価純資産倍率（PBR）である。PBRは、株価を1株当たり純資産で割って求める。PBRが1倍ということは、株価が企業の資産価値（解散価値）に等しい水準といえる。一般的に、PBRが低い方が株価は割安であると判断できる。

$$株価純資産倍率（PBR）（倍） = \frac{株価}{1株当たり純資産}$$

6 自己資本利益率（ROE）

自己資本利益率とは、株主の立場から見て、会社に投下した資金がどのように運用され、どれほど成果を上げているかを表す指標である。一般的には、ROEが高い方が投資対象として魅力的な企業といえる。

$$自己資本利益率（ROE）（\%） = \frac{当期純利益（年換算）}{自己資本（期首・期末平均）} \times 100$$

7 総資産利益率（ROA）

総資産利益率とは、ROE同様、企業の活動内容を見るために用いられる指標である。企業が事業活動に投下した総資産に対して、毎年ど

参考
PCFRとは、Price Cash-Flow Ratioの略である。

用語
減価償却
設備投資のために費やしたお金（会社の建物の購入等）を一度に会社の費用にせず、毎年少しずつ費用として計上していくことである。

参考
株価キャッシュ・フロー倍率は、PERと併用することで効果的な株価評価ができ、国によって異なる会計基準の影響も受けにくいため国際的な株式投資指標として注目を集めている。

参考
PBRとは、Price Book-Value Ratioの略である。

参考
ROEとは、Return On Equityの略である。

参考
ROEの観点では、この比率が一般の金利水準より低ければ、その企業に出資する魅力がないと判断できる。

参考
ROAとは、Return On Assetの略である。

のくらいの利益を生み出したかを表している。

$$\text{総資産利益率 (ROA) (\%)} = \frac{\text{当期純利益}}{\text{売上高}} \times \frac{\text{売上高}}{\text{総資本（期首・期末平均）}} \times 100$$

参考

長期的な金利とは、例えば長期国債の利回りである。

参考

イールドスプレッドでは、例えば、長期国債の利回りの方が株式益回りより高いのであれば、株に投資するより債券に投資した方が儲かることになる。

8 株式益回りとイールドスプレッド（利回り格差）

株式益回りとは、株価収益率（PER）の逆数であり、1株当たりの企業収益率を表す。一方、イールドスプレッドは、株式益回りと長期的な金利水準との比較を行う指標であり、イールドスプレッドが小さくなるほど株価は割安であると判断できる。

$$\text{株式益回り (\%)} = \frac{\text{1株当たり当期純利益}}{\text{株価}} \times 100$$

$$\text{イールドスプレッド} = \text{長期債利回り} - \text{株式益回り}$$

用語

EBITDA
Earnings Before Interest（利払い前）、Taxes（税引き前）、Depreciation and Amortization（減価償却前の利益）の略称。
金利水準や税率、減価償却方法など、会計基準の違いが最小限に抑えられた利益（利払前・税引前・償却前利益）のことである。

9 EV／EBITDA（イーブイ・イービットダー）倍率

EV／EBITDA（イーブイ・イービットダー／イービットディーエーと読まれる）倍率とは、国際的な同業他社比較に用いられる利益指標である。会計基準の違いが最小限に抑えられた利益に対して、企業価値が何倍あるかを見ることができ、この倍率が低ければその企業の株価は割安、高ければ株価は割高、といえる。

用語

EV
企業価値（時価総額＋有利子負債－現金預金－短期有価証券）のことである。

$$\text{EV／EBITDA倍率} = \frac{\text{EV（時価総額＋有利子負債－現金預金－短期有価証券）}}{\text{EBITDA（税引前利益＋支払利息＋減価償却費）}}$$

10 株式売買の受渡金額

参考

受渡金額の計算では、同じ日に同じ銘柄が別々に約定成立した場合でも、1口の注文として約定代金の合計に対して委託手数料が計算されることが多い。

株式の売買約定が成立すると、約定日から起算して3営業日目に代金の受渡しが行われる。株価に株数をかけた金額は約定代金といい、そこに金融商品取引業者に支払う委託手数料を加算（買付けの場合）または減算（売付けの場合）したものが受渡金額となる。

買付け時の受渡金額＝株価×株数＋（委託手数料＋委託手数料の消費税相当額）

売付け時の受渡金額＝株価×株数－（委託手数料＋委託手数料の消費税相当額）

本番得点力が高まる！ 問題演習

問1
当期1株当たり予想配当年額10円の株式の時価が800円であるとき、この株式の利回りはいくらになるか答えなさい。

解答
正解は、1.25%

株式利回りの公式より、 $\dfrac{10円}{800円} \times 100 = 1.25\%$

問2
1：1.5の株式分割を行う銘柄の権利付相場が1,600円であったが、権利落後の値段が1,200円になった。権利付相場の1,600円に対する値上がり額として正しいものはどれか、1つを選びなさい。

① 150円
② 200円
③ 300円
④ 400円
⑤ 500円

解答
正しいものは、②
権利付相場の公式より、
権利落後の値段から算出される資産価値は、1,200円×1.5＝1,800円
したがって、
値上がり額＝権利落後の値段から算出される資産価値－権利付相場
＝1,800円－1,600円＝200円

問3
資本金100億円（発行済株式数2億株）、当期純利益（税引後）60億円、株価450円の会社の株式の1株当たり当期純利益及び株価収益率（PER）はいくらになるか答えなさい。

解答
正解は、1株当たり当期純利益30円、株価収益率15倍
まず公式を使い1株当たりの純利益を求める。

1株当たり当期純利益（EPS）の公式より、 $\dfrac{60億円}{2億株} = 30円$

次に、株価収益率を求める。

株価収益率（PER）の公式より、$\dfrac{450円}{30円} = 15倍$

問4

総資産800億円、総負債400億円、発行済株式数5,000万株、株価800円の会社（年1回決算）の株価純資産倍率（PBR）はいくらになるか答えなさい。

解答

正解は、1倍

会社の純資産＝総資産－総負債＝800億円－400億円＝400億円

1株当たりの純資産（BPS）＝400億円÷0.5億株＝800円

したがって、株価純資産倍率（PBR）の公式より、$\dfrac{800円（株価）}{800円（BPS）} = 1倍$

問5

会社の決算期（年1回決算）における「自己資本（期末）」、「純利益（税引後）」が以下の場合であるとき、当年3月期の自己資本利益率（ROE）はいくらになるか答えなさい。

（単位・百万円）

	自己資本(期末)	当期純利益(税引後)
当年3月期	1,400	150
前年3月期	1,000	100

解答

正解は、12.5%

前年3月期末の自己資本は、当年3月期の期首となるので、

期首・期末平均＝（1,000＋1,400）÷2＝1,200百万円となる。

自己資本利益率（ROE）の公式より、$\dfrac{150百万円}{1,200百万円} \times 100 = 12.5\%$

分母は期首・期末平均となる点に注意しよう。

問6

総資本400億円、売上高160億円、当期純利益（税引後）8億円の会社（年1回決算）の総資産利益率（ROA）はいくらになるか答えなさい。

解答　正解は、2％

総資産利益率（ROA）の公式より、$\dfrac{8億円}{160億円} \times \dfrac{160億円}{400億円} \times 100 = 2％$

問7　A社の株式を成行注文で3,000株の買い注文を出し、同じ日に2,000円で2,000株、2,020円で1,000株が成立した。この場合の受渡金額として正しいものはどれか、1つを選びなさい。

同一日に、同一銘柄が別々に約定した場合でも、一口注文として手数料を計算することとする。

株式委託手数料は、下表に基づき計算し、株式譲渡に係る所得税は考慮しないものとする（なお、委託手数料には消費税相当額を考慮し、税込手数料については円未満を切り捨てること）。

●株式委託手数料額算出表

約定代金	委託手数料額
100万円超500万円以下	約定代金総額×0.8%＋15,000円
500万円超800万円以下	約定代金総額×0.6%＋25,000円

① 5,953,991円
② 5,973,860円
③ 6,087,232円
④ 6,096,074円
⑤ 6,108,385円

解答　正しいものは、③

A社株式の約定代金＝株価×購入株数

　　　　　　＝（2,000円×2,000株）＋（2,020円×1,000株）

　　　　　　＝6,020,000円

委託手数料＝（6,020,000×0.6%＋25,000円）×1.1

　　　　　＝67,232円

受渡金額＝6,020,000円＋67,232円＝6,087,232円

債券業務

予想配点　40点／300点
出題形式
○×方式…5問
五肢選択方式…3問
（配点と出題形式はTACの予想です）

　　債券投資に欠かせない債券の特徴や種類・発行条件などについて学んでいきましょう。また、債券の投資計算まで触れ、債券の種類や取引により異なる計算方法についても解説します。

関連章　　　　なし

債券業務の基本として、債券の基礎❶、発行❷、流通❸などについて見ていきます。

また、株式への切り替えが可能な特殊な債券❺についても学習します。

売買❹や投資計算❻などの債券業務の実務に関する内容も重要な論点です。

1. 債券の基礎

国債、地方債、外債いろいろあるのね。

1 債券とは

債券とは、国や企業等の発行者が、一般の投資者からお金を借りる際に「いくらのお金を借りて、いつまでに、いくらの利子をつけて返す」というような条件を明確に示した、国や企業等が投資者に渡す借用証書のようなものである。

発行者である国や企業等が投資者から資金を借り、発行者が投資者に対して債券を発行する。利子を支払う日が到来したら、発行者は投資者に対して利子を支払い、さらに、満期（償還という）が到来すれば、発行者は、借りていたお金（元本）を投資者に返還する。

2 債券の特徴

（1）資金調達手段としての債券

国や企業等は、資金調達の手段として債券を発行する。資金調達の方法には、債券以外に金融機関から借り入れる方法があるが、大量の資金を集めやすいという点などから、債券の方が適している場合も多くある。

（2）投資対象としての債券

債券には、収益性、安全性、換金性から見た投資対象としての特徴がある。

● **投資対象としての特徴**

収益性	・発行から償還までの間、あらかじめ発行時に定められた利子が支払われる固定利付債が一般的である。 ・計画的な資金運用の手段として優れている。 ・期間中の利率が約束されているため金利情勢において金利低下には強いが、金利上昇やインフレ(物価上昇)には弱い。
安全性	・償還期限が来れば、元本が返済される。 ・発行者が財政難や業績不振に陥り、利払いが遅れたり、元本の償還が不能になる(デフォルト)可能性がある。
換金性	・売却することで途中換金ができる。 ・途中換金の場合、市場相場の変動により、回収できる元本は増減する。

用語

利払い
利子が支払われることである。

3 債券の種類

　債券は、発行者の業態、募集方法、償還期限の長短など、様々な基準で分類される。

● **債券の発行者の業態による分類**

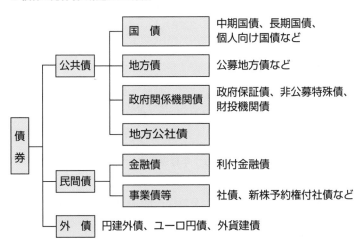

参考

債券は、大きく分けると国や地方自治体が発行する公共債、民間企業が発行する民間債、外国政府や国際機関などが発行する外債に分けられる。

(1) 国債

　国債は、国が発行する債券である。国債の信用度は、すべての債券の中で最も高い。国債は、期間や特徴、発行目的によって、次のとおりに分類される。

第9章 債券業務／債券の基礎

185

① 期間や特徴による分類

名称	特徴	期間
超長期国債	20年、30年債は価格競争入札による公募入札方式であり、40年債はイールド競争入札による公募入札方式である。	20年 30年 40年
長期国債	価格競争入札による公募入札方式で発行される。発行残高が多く債券市場の中心的存在である。	10年
中期国債	価格競争入札による公募入札方式で発行される。	2年 5年
国庫短期証券	価格競争入札による割引方式で発行される。	2、3、6ヶ月 1年
物価連動国債	元金額が物価の動向に連動して増減するもので、元本の増減により利子の額も変動する。	10年
ストリップス国債	利付国債の一部について、元本部分と利息部分を分離することができるものである。	―
変動利付国債	利率は、その時々の10年国債の金利(基準金利)に連動して半年ごとに改定される。	15年

用語

イールド競争入札
発行者は利率を提示しないで、入札者は利回りによる入札を行う。

● 個人向け国債

	期間3年 固定金利型	期間5年 固定金利型	期間10年 変動金利型
利払い	年2回(半年ごと)		
中途換金	発行から1年経過後であれば、いつでも可能		
中途換金時に差し引かれる利子相当額	直前2回分の利子(税引前)相当額×0.79685		
発行頻度	毎月(個人のみ保有可能)		

● 新型窓口販売方式国債

	新型窓口販売方式国債 固定金利
利払い	年2回（半年ごと）
中途換金	市場でいつでも売却が可能（売却損益が生じる）
中途換金時の換金金額	市場価格
発行頻度	毎月発行

● 脱炭素成長型経済構造移行債（GX経済移行債）

　GX投資を官民協調で実現するために創設された債券。カーボンプライシング（化石燃料賦課金など）導入の結果として得られる将来の財源を裏付けとして2023年度から2032年度まで発行され、カーボンニュートラルの達成目標年度が2050年度であることに鑑み買換債を含み、2050年度までに償還される。

● ストリップス国債

　元本部分と利子部分を分離して別々にゼロクーポン債として流通させることができる債券。米国財務省が発行する国債が一般的だが、日本国債においては2003年より発行が可能となった。

② 発行根拠法による国債の主な種類

　実際の国債は、発行根拠法の違いにより、商品性や信用力が変わることはない。

種類	発行根拠
建設国債 （財政法）	国の資産形成をするものとして、公共事業費、出資金及び貸付金の財源に充てるために発行される。
特例国債 （各年度における特例法）	いわゆる「赤字国債」。税収及び税外収入等に加えて、建設国債を発行してもなお歳入不足が見込まれる場合に、公共事業費等以外の歳出に充てる資金調達を目的として発行される。
借換債 （特別会計に関する法律）	各年度の国債の整理または償還のための借換えに必要な資金を確保するために発行される。

財政投融資 特別会計国債 （特別会計に関す る法律）	いわゆる「財投債」。財政融資資金において運用の財源に充てるために発行される。

（2）地方債

地方債とは、都道府県、市町村などの地方公共団体の発行する債券で、国債とあわせて公債ともいう。

● **地方債の主な種類**

名称	特徴
全国型市場公募地方債	証券会社、銀行などを通じて広く一般投資者に公募する。一部の都道府県とすべての政令都市が発行できる。
銀行等引受地方債	特定の市中金融機関など少数の者に直接引き受けてもらう。市や区も発行できるので発行団体が多い。
住民参加型市場公募地方債	一部自治体により発行が始まったもので、主に個人が対象である。
交付地方債	地方公共団体の行う事業に必要な用地買収に際し、地主などに現金の代わりに交付する。

（3）政府関係機関債（特別債とも呼ぶ）

政府関係機関債とは、独立行政法人や政府関係の特殊会社などが、特別の法律に基づいて発行する債券である。

● **政府関係機関債の種類**

名称	特徴
政府保証債	元利払いについて政府の保証がついている。
非公募特殊債	縁故関係のある特定の金融機関などが直接引き受ける。
財投機関債	政府保証は付いていないが公募形式で発行される。

（4）金融債

金融債とは、特定の金融機関が特別の法律に基づいて発行する債券であり、期間1年以上の利付金融債がある。発行方式には、募集発行（法人向け）と売出発行（個人向け）がある。

(5) 事業債

事業債とは、民間事業会社が発行する債券で、電力債や一般事業債、銀行債などがある。

(6) 外債

外債とは、外国の政府や法人が発行する債券である。発行体、発行市場、通貨などいずれかが外国のものであった場合、外債に該当する。

● 外債の種類

名称	特徴
円建外債	国際機関や外国の政府・法人が日本国内において円貨建てで発行する(サムライ債という)。
ユーロ円債	日本国外(ユーロ市場)において円貨建てで発行される。
外貨建債	外国の通貨建てで発行される。 ・為替の変動によるリスクを伴うが、国際的な金利差の追求や国際的な分散投資ができるなどのメリットがある。

(7) その他の金融商品

① コマーシャル・ペーパー (CP)

国内のコマーシャル・ペーパーは、優良企業が無担保で短期の資金調達を行うために割引方式で発行される有価証券で、約束手形の性格を持つ。

② 譲渡性預金証書(CD)

譲渡性預金証書は、金融機関が発行する譲渡可能な預金証書のことである。

4 債券の発行条件

債券には、元利払いの時期や金額など発行者が投資者に約束する発行条件がある。

(1) 額面 (振替単位とも呼ぶ)

額面とは、発行体から投資者に交付される、債券の条件等を記載した書面等において「各債券の金額」として定められている金額である。

(2) 単価

債券の価格は、額面100円当たりで表し、単価とする。必ずしも単価100円で発行されるわけではなく、単価が100円未満のときには償還差益が、単価が100円を超えるときには償還差損が発生する。償還差益と償還差損は、発行価格と償還時の価格との差である。

参考

外貨建債への投資は、円貨換算ベースで考えた場合に為替リスクを伴うが、国際的な金利差を追求でき、また、国際的な分散投資が可能になるといったメリットがある。

参考

ユーロ円債の「ユーロ」は、欧州統一通貨の「ユーロ」とは関係ない。

アンダーパー、オーバーパーはしっかり覚えておこう。

● 債券の単位と呼び方

単価	呼び方
100円	パー発行
100円未満	アンダーパー発行（償還差益が発生）
100円超	オーバーパー発行（償還差損が発生）

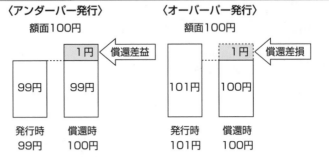

〈アンダーパー発行〉　　　〈オーバーパー発行〉

例えば、単価99円（アンダーパー）で発行された債券は、償還時に1円の差益が発生する。単価、101円（オーバーパー）で発行された債券は、償還時に1円の差損が発生する。

(3) 利率

利率とは、額面に対する1年当たりの利子の割合をいう。この利率のことをクーポン・レートまたはクーポンと呼び、クーポンが付いている債券を利付債、クーポンが付いていない債券を割引債という。日本の債券のほとんどが年2回、半年ごとに利払いがある。

(4) 経過利子

すでに発行された債券を売買する場合、売り手、買い手がそれぞれの所有期間に応じて利子を分割する必要があるため、直前利払日の翌日から受渡日までの期間に相当する金額（経過利子）を買い手が売り手に支払う。

参考

割引債は、クーポンが付いていない代わりに、額面より安く購入できる。

参考

債券を買った人は、次の利払日に、元々持っていた売り手の所有していた期間の利子まですべてもらってしまうことになる。そこで、不公平にならないように売買のときに買い手が売り手に所有期間分を精算するのである。

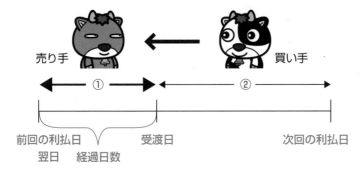

① 売り手は、前回の利払日の翌日から受渡日までの日数（経過日数）について、日割りで計算された利息相当分を買い手から受け取る。これを経過利子という。

② 買い手が保有していた期間（受渡日の翌日から次回の利払い日まで）に相当する利子である。

(5) 償還

償還とは、債券の発行者が購入者に額面金額を返済することである。

● 償還の種類

最終償還	当初に定めた期限に全額償還する。
期中償還	最終償還期限が来る前に債券の一部を償還する。 ・定時償還：発行時に期中償還の期限や金額が決められている。 ・任意償還：発行者の都合で償還することができる。

(6) 利回り

利回りとは、投資した元本に対する収益の割合のことである。債券の単価が上昇すれば利回りが低下し、単価が低下すれば利回りが上昇する。また、利回りと期間が同じ債券は、利率の高い銘柄ほど単価が高く、利率の低い銘柄ほど単価が安い。

(7) 募集期間

募集期間とは、新たに発行される債券の募集をし、申込みを受け付ける期間のことである。債券の代金の払込日が、債券の発行日となる。

(8) 約定日、受渡日

既発債は、売買ごとに約定日と受渡日がある。約定日とは、債券の売買の取り決めをする日であり、受渡日とは、債券の決済をする日のことである。通常、債券取引の受渡日は、原則として約定日から3営業日目とな

用語

利率

債券の額面に対する1年当たりの利息の割合のことである。

用語

利回り

投資した資金に対して1年に何％の収益（利益）を生み出すか示すものである。

る。ただし、取引所取引における国債取引については、原則として 2 営業日目の日が受渡日となる。

本番得点力が高まる! 問題演習

問1 債券に関する次の記述のうち、正しいものには〇を、誤っているものには×をつけなさい。

① 中期国債には、期間が 2 年と 5 年のものがある。

② 長期国債は、価格競争入札による公募入札方式で、期間は40年である。

③ 国庫短期証券は、価格競争入札による割引方式で発行される。

④ 独立行政法人や政府関係の特殊会社などが特別の法律に基づいて発行する「政府関係機関債」のうち、元利払いについて政府の保証付きで発行されるものは、「政府保証債」という。

⑤ サムライ債は、外国法人が日本国内で外貨建てで発行する債券である。

⑥ ユーロ円債とは、日本国内において円貨建てで発行される債券である。

解答
①〇 なお、価格競争入札による公募入札方式で発行される。

②× 長期国債の期間は、10年である。

③〇 国庫短期証券は、個人、法人ともに保有することができる。

④〇 なお、政府関係機関債には、政府保証債の他に、非公募特殊債と財投機関債がある。

⑤× サムライ債とは、外国法人が日本国内で円貨建てで発行する債券である。

⑥× ユーロ円債は、日本国外 (ユーロ市場) において円貨建てで発行される。

問2 国債の発行目的による分類に関する記述の組み合わせとして正しいものはどれか、1 つを選びなさい。

(イ)	建設国債を発行してもなお歳入不足が見込まれる場合に、各年度における特例法に基づいて発行
(ロ)	特別会計に関する法律に基づいて、国債の整理または償還のための借換えに必要な資金を調達するために発行
(ハ)	財政法に基づいて、国の資産を形成するものとして、公共事業費、出資金、貸付金の財源に使用するために発行

① イ：建設国債　ロ：借換債　　ハ：特例国債
② イ：特例国債　ロ：借換債　　ハ：建設国債
③ イ：借換債　　ロ：建設国債　ハ：特例国債
④ イ：特例国債　ロ：建設国債　ハ：借換債

正しいものは、②

国債の発行目的による分類は以下の通りである。

イ：特例国債	建設国債を発行してもなお歳入不足が見込まれる場合に、各年度における特例法に基づいて発行
ロ：借換債	特別会計に関する法律に基づいて、国債の整理または償還のための借換えに必要な資金を調達するために発行
ハ：建設国債	財政法に基づいて、国の資産を形成するものとして、公共事業費、出資金、貸付金の財源に使用するために発行

問3 債券の条件に関する次の記述のうち、正しいものには〇を、誤っているものには×をつけなさい。

① 債券が100円未満で発行されることを、アンダーパー発行といい、償還時に償還差益が発生する。
② 利率とは、投資した元本に対する収益の割合のことである。
③ 期中償還には、発行者の都合で償還することができる任意償還がある。
④ すでに発行された債券を売買する際の経過利子は、売り手から買い手に支払われる。

①〇　債券の単価が100円超で発行されることは、オーバーパー発行といい、償還時には償還差損が発生する。

②×　利率とは、額面に対する1年当たりの利子の割合である。

③〇　また、発行時に期中償還の期限や金額が決められているものが、定時償還である。

④×　経過利子は、買い手から売り手に支払われ、買い手の売買代金に加算する形で支払われる。

2.

国債は国が発行する債券だ。

債券の発行市場

重要度 ★★★

1 債券の発行市場の概要

　日本の債券発行市場は、債券発行によって資金を調達する「発行者」、債券投資によって資金を運用する「投資者」、証券会社や銀行等の「引受会社」、銀行、信託銀行等の「社債管理者」の4者によって担われている。

(1) 引受会社

　引受会社とは、有価証券の発行の際に、売り出す目的で発行者から全部もしくは一部を取得する（買取引受け）、またはその有価証券を取得する者がいない場合その残りを取得する（残額引受け）契約をする会社である。通常、引受会社は引受責任の分散のため、複数の会社が集まって引受シンジケート団を組織し、共同して引受業務を行う。

　地方債、政府保証債の引受シンジケート団は、銀行等の金融機関や金融商品取引業者（証券会社）によって組織される。事業債等の引受シンジケート団は、金融商品取引業者（証券会社）のみによって組織される。

> **用語**
>
> **引受シンジケート団**
> 新たに発行される有価証券を引き受ける関係者または関係業者の団体のことをいう。発行される有価証券ごとに、異なったメンバーで構成される。

(2) 社債管理者

　会社法により社債発行会社は、原則として社債管理者を設置することが義務付けられている。社債管理者とは、社債権者である投資者に代わって弁済を受ける等の業務を行うのに必要な一切の権限を有する会社である。社債管理者になることができるのは、銀行、信託銀行、担保付社債信託法による免許を受けた会社、会社法施行規則で定める者に限られ、金融商品取引業者はなることができない。

　各社債の金額（社債の最低売買単位の金額）が1億円以上の場合は、社債管理者ではなく、財務代理人（元利払いなどを行う金融機関）が置かれる。また、社債権者自らが管理することが可能な場合は、社債管理者になることができる者または弁護士及び弁護士法人を社債管理補助者とし

て社債の管理の補助を委託することができる（社債管理補助者制度）。

2 国債の発行市場

国債の発行市場においては、①市中発行方式、②個人向け販売方式、③公的部門発行方式がある。

● 国債の発行方式

市中発行方式	公募入札を基本として、市場実勢を反映させた条件設定がされる。価格(利回り)競争入札、非競争入札、第Ⅰ非価格競争入札及び第Ⅱ非価格競争入札がある。
個人向け販売方式	金融機関において募集の取扱いにより下記の方法で販売される。 ・個人向け国債 ・市場性国債についての新型窓口販売方式がある。 募集取扱額に応じて財務省から募集取扱機関に手数料が支払われるが、募残引受義務はない。
公的部門発行方式 (日銀乗換)	日本銀行が保有している国債の償還額の範囲内で借換債を引き受ける場合に例外的に発行される。

3 社債の発行市場

日本の社債発行には、かつては発行条件や発行量に規制があった。その後規制緩和が進み、市場実勢に従って発行条件を決定する方式へと見直された。

最近の起債方式としては、スプレッド・プライシング方式があり、投資家の需要調査を行う際に、利率の絶対値で条件を提示するのではなく、国債などの金利に対する上乗せ分（スプレッド）を提示する方法である。

参考

格付けとは、発行会社の財務内容や収益性、研究開発力や技術力など総合的に判断し、債券の信用度を記号（A、B、Cなど）で示したものである。格付け機関には、ムーディーズやスタンダード&プアーズなどがある。

問1 債券の発行市場に関する次の記述のうち、正しいものには○を、誤っているものには×をつけなさい。

① 地方債、政府保証債の引受シンジケート団は、金融商品取引業者（証券会社）のみによって組織される。

② 社債管理者になることができるのは、銀行、信託銀行、担保付社債信託法による免許を受けた会社、会社法施行規則で定める者に限られる。

③ 社債の発行は、市場実勢に従って発行条件が決められる。

解答

①× 地方債、政府保証債の引受シンジケート団は、銀行等の金融機関や金融商品取引業者（証券会社）によって組織される。

②○ なお、金融商品取引業者（証券会社）は社債管理者になることはできない。

③○ 日本の社債発行は、規制緩和により自由化された。

3. 債券の流通市場

吹き出し: 取引所市場と店頭市場、それぞれのポイントをおさえよう

重要度
★★☆

1 債券の流通市場の概要

　流通市場とは、すでに発行された債券が売買される市場のことである。債券の代表的な流通市場には「取引所市場」と「店頭市場」がある。

　流通市場で円滑に売買を成立させていく役割を果たす証券会社や、ディーリング業務を行う登録金融機関を、債券ディーラーという。この債券ディーラーは、多くの投資情報や価格情報を収集し、投資者へ提供する重要な役割も果たしている。

2 取引所市場と店頭市場

　すでに発行された債券の取引には、大きく分けて取引所を通じる「取引所市場」と取引所を通じない「店頭市場」があり、現在は店頭市場が主流となっている。

● 取引所市場の特徴

・各証券取引所に上場されている銘柄について金融商品取引業者等を通じて集中的に売買を成立させる。
・取引所の上場基準に合致したものが上場される。
・証券会社は売買の委託手数料を投資者から受け取る。
・上場債券(転換社債型新株予約権付社債)の受渡日は原則３営業日目、国債の受渡日は原則２営業日目である。

● **店頭市場の特徴**

> ・各投資者と債券ディーラーまたは債券ディーラー間で相対取引を成立させる。
> ・取引の全売買量の99％以上を占めている。
> ・債券の受渡日は当事者間の合意があれば原則自由である（国債リテール取引及び一般債取引については3営業日目が受渡日である）。
> ・公平かつ公正な債券の価格形成を図るために、日本証券業協会は、売買参考統計値発表制度※やいくつかの参考情報の発表制度を設けている。

　公社債店頭売買参考統計値発表制度とは、公社債の店頭売買を行う協会員や投資者の参考にするため、日本証券業協会が指定する協会員からの報告に基づき、毎営業日に売買参考統計値を発表している制度である。

● **取引所取引と店頭取引の違い**

	取引所取引	店頭取引
対象銘柄	各金融商品取引所に上場している銘柄。	限定されない。
取引方法	金融商品取引業者等を通じて売買注文を行い取引所で集中的に売買を成立させる。	投資者と債券ディーラー、または債券ディーラー間で相対取引を成立させる。
受渡日	国債取引は原則として2営業日目決済である。また、転換社債型新株予約権付社債の受渡日は、普通取引により、3営業日目が原則である。	原則自由である（国債リテール取引及び一般債取引については3営業日目が受渡日である）。

3 債券市況とその変動要因

　債券市況とは、流通市場における個別銘柄の全体的な変動状態のことである。債券市況を動かす要因には、「一般景気動向」「金融政策」「為替」「海外金利」などがあげられる。

（1）一般景気動向

　一般景気動向とは、世の中の景気の動きのことである。

① 金利が債券市況に与える影響

| 金利〈上昇〉 | → | 債券の利回り〈上昇〉 | → | 債券価格〈下落〉 |

債券の利回りと債券価格は反対の動きをするよ！

$$\boxed{金利〈低下〉} \rightarrow \boxed{債券の利回り〈低下〉} \rightarrow \boxed{債券価格〈上昇〉}$$

　市場の金利が上がると、債券が売られて価格が下がるため、価格の下がった債券を償還まで保有すると、結果的に利回りは高くなる。

② 景気が債券市況に与える影響
● 景気拡大

$$\boxed{物価〈上昇〉} \rightarrow \boxed{金利〈上昇〉} \rightarrow \boxed{債券利回り〈上昇〉} \rightarrow \boxed{債券価格〈下落〉}$$

　資金の需要が高まり、金融機関がお金を調達するために債券を換金するので、債券が売られて債券の価格が下がり、債券の利回りは高くなる。

● 景気後退

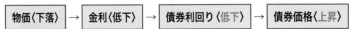
$$\boxed{物価〈下落〉} \rightarrow \boxed{金利〈低下〉} \rightarrow \boxed{債券利回り〈低下〉} \rightarrow \boxed{債券価格〈上昇〉}$$

　景気が悪くなると、企業は設備投資より資産を運用しようとして債券を積極的に購入するので、債券の需要が高まって債券価格が上がり、債券の金利は下がる。

(2) 金融政策

　日本銀行が行う金融政策には、「金融緩和」と「金融引締め」の2つがあり、それぞれが債券市況に影響を与える。

● 金融政策が債券市況に与える影響

名称	定義	金利	債券市況
金融緩和	日本銀行が基準貸付利率を下げる、または資金の供給量を増やすこと	低下	プラス
金融引締め	日本銀行が基準貸付利率を引き上げる、または資金の供給量を減らすこと	上昇	マイナス

(3) 為替

　為替レートの動向も債券市場に影響を与える。

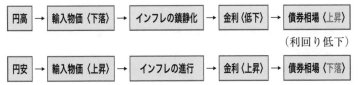

$$\boxed{円高} \rightarrow \boxed{輸入物価〈下落〉} \rightarrow \boxed{インフレの鎮静化} \rightarrow \boxed{金利〈低下〉} \rightarrow \boxed{債券相場〈上昇〉}$$
（利回り低下）

$$\boxed{円安} \rightarrow \boxed{輸入物価〈上昇〉} \rightarrow \boxed{インフレの進行} \rightarrow \boxed{金利〈上昇〉} \rightarrow \boxed{債券相場〈下落〉}$$
（利回り上昇）

参考

為替レートとは、異なる通貨を交換するときの交換比率のことである。例えば、1ドル＝150円の場合、1ドルを150円で交換できる。

（4）海外金利

　海外金利の動きも、債券市況の変動要因となっている。ここでは、日本経済に大きな影響力を持っている米国を例にしてみる。

米国金利上昇	→	円安・ドル高	→	金利〈上昇〉	→	債券相場〈下落〉

（利回り上昇）

米国金利低下	→	円高・ドル安	→	金利〈低下〉	→	債券相場〈上昇〉

（利回り低下）

　例えば、米国金利が日本の金利よりも高い場合、日本と米国の金利の差が拡大し、相対的にドルの運用が有利となる。そのため、米国へ投資資金が流れ、日本の債券相場から資金は引き上げられるため、日本の債券相場は下落する。

本番得点力が高まる！ 問題演習

 問1　債券の流通市場に関する次の記述のうち、正しいものには〇を、誤っているものには×をつけなさい。

① 取引所市場における上場債券の受渡日は3営業日目の日である。

② 店頭市場における債券の受渡日は、4営業日目の日である。

③ 景気が拡大して金利が上昇すると、債券利回りは上昇して債券価格は下落する。

④ 金融緩和とは、日本銀行が基準貸付利率を下げ、資金の供給量を減らすことである。

⑤ 市場金利が上昇すると、債券価格は上昇する。

解答

①〇　なお、取引所市場における国債の受渡日は2営業日目の日となっている。

②×　店頭市場における債券の受渡日は、原則、自由（国債リテール取引及び一般債取引については3営業日目）である。

③〇　金利の動きに対して債券の利回りは、債券価格と反対の動きをするので注意する。

④×　金融緩和とは、日本銀行が基準貸付利率を下げ、資金の供給量を増やすことである。

⑤×　市場金利が上昇すると、債券が売られ、債券価格は下落する。

4.

債券の売買手法

債券の売買の手法は、目的によって存在する。

重要度 ★★★

1 売切り、買切り

実際に債券を売買するとき、基本となる手法は、売切りや買切りである。売切りとは債券を売ること、買切りとは債券を買うことである。

2 入替売買

債券の入替売買とは、同一の投資者が異なる銘柄を同時に売り買いを約定する売買手法である。

入替売買の代表的な目的には、次のようなものがある。

(1) 市況観に基づく入替売買

市況観に基づく入替売買とは、今後の景気や金利の動きを予測して、債券の入替売買を行うことである。

● 市況観に基づく入替売買の流れ

景気が悪くなると予想	金利が低下すると予想→短中期債から価格変動が大きい中長期債への入替えが有利
景気が良くなると予想	金利が上昇すると予想→価格変動が大きい中長期債から短期債への入替えが有利

将来の景気や金利を予測して、債券の入替えをするんだね。

(2) 固定的ポートフォリオ運用

固定的ポートフォリオ運用とは、入替売買を機械的に行い、債券の償還期限のバランスを一定に保つような運用方法で、ラダー型とダンベル型(バーベル型)がある。

ラダー型	短期から長期までの債券を年度ごとに均等に保有し、毎期同じ満期構成を維持するポートフォリオである。
ダンベル型 (バーベル型)	流動性確保のための短期債と収益性追求のための長期債のみを保有するポートフォリオである。

3 現先取引

　現先取引とは、同じ種類の同じ量の債券等を所定の期日に、所定の価額で反対売買することをあらかじめ取り決めて行う債券等の売買方法である。通常、買戻すことを約束した売却のことを「売り現先」といい、売り戻すことを約束した購入のことを「買い現先」という。

● 現先取引の種類

委託現先	資金調達をしたい売方と資金運用したい買方との間で、金融商品取引業者がその仲介の役割をする取引である。
自己現先	金融商品取引業者自身が売方もしくは買方となる取引である。

● 現先取引のルール

・取引を開始する前に、契約を交わし、契約書を整理・保管し、約定のつど明細書を交付する。
・対象顧客は、上場会社またはこれに準ずる法人である。
・現先取引ができる債券は、国債、地方債、政府関係機関債、社債、特定社債、投資法人債、円建外債、外貨建債券など(新株予約権付社債は除く)。

4 着地取引

　着地取引とは、将来の一定の時期に一定の条件で債券を受渡しすることをあらかじめ取り決めて行う売買取引である。約定日から1ヶ月以上先に受渡しをするが、6ヶ月を超えてはいけない。

● **着地取引のルール**

- ・約定ごとに契約を交わし、契約書を整理・保管する。
- ・対象顧客は、上場会社またはこれに準ずる法人である。
- ・着地取引ができる債券は、国債、地方債、政府関係機関債、社債、特定社債、投資法人債、円建外債、外貨建債券など(新株予約権付社債は除く)。
- ・約定から受渡しまでの期間(着地期間)は6ヶ月を超えてはいけない。

ただし、次に掲げる事項をすべて満たす着地取引を行う場合には、その期間を3年までとすることができる。

- ・その着地取引の顧客が適格機関投資家である場合
- ・その着地取引の売買対象債券等が国債証券または協会が別に定める債券である場合
- ・その着地取引に係る担保管理について、金融商品取引業等に関する内閣府令第123条第1項第21号の10イからホまでに準ずる行為を行う場合

5 その他の債券売買手法

その他の債券の売買手法には、「時間差入替売買」や「ベーシス取引」などの売買手法がある。

(1) 時間差入替売買

時間差入替売買とは、売りと買いの受渡日をずらす売買手法である。例えば売却時期を2月で、買付時期を4月とする。この手法を利用することで、入替えによるポートフォリオの改善や短期の資金繰りが可能となる。

(2) ベーシス取引

ベーシス取引とは、現物価格と先物価格との開きに注目し、利ざやを得る取引のことである。価格差が拡大すれば、割高の方を売り割安な方を買い、価格差が縮小していれば、逆の取引を行う。

用語

利ざや
ベーシス取引においては、現物と先物との金利差のことである。

先物
将来の売買についてあらかじめ現時点で約束をする取引のことである。

本番得点力が高まる! 問題演習

問1 債券の売買手法に関する次の記述のうち、正しいものには○を、誤っているものには×をつけなさい。

① 債券の入替売買とは、同じ種類の同じ量の債券等を所定の期日に、所定の価額で反対売買することをあらかじめ取り決めて行う債券等の売買手法である。

② 将来金利が上昇すると予測されるならば、一般に短期債から中長期債への入替えが有利とされている。

③ ラダー型ポートフォリオとは、短期から長期までの債券を年度ごとに均等に保有し、毎期同じ満期構成を維持するポートフォリオのことである。

④ 現先取引とは、同種、同量の債券等を所定の期日に、所定の価額で反対売買することをあらかじめ取り決めて行う売買手法である。

⑤ 自己現先とは、金融商品取引業者が、資金を調達したい売方と資金を運用したい買方の仲介の役割をする取引である。

⑥ 現先取引の対象顧客には、個人も含まれる。

⑦ 新株予約権付社債は、現先取引の対象である。

⑧ 着地取引の受渡しは、約定日から1週間以上先に行うこととされている。

 解答

①× 設問は現先取引の記述である。債券の入替売買とは、同一の投資者が異なる銘柄を同時に売り買いすることを約定する売買手法である。

②× 金利が上昇すると予測される場合、中長期債から短期債への入替えの方が有利である。

③○ なお、ダンベル型ポートフォリオとは、流動性確保のための短期債と収益性追求のための長期債のみを保有するポートフォリオのことをいう。

④○ なお、買戻すことを約束した売却を「売り現先」、売戻すことを約束した購入を「買い現先」という。

⑤× 設問は委託現先の記述である。なお、自己現先とは金融商品取引業者自身が売方や買方となる取引である。

⑥× 現先取引の対象顧客は、上場会社またはこれに準ずる法人である。

⑦× 新株予約権付社債は、現先取引の対象外である。

⑧× 着地取引の受渡しは、約定日から1ヶ月以上先に行うこととされ、約定日から受渡日までの期間が6ヶ月を超えてはならない。なお、その着地取引の顧客が適格機関投資家である場合など一定の要件を満たした場合は、その期間を3年までとすることができる。

5.

転換社債型新株予約権付社債

株式に転換すべき
かどうか…
よく考えよう。

1 新株予約権とは

　新株予約権とは、その所有者が一定期間内に請求を行えば、あらかじめ決められた価格で、一定数量の株式を買い付けることができる権利である。発行会社は、新株予約権を行使されると、権利行使者に対して新株を発行する、または会社の保有する自己株式を交付させる義務を負う。

2 転換社債型新株予約権付社債

(1) 転換社債型新株予約権付社債の特徴

　転換社債型新株予約権付社債 (以下、転換社債という) とは、新株予約権がついた社債であり、新株予約権の行使により、株価の上昇による利益を受けることができる。また、そのまま社債として保有していれば、確定利付証券として利子を受けることができ、償還期限に額面で払い戻される。上場された転換社債は、取引所や取引所外で取引が行われる。

参考

転換社債はCBという略称で呼ばれることもある。

● 転換社債の特徴

発行価額	100円
利率	普通社債より低い。
券種	1銘柄につき1種。ほとんどの銘柄が100万円券である。
償還	満期一括償還制のものが多いが、買入消却や繰上償還条項が付いている場合がある。

(2) 転換社債の株式への転換の条件

　転換社債の株式への転換については、発行のときにあらかじめ転換価額、新株予約権の行使請求期間、転換により発行する株式の内容など

が決められている。転換価額とは、株式へ転換するときに、1株当たりの発行価格のことである。転換社債から株式へ転換したときの取得株数は次のような計算で求めることができる。

$$取得株数 = \frac{社債権者が提出した社債の発行価額の総額（転換社債の額面）}{転換価額}$$

端数が生じる場合は金銭で償還することとし、あらかじめ定めておけば切り捨てることもできる。

(例) 転換価額2,000円、社債権者が提出した社債の発行価額の総額200万円の場合の取得株数

200万円÷2,000円＝1,000株

3 転換社債の評価方法

転換社債の債券部分は、利回りをベースに評価を行う。株式部分は、パリティ価格や乖離率に基づいて評価を行う。

(1) パリティ価格（理論価格）

パリティ価格とは、転換社債を株式に転換するときの価値を表す理論価格である。転換社債額面100円に対する価格で表示される。

$$パリティ価格（円）= 100円 \times \frac{株価}{転換価額}$$

(2) 乖離率

乖離率とは、転換社債の時価とパリティ価格の差を率で表したものである。

$$乖離率（\%）= \frac{転換社債の時価 - パリティ価格}{パリティ価格} \times 100$$

4 株式への転換

転換社債を社債のまま売却するか、株式へ転換して売却するかは、乖離率によって判断できる。

パリティ価格が転換社債の時価よりも小さい場合、乖離率はプラスとなり、転換社債のまま売却した方が有利である。また、パリティ価格が転換社債の時価より大きい場合、乖離率はマイナスとなり、株式に転換して売却した方が有利である。

実際に株式に転換する場合は、以下を考慮する必要がある。

> ・株式売却時の取引コスト（委託手数料など）
> ・転換社債売却時に受け取れる経過利息分（行使請求した時には、経過利息を受け取ることはできない）

また、投資家の行使請求から株式に切り替わるまでにはおおよそ5営業日前後の日数がかかる（証券会社により異なる）。

5 価格変動要因

転換社債の価格変動の要因分析には、「債券価格の考え方」と「オプション価格の考え方」がある。

（1）債券価格の考え方

転換社債の債券部分の価値を評価するには、理論的には転換社債と残存期間やクーポン等が同じ条件の社債価格と等しくなることを前提とする。

● 債券価格の変動要因

金利の変動	・同転換社債と同期間の金利スワップをベンチマークとする。 ・スワップ金利が低下すると債券価格が上昇し、金利上昇局面では債券価格が下落する。
社債クレジットスプレッドの変動	・格付機関が公表している格付に対応してスプレッドが決定される。 ・クレジットスプレッドが縮小すると債券価格が上昇し、拡大すると債券価格が下落する。

（2）オプション価格の考え方

転換社債のオプション部分を評価するには、理論的には転換社債と残存期間や転換価額等が同じ条件の個別株コールオプション価格と一致することを前提とする。

● オプション価格の変動要因

株価の変動	・オプション価格の損益は株価に連動する。
ボラティリティの変動	・ボラティリティとは、株価の日々の変動率を年率換算した数値である。 ・ボラティリティが上昇するとオプション価格が上昇し、低下するとオプション価格が低下する。

問1 転換社債型新株予約権付社債の特徴に関する次の記述のうち、正しいものには〇を、誤っているものには×をつけなさい。

① 転換社債型新株予約権付社債は、1 銘柄につき 1 種類の券種を発行できる。

② パリティ価格とは、転換社債型新株予約権付社債を株式に転換するときの価値を表す理論価格である。

③ パリティ価格が転換社債の時価よりも小さい場合は、株式に転換して売却した方が有利である。

解答 ①〇 取引所で円滑な売買ができるよう、券種は 1 銘柄につき 1 種類である。

②〇 パリティ価格は、転換社債額面100円に対する価格で表示される。

③× パリティ価格が転換社債の時価よりも小さい場合は、乖離率がプラスとなるので、転換社債のまま売却した方が有利である。

問2 次の条件の転換社債型新株予約権付社債の乖離率、転換により得られる株数の組み合わせとして正しいものはどれか、1 つを選びなさい（転換株数の1株に満たない端数は切り捨て、乖離率は小数点第3位以下を切り捨てること）。

社債の額面	100万円
転換価額	650円
転換社債型新株予約権付社債の時価	116円
転換の対象となる株式の時価	715円

　　　（乖離率）　　　（取得株数）

① イ：▲5.45%　　ロ：1,398株

② イ：5.45%　　ロ：1,398株

③ イ：5.45%　　ロ：1,538株

④ イ：28.88%　　ロ：1,398株

⑤ イ：28.88 %　　ロ：1,538株

解答

正しいものは、③
● パリティ価格の計算式

$$\text{パリティ価格（円）} = 100\text{円} \times \frac{\text{株価}}{\text{転換価額}}$$

$$= 100 \times \frac{715}{650} = 110\text{円}$$

● 乖離率の計算式

$$\text{乖離率（％）} = \frac{\text{転換社債の時価}-\text{パリティ価格}}{\text{パリティ価格}} \times 100$$

$$= \frac{116-110}{110} \times 100 ≒ 5.45\%\,（\text{小数点第3位以下切捨て}）$$

● 転換により得られる株数の計算式

$$\text{取得株数} = \frac{\text{社債権者が提出した社債の発行価額の総額（転換社債の額面）}}{\text{転換価額}}$$

$$= \frac{1,000,000}{650} = 1,538.46 ≒ 1,538\text{株}\,（\text{1株に満たない端数切捨て}）$$

問3 転換社債型新株予約権付社債の価格変動要因に関する組み合わせとして正しいものはどれか、1つを選びなさい。

	価格	金利	クレジットスプレッド	株価	ボラティリティ
①	価格上昇	低下	縮小	上昇	下落
②	価格下落	低下	縮小	下落	上昇
③	価格上昇	低下	拡大	上昇	上昇
④	価格下落	上昇	拡大	下落	下落
⑤	価格上昇	上昇	縮小	上昇	下落

解答

正しいものは、④

●転換社債型新株予約権付社債の変動要因をまとめたマトリクス

	金利	クレジットスプレッド	株価	ボラティリティ
価格上昇	低下	縮小	上昇	上昇
価格下落	上昇	拡大	下落	下落

6. 債券の投資計算

債券の投資計算も頻出！証券投資計算とあわせておさえよう

1 利付債の投資収益

債券の投資収益の基本となる条件は、債券の利率、価格及び残存期間であり、この3つの条件から債券の投資収益を計算することができる。また、次の3要素に分けて考えることができる。

- ・クーポン収入：利子収入(インカム・ゲイン)
- ・償還差損益：償還価格と購入価格の差
  (キャピタル・ゲイン／キャピタル・ロス)
- ・クーポンの再投資収入：クーポンの途中受取利子の再投資から得られる運用益

用語
インカム・ゲイン
投資対象の債券を保有し続けることで得られる利子のことである。

用語
キャピタル・ゲイン
投資対象の債券を売却することで得られる利益のことである。

2 利回り計算

利回りとは、投資した元本に対する収益の割合をいう。

債券の利回り計算は、保有期間によって次のような種類に分けられる。

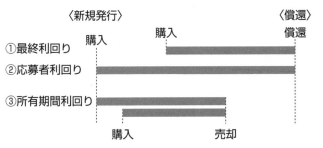

〈新規発行〉 〈償還〉
 購入 購入 償還
①最終利回り
②応募者利回り
③所有期間利回り
 購入 売却

211

既発債券を買って、最後まで持ち続けた場合のことだよ。

① 最終利回り

最終利回りとは、既発債券を購入した後、最終償還日まで所有した場合の利回りである。

$$\text{最終利回り（\%）} = \frac{\text{利率} + \dfrac{\text{償還価格} - \text{購入価格}}{\text{残存期間（年）}}}{\text{購入価格}} \times 100$$

例題1

年率2.0%、残存期間5年、購入価格98円の利付債券の最終利回りを求めなさい（小数点第4位以下を切り捨てること）。

解答

$$\text{最終利回り} = \frac{2.0\text{（利率）} + \dfrac{100\text{（償還価格）} - 98\text{（購入価格）}}{5\text{（残存期間）}}}{98\text{（購入価格）}} \times 100$$

$$\fallingdotseq 2.448\%\text{（小数点第4位以下切捨て）}$$

② 応募者利回り

債券を最初から最後まで持ち続けた場合だね。

応募者利回りとは、新規に発行された債券を購入し、最終償還日まで所有した場合の利回りである。

$$\text{応募者利回り（\%）} = \frac{\text{利率} + \dfrac{\text{償還価格} - \text{発行価格}}{\text{償還期限（年）}}}{\text{発行価格}} \times 100$$

例題2

年率3.5%、償還期間10年、発行価格99円の利付債券の応募者利回りを求めなさい（小数点第4位以下を切り捨てること）。

解答

$$\text{応募者利回り} = \frac{3.5\text{（利率）} + \dfrac{100\text{（償還価格）} - 99\text{（発行価格）}}{10\text{（償還期限）}}}{99\text{（発行価格）}} \times 100$$

$$\fallingdotseq 3.636\%\text{（小数点第4位以下切捨て）}$$

③ **直接利回り(直利)**

直接利回りとは、債券価格に対する年間の利子収入の割合である。

$$直接利回り（直利）（\%）= \frac{利率}{購入価格} \times 100$$

例題3

年率3.6%、残存期間5年、購入価格105円の利付債券の直接利回り（直利）を求めなさい（小数点第4位以下を切り捨てること）。

解答

$$直接利回り（直利）= \frac{3.6（利率）}{105（購入価格）} \times 100$$

$$\fallingdotseq 3.428\%（小数点第4位以下切捨て）$$

④ **所有期間利回り**

所有期間利回りとは、債券を償還まで保有せずに、途中で売却した場合の利回りである。

$$所有期間利回り（\%）= \frac{利率 + \dfrac{売却価格 - 購入価格}{所有期間（年）}}{購入価格} \times 100$$

債券を途中で売ってしまった場合のことだよ。

例題4

年率3.3%、10年満期の利付債券を98円で購入し、2年後に103円で売却した場合の所有期間利回りを求めなさい（小数点第4位以下を切り捨てること）。

解答

$$所有期間利回り = \frac{3.3（利率） + \dfrac{103（売却価格） - 98（購入価格）}{2（所有期間）}}{98（購入価格）} \times 100$$

$$\fallingdotseq 5.918\%（小数点第4位以下切捨て）$$

3 単価計算

希望する利回りから債券単価を求める必要がある際は、次のような計算式を使う。

$$購入価格 = \frac{償還価格 + (利率 \times 残存年数)}{1 + \left(\dfrac{利回り}{100} \times 残存年数 \right)}$$

4 債券売買の実務

債券の売買において受渡代金を計算する場合には、「委託手数料」と「経過利子」について、考えなければならない。

(1) 債券の受渡代金

店頭取引では債券単価に手数料相当分が含まれているが、取引所取引では額面によって決まる委託手数料が別に徴収される場合がある。

取引所における債券の受渡代金の計算は次のとおりである。

買付時の受渡代金 ＝ 約定金額 ＋ 経過利子 ＋ （委託手数料 ＋ 消費税）
売付時の受渡代金 ＝ 約定金額 ＋ 経過利子 － （委託手数料 ＋ 消費税）

約定金額とは、

$$買付（売付）額面金額 \times \frac{買付（売付）価格}{100}$$

で計算される。

．．
例題5
．．

取引所取引で、額面300万円の長期国債を単価98円で購入したとき、受渡代金はいくらになるか。なお、経過利子は3,000円、委託手数料は額面100万円当たり2,000円とする。

．．
解答
．．

委託手数料 ＝ 3,000,000円 ÷ 1,000,000円 × 2,000円 ＝ 6,000円

消費税 ＝ 6,000円 × 10%＝600円

$$受渡代金 ＝ 3,000,000円 \times \frac{98}{100} + 3,000円 + (6,000円 + 600円)$$

$$＝ 2,949,600円$$

(2) 経過利子

経過利子は、利子支払日の途中で売却した場合、直前の利払日の翌日から受渡日の経過日数に応じて、買方から売方に支払う利子のことである。

経過利子は、額面100円当たりの経過利子を求めてから、買付け・売却による額面金額での経過利子を計算する。

$$額面（100円）当たりの経過利子 = 額面（100円）当たり年利子 \times \frac{経過日数}{365}$$

$$売買額面総額の経過利子 = 100円当たりの経過利子 \times \frac{売買額面総額}{100}$$

例題6

2023年中に利払日を迎える年率4.0%、売買額面総額200万円の国内利付債券を取引所取引により売り付けた場合で、経過日数73日であるときの経過利子はいくらになるか。

解答

$$額面100円当たりの経過利子 = 4 \times \frac{73}{365} = 0.8円$$

$$売買額面総額の経過利子 = 0.8 \times \frac{2,000,000}{100} = 16,000円$$

年率2.5%、残存期間5年、購入価格98円の利付債券の最終利回りとして正しいものはどれか、1つを選びなさい（小数点第4位以下を切り捨てること）。

① 2.100%　② 2.143%　③ 2.551%　④ 2.959%　⑤ 3.200%

 正しいものは、④

最終利回りの計算では、次の公式を使って求める。

●最終利回りの計算式

$$最終利回り（\%）= \cfrac{利率 + \cfrac{償還価格 - 購入価格}{残存期間（年）}}{購入価格} \times 100$$

公式に当てはめた場合、利付債券の最終利回りは、2.959%となるので正しいものは、④である。

$$\cfrac{2.5 + \cfrac{100 - 98}{5}}{98} \times 100 ≒ 2.959\%（小数点第4位以下切り捨て）$$

 年率1.5%、償還期間10年、発行価格99円の利付債券の応募者利回りとして正しいものはどれか、1つを選びなさい（小数点第4位以下を切り捨てること）。

① 1.400%　② 1.414%　③ 1.600%　④ 1.616%　⑤ 1.716%

 正しいものは、④

応募者利回りの計算では、次の公式を使って求める。

●応募者利回りの計算式

$$応募者利回り（\%）= \cfrac{利率 + \cfrac{償還価格 - 発行価格}{償還期限（年）}}{発行価格} \times 100$$

公式に当てはめた場合、利付債券の応募者利回りは、1.616%となるので正しいものは、④である。

$$\cfrac{1.5 + \cfrac{100 - 99}{10}}{99} \times 100 ≒ 1.616\%（小数点第4位以下切り捨て）$$

問3 年率2.1%、10年満期の利付債券を102円で購入し、5年後に103円で売却した場合の所有期間利回りとして正しいものはどれか、1つを選びなさい（小数点第4位以下を切り捨てること）。

① 2.254%　② 2.320%　③ 2.354%　④ 3.014%　⑤ 3.250%

解答 正しいものは、①

所有期間利回りの計算では、次の公式を使って求める。

●所有期間利回りの計算式

$$所有期間利回り(\%) = \frac{利率 + \dfrac{売却価格 - 購入価格}{所有期間（年）}}{購入価格} \times 100$$

公式に当てはめた場合、利付債券の所有期間利回りは、2.254%となるので正しいものは、①である。

$$\frac{2.1 + \dfrac{103 - 102}{5}}{102} \times 100 ≒ 2.254\%（小数点第4位以下切り捨て）$$

 問4 年率3.5%、残存期間5年、購入価格102円の利付債券の直接利回り（直利）として正しいものはどれか、1つを選びなさい（小数点第4位以下を切り捨てること）。

① 3.039%　② 3.100%　③ 3.431%　④ 3.824%　⑤ 3.900%

解答 正しいものは、③

直接利回り（直利）の計算では、次の公式を使って求める。

●直接利回り（直利）の計算式

$$直接利回り（直利）(\%) = \frac{利率}{購入価格} \times 100$$

公式に当てはめた場合、利付債券の直接利回り（直利）は、3.431%となるので正しいものは、③である。

$$\frac{3.5}{102} \times 100 ≒ 3.431\%（小数点第4位以下切り捨て）$$

問5 利払日（2016年以降とする）を迎える年率3.0％、売買額面総額200万円の国内利付債券を売り付けた場合の売買額面総額の経過利子に関する記述のうち、正しいものはどれか、1つを選びなさい（なお、額面100円当たりの経過利子の計算においては、小数点第8位以下を切り捨てとする。また、売買額面総額の経過利子の計算においては、1円未満を切り捨てること）。

前回の利払日　3月10日

受渡日　　　　4月23日

① 経過利子の額は5,786円であり、売却代金から経過利子が差し引かれる。

② 経過利子の額は5,786円であり、売却代金に経過利子が加算される。

③ 経過利子の額は7,232円であり、売却代金から経過利子が差し引かれる。

④ 経過利子の額は7,232円であり、売却代金に経過利子が加算される。

解答 正しいものは、④

経過日数＝（3月11日〜4月23日）＝44日

経過日数は、前回の利払日の翌日から計算することに注意する。

●経過利子の計算式

$$額面（100円）当たりの経過利子 ＝ 額面（100円）当たり年利子 \times \frac{経過日数}{365}$$

$$売買額面総額の経過利子 ＝ 100円当たりの経過利子 \times \frac{売買額面総額}{100}$$

$$額面100円当たりの経過利子 ＝ 3 \times \frac{44}{365}$$

$$＝ 0.3616438$$

$$売買額面総額の経過利子 ＝ 0.3616438 \times \frac{2,000,000}{100}$$

$$≒ 7,232円（1円未満切捨て）$$

したがって、経過利子は、7,232円となり、売却代金に加算される。

取引所取引で、年率3.0%、売買額面総額300万円、利払日（2016年以降とする）を迎える国内利付債券を単価101円で購入したとき、受渡代金として、正しいものはどれか、1つを選びなさい。なお、前回の利払日は4月14日、受渡日は5月26日、委託手数料は額面100万円当たり2,000円とする（なお、額面100円当たりの経過利子の計算においては、小数点第8位以下を切り捨てること。また、売買額面総額の経過利子の計算においては、1円未満を切り捨てること）。

① 3,026,124円　　② 3,028,228円　　③ 3,044,732円
④ 3,046,356円　　⑤ 3,046,956円

 正しいものは、⑤

①まず経過日数を求める。

経過日数＝（4月15日〜5月26日）＝42日

②次に経過利子を求める。

$$額面100円当たりの経過利子 = 3 \times \frac{42}{365}$$

$$\fallingdotseq 0.3452054（小数点第8位以下切り捨て）$$

$$売買額面総額の経過利子 = 0.3452054 \times \frac{3,000,000}{100}$$

$$\fallingdotseq 10,356円（1円未満切捨て）$$

③最後に受渡代金を求める。

●買付時の受渡代金の計算式

買付時の受渡代金 ＝ 約定金額 ＋ 経過利子 ＋（委託手数料 ＋ 消費税）

委託手数料 ＝ 3,000,000円 ÷ 1,000,000円 × 2,000円 ＝ 6,000円

消費税 ＝ 6,000円 × 10％ ＝ 600円

$$受渡代金 = 3,000,000円 \times \frac{101}{100} + 10,356円 + （6,000円 + 600円）$$

$$= 3,046,956円$$

第 **10** 章

特別会員 論点

投資信託及び 投資法人に関する業務

予想配点　34点／300点
出題形式
○×方式…7問
五肢選択方式…2問
（配点と出題形式はTACの予想です）

投信法（投資信託及び投資法人に関する法律）等に基づいて、設立・販売される投資信託について学びます。投資信託の概念から、種類や運用・販売、決算にいたる内容までを解説します。

関連章　　　　なし

投資信託の契約や、関連する会社の種類などをはじめとした投資信託の概要 **1** から学んでいきます。

運用 **2** や販売 **3**、各種算定方法 **4** など、実際の業務内容についても紹介します。

また、J-REITなどを代表とした投資法人 **5** についても、ここで見ていきましょう。

1.

様々な投資信託の特徴を一つひとつおさえよう

投資信託の概要

重要度
★★★

参考

投資信託はファンドとも称される。

1 投資信託とは

（1）投資信託とは

　投資信託とは、多数の投資者から資金を集め、第三者である専門家が運用、管理するしくみである。これを集団投資スキームという。

用語

集団投資スキーム

多数の投資家から資金を集めて事業・投資を行い、その収益を出資者に分配するしくみ。投資信託やヘッジファンドなどがこれにあたる。

（2）投資信託のしくみ

　投資信託委託会社が委託者指図型投資信託契約を締結しようとするときには、あらかじめ約款を作成して内閣総理大臣に届出をしなくてはならない。

参考

投資信託委託会社＝委託者＝運用会社

① 投資信託約款

　投資信託約款とは、投資信託がどのような方法によって勧誘が行われるか等、管理や運用に関する事項等が記載されたものである。投資信託約款に記載すべき事項は、以下のとおりである。

・委託者及び受託者の商号または名称並びにその業務
・投資の対象とする資産の種類その他信託財産の運用に関する事項
・投資信託財産の評価の方法、基準及び基準日に関する事項
・信託の元本の償還及び収益の分配に関する事項
・信託契約期間、その延長及び信託契約期間中の解約に関する事項
・信託の計算期間に関する事項
・受託者及び委託者の受ける信託報酬その他の手数料の計算方法
・公募、適格機関投資家私募、特定投資家私募または一般投資家私募の別
・委託者が運用の指図に係る権限を委託する場合においては、その委託先の名称等及び委託に係る費用
・投資信託約款の変更に関する事項
・委託者における公告の方法

② 投資信託約款の内容等を記載した書面の交付

投資運用業を行う金融商品取引業者は、受益証券を取得しようとする者に対して、投資信託約款の内容を記載した書面を交付しなければならない。ただし、目論見書に投資信託約款の内容が記載されているなど、一定の場合は交付を省くことができる。

③ 投資信託約款の変更と解約

投資信託委託会社は、投資信託約款を変更するときには、あらかじめその旨及び内容を金融庁長官に届け出なければならない。

変更 (新法信託)	・変更内容が重大な場合は、受益者の書面による決議を行う必要がある。 ・受益者の書面による決議の場合、投資信託委託会社は、書面決議の日や重大な約款の変更の内容やその理由などを記載した書面を作成し、受益者に通知しなければならない。 ・書面決議において反対した受益者は、受託者に対してその受益権を公正な価格で買取請求することができる。
解約 (ファンドの 償還)	・投資信託委託会社は、ファンドを償還し、投資信託契約を解約するときは、あらかじめ内閣総理大臣にその旨を届け出なければならない。

参考

受益者による特別多数の書面決議は、議決権の行使ができる受益者の半数以上を定足数とし、その中で3分の2以上の賛成があれば成立する。

(3) 投資信託の関係者

投資信託の運営には、①投資信託委託会社、②受託会社、③販売会社、④受益者が関係している。

① **投資信託委託会社**…資産運用会社のことで、金融庁長官へ投資運用業の登録が必要である。投資信託委託会社の主な業務は次のとおりである。

・投資信託契約の締結、投資信託約款の届出・変更
・投資信託財産の設定
・投資信託財産の運用の指図(議決権の指示行使を含む)
・ファンドの基準価額の計算、公表
・目論見書、運用報告書などのディスクロージャー作成
・投資信託契約の解約(ファンドの償還)

なお、投資信託委託会社が、自ら発行する受益権の募集を行う場合には、第二種金融商品取引業者として金融庁長官の登録を受ける必要がある。

② **受託会社**…投資信託委託会社からの指示に従って、投資家から集

められた資金（信託財産）の管理や保管を行い、信託財産として有する有価証券に係る議決権を行使する。信託財産は自社の財産とは区別して保管（分別保管）しなければならない。なお、信託財産の名義人は受託会社（信託銀行）である。

受託会社の主な業務は次のとおりである。

・投資信託財産の管理
・ファンドの基準価額の計算（投資信託委託会社との照合）
・投資信託約款の内容及び内容の変更に関する承諾・同意

③　**販売会社**…投資家と投資信託をつなぐ窓口。投資信託の募集や販売は、投資信託委託会社の直販を除き、金融商品取引業者（証券会社等）や登録金融機関（銀行など）を通じて行われる。主な業務は次のとおりである。

・投資信託の募集の取扱い及び売買
・分配金、償還金の支払いの取扱い
・受益者から買い取ったファンドの投資信託委託会社へ解約請求及び受益者からの解約請求の取次ぎ
・目論見書、運用報告書の顧客への交付のほか、募集・販売に関する必要事項について、投資信託委託会社との相互連絡

④　**受益者**

受益者は、信託の利益を受ける権利、受益権を有する者である。

（4）契約型投資信託における用語について

投資信託の運営に係る用語には、「信託法」の法律用語が入っているため難しく聞こえるものがいくつかある。まずは意味を理解しておこう。

● **契約型投資信託における用語**

受益権	投資信託を購入した投資家のもつ権利であり、投資信託から生じる利益を分配金として受け取る権利のこと。この権利を記した証券を受益証券という。
設定	設定とは、投資家から集めた資金を投資信託委託会社から信託会社等へ預け、信託契約を結んで運用を開始すること。まったく新しい投資信託契約に基づく当初設定と、すでに締結された投資信託契約に基づく追加設定がある。

解約請求・買取請求	投資家が投資信託を換金する方法。信託財産の一部を解約して信託財産の返還を請求するのが解約請求、受益証券を販売会社に買い取ってもらうのが買取請求である。
募集(販売)手数料	販売会社が投資信託を販売した対価として、投資家から徴収する手数料のこと(ない場合もある)。
運用管理費用(信託報酬)	投資信託を運営する対価として、投資信託委託会社、販売会社、信託銀行などが受け取る報酬のこと。

2 投資信託の種類

投資信託の全体像は以下のとおりである。

● 投資信託の全体像 (純資産総額・ファンド数)

(単位:百万円)

タイプ / 項目							純資産総額	前月末純資産増減額	ファンド本数
投資信託合計							359,491,126	8,925,720	14,403
	公募投信						239,127,976	8,571,232	5,980
		契約型投信					227,041,104	8,518,416	5,917
			証券投信				227,041,104	8,518,416	5,917
				株式投信			211,047,618	8,784,935	5,832
					単位型		648,764	▲ 5,878	85
					追加型		210,398,853	8,790,812	5,747
						ETF	89,569,673	4,200,372	295
						その他	120,829,180	4,590,441	5,452
				公社債投信			15,993,487	▲ 266,519	85
					単位型		0	0	0
					追加型		15,993,487	▲ 266,519	85
						MRF	15,518,910	▲ 260,686	11
						MMF	0	0	0
						その他	474,576	▲ 5,833	74
			証券投信以外の投信				0	0	0
				金銭信託受益権投信			0	0	0
				委託者非指図型投信			0	0	0
		投資法人					12,086,872	52,816	63
			証券投資法人				0	0	0
			不動産投資法人※				11,943,451	52,922	58
			インフラ投資法人※				143,421	▲ 106	5
	私募投信						120,363,150	354,488	8,423
		契約型投信					116,670,854	306,703	8,361
			証券投信				116,669,230	306,696	8,360
				株式投信			113,336,631	395,042	6,965
				公社債投信			3,332,599	▲ 88,346	1,395
			証券投信以外の投信				1,624	8	1
				委託者非指図型投信			1,624	8	1
		投資法人					3,692,296	47,785	62
			証券投資法人				18,409	▲ 37	1
			不動産投資法人※				3,673,887	47,822	61
			インフラ投資法人※				0	0	0

※不動産投資法人及びインフラ投資法人は前月(ひと月遅れ)のデータ

出典:投資信託協会
(2024年3月末現在)

(1) 誰でも購入できるのか?

投資信託は、不特定かつ多数の投資家を対象とする公募投資信託と、一定の限られた投資家を対象とする私募投資信託に分けられる。

● 投資信託の募集対象による区分

公募投資信託	不特定かつ多数(50名以上)の投資家を対象とする
私募投資信託	一定の限られた投資家を対象とする ①一般投資家私募 　公募及び適格機関投資家私募等のいずれにも該当しない勧誘のこと ②適格機関投資家私募等 　適格機関投資家や特定投資家のみを対象とする

参考

私募投資信託は、オーダーメイド的な性格が強いことから、その運用やディスクロージャーに関する規制は、公募投資信託より緩やかなものとなっている。

(2) どのような形態なのか?

投資信託は、投資家が拠出するファンド(基金)の法的なしくみの違いによって、契約型と会社型に分けられる。

① 契約型投資信託

委託者(投資信託委託会社)と受託者(信託銀行等)が投資信託契約を結ぶことによりファンドが組成される。信託財産自体に法人格はなく、投資家はその投資信託の受益権を取得するという形になる。

契約型投資信託は、「委託者」が運用を指図するのか、しないのかで、委託者指図型投資信託と委託者非指図型投資信託に分類される。

参考

株式投資信託や公社債投資信託などの証券投資信託は、契約型の投資信託である。

● 契約型投資信託の分類

委託者指図型投資信託	委託者と受託者の2者間で結ばれた信託契約に基づいて、委託者(投資信託委託会社)が運用指図を行う。信託財産の運用は受託者(信託銀行)が行う。
委託者非指図型投資信託	受託者が複数の「委託者であり、かつ受益者となる投資家」との間で投資信託契約を結び、委託者の運用指図によらずに、受託者(信託会社等)が、自ら信託財産の運用を行う。

② 会社型投資信託

資産運用を目的とする法人を設立し、その法人が発行する証券を投資家が取得する。法人格を持った投資法人が資産運用を行うということであり、法人の内部の構成も株式会社のようなしくみに準じている(会社型投資信託自体に法人格がある)。

(3) 何に投資をするのか？

投資信託及び投資法人の主な投資対象（投資資産）は、次の5種類の資産に区分される。

> ・有価証券及び有価証券関連デリバティブ取引に係る権利
> ・不動産、不動産関連の権利及び不動産関連商品
> ・有価証券以外の金銭債権、約束手形及び匿名組合出資持分・有価証券関連デリバティブ取引以外のデリバティブ取引に係る権利
> ・商品、商品投資等取引に係る権利
> ・インフラ設備(再生可能エネルギー発電設備及び公共施設等運営権)

このうち、主に何を投資対象(特定資産)にするかにより、証券投資信託、不動産投資信託、証券投資信託以外の投資信託、インフラ投資信託に分けられる。

① 証券投資信託(証券投資法人)

証券投資信託（証券投資法人）は、投資信託財産（投資法人財産）の総額の 2 分の 1 を超える額を「有価証券及び有価証券関連デリバティブ取引に係る権利」に投資している委託者指図型投資信託をいう。委託者非指図型投資信託を設定する場合には、証券投資信託以外の投資信託としなければならない。

証券投資信託は、その運用対象の有価証券によって、公社債投資信託と株式投資信託に分けることができる。

● 証券投資信託の概要

公社債 投資信託	・法律上、国債、地方債、社債、コマーシャル・ペーパー(CP)、外国法人が発行する譲渡性預金証書、国債先物取引等に投資対象が限定されている投資信託。 ・国債、地方債、社債など公社債を中心に運用する。 ・代表的なものは、MRF、長期公社債投資信託などがある。 ・決算ごとに純資産が元本額を上回る場合は、上回る分をすべて分配しなければならない。 ・決算日の基準価額(10,000円など)でしか購入できない。
株式 投資信託	・公社債投資信託以外のすべての証券投資信託のことをいう。 ・投資信託約款上、株式を組み入れることができる。 ・購入や解約の場合は日々の基準価額で受け付ける。

② 不動産投資信託(不動産投資法人)

不動産投資信託（不動産投資法人）は、主として「不動産、不動産関連の権利及び不動産関連商品」に対する投資を行う投資信託（投資法人）

である。一般的な不動産投資信託は、会社型の不動産投資信託（不動産投資法人）である。

③ 証券投資信託以外の投資信託

証券投資信託以外の投資信託とは、例えば、自動車ローン等への貸付けを行う金銭信託の受益権に投資する投資信託などがある。

④ インフラ投資信託（投資法人）

インフラ設備（再生可能エネルギー発電設備及び公共施設等運営権）が特定資産で、東京証券取引所に上場する。会社型（投資法人形式）で組成される。

(4) いつでも購入できるのか？

投資信託は、ファンドが立ち上がる期間（当初募集期間）にのみ購入できる単位型と、原則、ファンドが運用されている期間中いつでも購入できる追加型に分けられる。

● 単位型と追加型の違い

単位型	当初募集期間に集まった資金でファンドが設定された後は、資金の追加はできない。 〈ファミリーファンド・ユニット（定期定型投資信託）〉 継続して定期的に同じしくみの投資信託を設定していく投資信託であり、現在新規設定はみられない。 〈スポット投資信託〉 その時々の投資家のニーズ、経済や市場のマーケット状況に応じて、随時設定される投資信託である。
追加型	ファンドが設立された後も、資金の追加ができる。 基準価額に基づいて設定・解約、売買は原則自由に行われる。

参考

追加型投資信託はオープン型投資信託ともいわれる。

(5) 払戻しに応じてくれるのか？

投資信託は、払戻しの有無により、オープンエンド型とクローズドエンド型に分けられる。

オープンエンド型は、運用期間中、投資家からの払戻しに応じる（発行者は証券を買い戻す）タイプ。解約が増えると資産を取崩して換金するため、ファンドの資金は減少する。

クローズドエンド型は、発行者が解約・買戻しに応じないため、原則ファンドの資金は減少しない。投資家は、市場で受益証券を売却することにより換金を行う。クローズドエンド型の代表的なものが、不動産投資信託（J-REIT）である。

	オープンエンド型	クローズドエンド型
解約・買戻し	自由	解約禁止、買戻し義務なし
ファンドの資金量の減少	あり	原則としてない
換金時の価格	買戻しは、純資産価格（基準価額）に基づく	市場の情勢に左右され、純資産価格（基準価額）と必ずしも一致しない
基金の資金量	不安定	安定

(6) ETF（上場投資信託）

ETFとは、取引所に上場し、株価指数（日経平均株価、東証株価指数（TOPIX）など）の指標への連動を目指す投資信託である。他の証券投資信託のように基準価額に基づく価格で購入・換金するのではなく、市場価格で売買される。

(7) 外国投資信託

外国投資信託とは、外国において外国の法令に基づいて設定された投資信託である。

(8) その他の投資信託

① マザーファンド

マザーファンドとは、その受益権を投資信託委託会社自らが運用の指図を行う他の投資信託に取得させることを目的とする投資信託である。マザーファンドは、効率的な運用を行うために、いくつかのベビーファンドの資金を集めて合同で運用する（ファミリーファンド）。

② ファンド・オブ・ファンズ

証券投資信託や不動産投資信託など、外国投資信託や投資法人に投資する投資信託である。

複数の投資信託へ投資することにより、リスクを軽減したり、より高いリターンを追求したり、といった分散投資効果を期待することができる。

③ 確定拠出年金向けファンド

確定拠出年金向けファンドとは、確定拠出年金（DC）の運用商品として提供されることを目的としたファンドである。

用語

基準価額
投資信託の時価（ファンド１口当たりの価額）のことであり、投資家が投資信託を売買する際は、この基準価額で取引する。

用語

日経平均株価
東京証券取引所プライム市場に上場している銘柄のうち、市場を代表する225銘柄の修正平均株価である。

用語

東証株価指数
原則として、東京証券取引所プライム市場の全銘柄の時価総額を指数化したものである。

用語

確定拠出年金
公的年金に上乗せする、私的年金の１つである。

④ 毎月分配型

毎月分配型の投資信託は、毎月決算を行い、毎月分配金を支払おうとするしくみのファンドである。分配金が支払われないことや、ファンドの得た収益を超えて分配金が支払われることもある。

⑤ 通貨選択型

通貨選択型の投資信託は、株式や債券などといった投資対象資産に加えて、為替取引の対象となる円以外の通貨も選択できるよう設計されたファンドである。投資対象資産の価格変動リスクに加え、換算する通貨の為替変動リスクを被ることになる。

⑥ ノックイン投資信託

ノックイン投資信託とは、デリバティブ取引や仕組債を活用するもので、目標とする投資成果や償還日が、特定の指標・価格によって決まる複雑投資信託の一種である。

参考

このほか、レバレッジ投資信託や、店頭デリバティブ取引に類する複雑な投資信託など、商品の特殊性から投資勧誘・販売に関して厳しい規制が課せられている投資信託がある。

用語

ノックイン

ノックインとは、株価指数など対象となる資産の価格が、あらかじめ決められた水準と等しくなるか、これを超えることをいう。

本番得点力が高まる! 問題演習

問1 投資信託の概要に関する次の記述のうち、正しいものには○を、誤っているものには×をつけなさい。

① 投資信託約款に記載すべき事項のひとつに「委託者における公告の方法」がある。

② 投資信託財産の管理・保管を行い、有価証券の議決権を行使するのは受託会社である。

③ 委託者指図型投資信託の信託財産に組み入れられている有価証券の名義人は、受益者である。

④ 委託者非指図型投資信託の場合には、主として有価証券及び有価証券関連デリバティブ取引に係る権利に対する投資として運用することを目的とするファンドを設立することはできない。

⑤ 証券投資信託は、主に投資信託財産の3分の1を超える額を有価証券及び有価証券関連デリバティブ取引に係る権利に投資して運用する投資信託である。

⑥ 公社債投資信託は、投信法上、国債や地方債、社債、CP、外国法人が発行する譲渡性預金証書、国債先物取引などに投資対象が限定されている投資信託である。

⑦　投資信託委託会社が自ら発行するファンドの受益権の募集を行うには、第二種金融商品取引業者としての登録を受ける必要がある。

①○　投資信託約款では、投資信託の具体的な事項等が定められている。

②○　なお、受託会社に対して指示するのは委託者（投資信託委託会社）である。

③×　信託財産に組み入れられている有価証券の名義人は受託会社である。

④○　委託者非指図型投資信託においては、証券投資信託を設定できない。

⑤×　証券投資信託は、主に投資信託財産の2分の1を超える額を有価証券及び有価証券関連デリバティブ取引に係る権利に投資して運用する投資信託である。

⑥○　代表的なものは、MRF、長期公社債投資信託などがある。

⑦○　投資信託を直接販売している投資信託委託会社（直販会社）は、第二種金融商品取引業者として登録を受けている。

投資信託に関して、（　　）に当てはまる語句の組合せとして、正しいものはどれか、1つ選びなさい。

・（　イ　）型の発行証券の買戻しは、純資産価格に基づいて行われる。

・（　ロ　）型の発行証券は、市場で売却することで換金できる。

・（　ハ　）型は（　ニ　）型に比べて、基金の資金量が安定している。

a．オープン・エンド　　b．クローズド・エンド

①　イ：a　　ロ：b　　ハ：a　　ニ：b
②　イ：a　　ロ：b　　ハ：b　　ニ：a
③　イ：b　　ロ：a　　ハ：a　　ニ：b
④　イ：b　　ロ：a　　ハ：b　　ニ：a
⑤　イ：b　　ロ：b　　ハ：a　　ニ：b

正しいものは、②

・オープン・エンド型の発行証券の買戻しは、純資産価格に基づいて行われる。

・クローズド・エンド型の発行証券は、市場で売却することで換金できる。

・クローズド・エンド型はオープン・エンド型に比べて、基金の資金量が安定している。

2.

投資するならここ
だな。

証券投資信託の運用

重要度
★★☆

1 投資信託委託会社の義務

(1) 投資信託委託会社の義務

投資信託委託会社には、「忠実義務」と「善管注意義務」が金商法により定められている。

忠実義務	権利者(受益者)のために忠実に投資運用業を行わなければならない
善管注意義務	権利者に対して善良な管理者の注意をもって投資運用業を行わなければならない

2 証券投資信託の運用手法

投資信託は、専門家が資産を運用する。委託者指図型投資信託の運用指図を行うことができるのは、投資運用業として登録を受けた金融商品取引業者である。

(1) インデックス運用 (パッシブ運用) とアクティブ運用

インデックス運用は、対象となる指数と同じ値動きを目指すため、長期的には市場平均とほぼ同じ運用成果が期待できる。アクティブ運用と比べて企業分析や情報収集にかかるコストが少ないため、信託報酬などのコストが低く抑えられている。

アクティブ運用は、ベンチマークを上回る運用成果を目指す運用方法である。ファンドマネージャーによる調査、分析などにコストがかかるため、インデックス運用に比べて運用コストが高くなる傾向にある。

● インデックス運用とアクティブ運用

インデックス運用 (パッシブ運用)	日経平均株価や東証株価指数(TOPIX)などのインデックスをベンチマークとし、これにできるだけ近い運用成果を目指す運用手法
アクティブ運用	ベンチマークを上回る運用成果を目指す運用手法

用語

ベンチマーク
運用成果を判断する
基準となるもののこと
で、株価指数や債券
指数などが用いられて
いる。

(2) トップダウン・アプローチとボトムアップ・アプローチ

トップダウン・アプローチとボトムアップ・アプローチとは、アクティブ運用
において使われる運用方法である。

● トップダウン・アプローチとボトムアップ・アプローチ

トップダウン・ アプローチ	マクロ経済に対する調査・分析をしてポートフォリオを組み立てていく運用手法
ボトムアップ・ アプローチ	個別企業に対する調査・分析結果を積み重ねて、ポートフォリオを組み立てていく運用手法

用語

ポートフォリオ
投資対象の金融商品
の組み合わせのことで
ある。

(3) グロース株運用とバリュー株運用

株式のアクティブ運用は、銘柄のどの部分に注目するかにより、いくつ
かの運用スタイルに分かれる。その代表的なものが、グロース株運用とバ
リュー株運用である。

● グロース株運用・バリュー株運用

グロース株 運用	企業の成長性を重視し、ポートフォリオを組み立てていく運用手法
バリュー株 運用	株式の価値と株価水準を比較し、割安と判断される銘柄を中心にポートフォリオを組み立てていく運用手法

(4) 債券ファンドの運用

債券ファンドの運用手法は、債券特有のリスクをコントロールすることが
基本となる。債券ファンドの運用には、金利リスクや信用リスク、流動性
リスクなどがあり、外貨建債券に対する投資の場合には、これに為替リ
スクが加わる。

3 投資対象と投資制限

(1) 投資対象

投信法に定める投資信託の主たる投資対象は特定資産と呼ばれる。

第
10
章

投資信託及び投資法人に関する業務 - 証券投資信託の運用

投資対象（特定資産）は、その資産の性格により、次の12種類に区分することができる。

- 有価証券
- デリバティブ取引に係る権利
- 不動産
- 不動産の賃借権
- 地上権
- 約束手形
- 金銭債権
- 匿名組合出資持分
- 商品
- 商品投資等取引に係る権利
- 再生可能エネルギー発電設備
- 公共施設等運営権

なお、証券投資信託の場合は、有価証券及び一定の有価証券関連デリバティブ取引に係る権利に、原則、信託財産の2分の1を超える額を投資しなければならない。

(2) 投資制限

投資対象については、各ファンドの目的に沿った適正なリスク管理を図るため、分散投資規制など様々な投資制限が定められている。

本番得点力が高まる! 問題演習

問1 証券投資信託の運用に関する次の記述のうち、正しいものには〇を、誤っているものには×をつけなさい。

① アクティブ運用とは、ベンチマークを上回る運用成果を目指す運用手法である。

② ボトムアップ・アプローチとは、個別企業に対する調査・分析結果を積み重ねて、ポートフォリオを組み立てていく運用手法である。

③ 株式のアクティブ運用のうち、株式の価値と株価水準を比較し、その割安性を重視する運用手法をグロース株運用という。

④ 証券投資信託の投資対象となる特定資産には、有価証券関連デリバティブ取引に係る権利は含まれていない。

⑤ 投資信託の投資対象には、不動産の賃借権は含まれない。

 解答

①〇 アクティブ運用において使われる運用方法には、トップダウン・アプローチやボトムアップ・アプローチがある。

②〇 これに対し、マクロ経済に対する調査・分析をしてポートフォリオを組み立てていく運用手法を、トップダウン・アプローチという。

③× この説明は、バリュー株運用についての記述である。グロース株運用とは、企業の成長性を重視する運用手法である。

④× 特定資産には、有価証券関連デリバティブ取引に係る権利も含まれる。

⑤× 投資信託の投資対象には、不動産の賃借権が含まれる。

3. 証券投資信託の販売

重要度 ★★☆

1 販売に関する規制など

投資信託を販売する際、投資家に商品内容を正しく理解してもらうために、様々な規制が設けられている。

(1) 投資信託説明書（目論見書）の作成と交付

投資信託委託会社は、投資信託説明書（目論見書）を作成しなければならない。

販売会社は、目論見書、運用報告書を投資家に交付しなければならない。

● 投資信託説明書（目論見書）の種類

交付目論見書	投資信託の取得にあたり、あらかじめまたは同時に交付しなければならない。
請求目論見書	投資信託の取得までに顧客から交付の請求があったときに交付しなければならない。

投資信託説明書（目論見書）は、あらかじめ投資家の同意を得ていれば、インターネットのホームページやメールなどによる交付が認められている。

(2) 金融サービス提供法による説明義務

金融サービス提供法では、金融商品販売業者（販売会社）は、金融商品の持っているリスクなどの重要事項について、顧客に説明しなければならないと定めている。販売会社が重要事項の説明義務を怠り、そのために顧客が損害を被った場合には、販売会社が損害賠償責任を負う。

(3) 乗換え勧誘時の説明義務

ファンド（MRFを除く）の換金を行うと同時に、他のファンドの購入の勧誘（乗換えの勧誘）をする場合には、乗換えに関する重要な事項について説明を行わなければならない。

用語

投資信託説明書
投資信託がどのような特徴を持った商品なのかを投資家に説明するための書類である。目論見書は、投資家に対してよりわかりやすくするために「投資信託説明書」という名称になった。

用語

乗換え
現在保有している投資信託を一部解約し、他の投資信託等を取得すること。換金と取得をセットで勧誘する行為のこと。

用語

重要な事項
例えばファンドの状況、解約する投資信託等の状況、乗り換えに係る手数料などである。

(4) 広告宣伝の規制

投資信託委託会社や販売会社が、投資信託の広告や宣伝を行う場合には、投資信託委託会社や販売会社の商号、手数料、リスク等法令で定める必要な事項について明瞭かつ正確に表示しなければならない。

(5) 投資信託に係るトータルリターンを通知する制度

日本証券業協会は、顧客が新たに買い付ける公募株式投資信託にトータルリターン通知制度を導入している。

販売会社は投資家に対し、受け取った分配金の累計額等を年1回以上通知しなければならない。

2 単位型投資信託の販売

単位型投資信託は、ファンド設定前の募集期間に限り資金を募る。販売会社は2週間から1ヶ月程の募集期間内に投資家から申込金を受入れ、集まった資金をまとめて信託設定日（ファンドの設定日）に投資信託財産として受託会社に信託する。

● 単位型投資信託の販売

募集	当初募集期間のみ（ファンド設定時）
募集（申込み）価格・募集単位	通常1口当たり1万円、1口単位
募集（販売）手数料	募集（販売）手数料は、販売会社が定める。内枠方式と外枠方式がある。また、募集手数料が不要のファンド（ノーロードファンド）もある。

3 追加型投資信託の販売

(1) 追加型株式投資信託の販売

追加型株式投資信託の募集には、当初募集と追加募集（継続募集）がある。追加募集とは、すでに設定されている運用中のファンドに、資金を追加する形式で行われる募集行為のこと。信託期間中、原則、毎営業日に資金の追加を募る。

用語

内枠方式
募集手数料に消費税等を加えた額が販売価額の内枠で徴収される方式。手数料分だけ運用資金が減額される。

用語

外枠方式
投資金額とは別に募集手数料に消費税を加えた額を投資家から徴収する方式。

参考

ノーロードファンド（募集手数料不要）も販売されている。

● **追加型株式投資信託の販売**

当初募集と 追加募集 （継続募集）	単位型と同じ方式で当初募集を行い、ファンド設定後は、ファンドに資金を追加する形式の追加募集が行われる。
募集（申込み） 単位	1口当たり1円が主流。申込口数指定、申込金額指定、申込代金指定があり、ファンドごとに決められている。
追加募集時の 募集（申込み） 価格	通常基準価額だが、信託財産留保金を徴収するファンドの場合は基準価額に信託財産留保額を加えた販売基準価額となる。
募集（販売） 手数料	募集（販売）手数料は、販売会社が定める。
申込締切時刻	追加募集の場合、顧客の当日の買注文の受付けは、原則、取引所の売買立会による取引終了時（午後3時）まで（換金も同様）。
追加募集時の 代金	国内の資産を投資対象とするファンドの場合、基準価額は取引所の終値で計算されるため、申込みの段階ではその基準価額がわからないようになっている（ブラインド方式）。注文を受けるときは概算で代金を受け取り、受渡し日に代金を精算する。

(2) 追加型公社債投資信託の販売

　追加型公社債投資信託の当初募集は、単位型と同じである。設定後の追加募集は、原則、決算日を終了日とする一定の募集期間を設け、期間を区切って行われる。

● **追加型公社債投資信託の販売**

	MRF
募集期間	毎営業日継続的に募集できる。
募集（申込み） 単位	1口(円)以上1口(円)単位
募集（販売） 手数料	なし

　公社債投資信託は、決算日に基準価額が10,000円を超える場合は超えている分をすべて分配するため、元本割れをしない限り基準価額10,000円が募集価格となる。

4 ETFの販売

ETFは、上場株式と同様の方法で投資家が取得できる。売買注文は指値注文、成行注文ができ、信用取引も行うことができる。取引単位は10口単位、1口単位など、ファンドごとに異なる。

また、証券会社や機関投資家などの大口投資家は、現物拠出型のETFの場合、指標を構成する銘柄と同じ現物株式のポートフォリオをファンドに拠出して、受益権を取得すること(設定)ができる(一定口数以上の受益証券と、それに相当する投資信託財産中の現物株式ポートフォリオの交換)。

5 外国投資信託の販売

外国投資信託は、海外において外国の法律に基づき設定・運用されるもので、契約型と会社型がある。日本で販売する場合は、日本で設定された投資信託と同じルールで販売が行われるので、目論見書の交付が義務付けられている。また、投資家から初めて注文を受ける場合には、外国証券取引口座に関する約款を交付し、それに基づく取引口座の設定に係る申込みを受けなければならない。

本番得点力が高まる! 問題演習

問1 証券投資信託の販売の規制に関する次の記述のうち、正しいものには○を、誤っているものには×をつけなさい。

① 販売会社は、顧客へ交付するための目論見書や運用報告書を作成しなければならない。

② 販売会社が重要事項の説明義務を怠り、顧客が損害を受けた場合には、販売会社は損害賠償責任を負わなければならない。

③ 販売会社が、ファンド(MRFを除く)の換金を行うと同時に、他のファンドの購入の勧誘をする場合には、乗換えに関する重要な事項について顧客に対して説明を行わなければならない。

解答

①× 目論見書や運用報告書を作成するのは投資信託委託会社である。なお、販売会社は交付目論見書を顧客に対し、あらかじめまたは同時に交付しなければならない。

②○ 販売会社は顧客にリスクなどの重要事項について説明しなければならない。また、その重要事項の説明義務を怠ってはいけない。

③○ 乗換えに関する重要な事項には、ファンドの形態及び状解約する投資信託等の状況、乗換えに係る費用などがある。
行き過ぎた乗り換えの勧誘は、投資家の利益を害することになりかねない。

問2 証券投資信託の販売に関する次の記述のうち、正しいものには○を、誤っているものには×をつけなさい。

① 追加型株式投資信託においてブラインド方式とは、追加型株式投資信託の販売にあたり、申込みの段階ではその基準価額がわからないようにしている方式のことである。

② ETFは、取引所に上場している投資信託であり、指値注文や信用取引を行うことができる。

③ 大口投資家は現物拠出型ETFについて、現物資産のポートフォリオをファンドに拠出し、受益権を取得することはできない。

④ 外国投資信託を日本で販売する場合、日本で設定された投資信託と同じルールは適用されないため、目論見書の交付は必要ない。

解答

①○ ブラインド方式は、投資家の平等を確保するために設けられている。例えば、投資信託を申し込んだ時点で購入価格が大体わかっていると、もし翌日基準価額が値上がりしたら翌日売ってしまえば利益になる。このようにして得た利益はフリーランチ（ただ飯食い）と呼ばれ、証券取引の公平性を害するものである。

②○ ETFは他の証券投資信託のように基準価額に基づく価格で購入・換金するのではなく、市場価格で売買されるのが特徴である。売買方法も上場株式と同様で、指値注文や成行注文、信用取引を行うことができる。

③× 大口投資家は現物拠出型ETFについて、現物資産のポートフォリオをファンドに拠出し、受益権を取得することが可能である（現物資産のポートフォリオと受益証券の交換）。

④× 外国投資信託を日本で販売する場合、日本で設定された投資信託と同じルールで販売されるため、目論見書の交付が必要である。

分配金です！

4. 証券投資信託の基準価額の計算、決算、換金や償還等

1 基準価額の計算

　基準価額とは、投資信託の値段のことである。投資信託の購入・換金は、原則として基準価額により行われる。投資信託に組み入れられている株式や債券などを、原則時価で評価し資産の総額を求め、負債総額を差し引き、受益権の口数で割ると基準価額が求められる。一般的に、一万口当たりで表示される。基準価額は、原則日々計算される。

2 決算

　決算とは、投資信託の資産・負債を計算して財産内容を明らかにすることである。投資信託委託会社（運用会社）は、各計算期間の末日にファンドの決算を行い、信託財産ごとに財務諸表を作成し、その結果をもとに、運用報告書を作成する。

　決算の計算期間には、1年、6ヶ月、3ヶ月、2ヶ月、1ヶ月、1日などがあり、MRFなどは日々決算型であるので、毎日決算を行い、毎月末に再投資される。

3 分配

(1) 分配の決め方

　分配金は決算日ごとに決定され、投資家はこれを販売会社で受領する。この分配金には、投資信託協会のルールで上限額が定められている。分配が行われると、分配金の額だけ基準価額は下がる（分配落）。

● 分配金の決め方

① 単位型投資信託

単位型は以下の範囲内で分配金を決めることができる。

$$\frac{決算期末の}{純資産総額} - 経費 \geqq 元本 \Rightarrow \boxed{利息配当などの収入額、または、基準価額\\の値上がり分のどちらか多い額の範囲内}$$

$$\frac{決算期末の}{純資産総額} - 経費 < 元本 \Rightarrow \boxed{利息配当などの収入額の範囲内}$$

② 追加型株式投資信託

追加型株式投資信託は経費控除後の配当等収益の全額に加え、期中の実現売買損益と期末時価で評価替えした評価損益との合計から経費を差し引き、前期から繰り越された欠損金などを補塡した後の額を分配することができる。

③ 追加型公社債投資信託

追加型公社債投資信託は、期末における元本超過額の全額を分配する。

（2）分配金の支払い

分配金は、決算日ごとに決定され、受益者は販売会社から受け取る。通常、分配金は、決算から5営業日目以降に支払われるが、分配金再投資コース（分配金で同じ投資信託を追加購入するコース）の場合は、決算日の翌営業日となる。

4 換金

（1）解約と買取り

受益者が信託期間中に換金をする方法には、解約、買取りの2種類がある。

● 投資信託の換金方法

解約	受益者が販売会社を通して運用会社に投資信託の解約を請求する方法。運用会社は投資信託財産を取り崩して換金する。
買取り	販売会社に投資信託を買い取ってもらう方法。

（2）解約受付日・クローズド期間

委託者指図型投資信託は、原則としてオープンエンド型なので、毎営業日解約を受け付ける。ただし、外国の資産に投資しているファンドなどは、外国の市場が休業日の場合には、その営業日には取得申込を受け付けないことがある。

また、投資された資金を安定させるために、クローズド期間（解約請求

参考

分配金の時効は5年
（償還金の時効は10年）
である。

できない期間）を、投資信託約款で定めている場合がある。

(3) 換金請求の受付時限・換金価格

換金請求において、投資信託の販売会社の換金請求の受付時限は、ブラインド方式を維持するため、遅くとも午後3時までに締め切るとされている。

解約請求による換金の場合、原則として基準価額で換金される。ただし、信託財産留保金を徴収するファンドはその金額を差し引いた後の額となる。また、換金時に実績報酬（運用実績に比例して支払う報酬）を徴収するファンドもあり、このように様々な費用を差し引いた後の残りを解約価額という。

(4) 換金代金の支払い

解約または買取りによってファンドを換金した代金の支払いは、国内資産を主な投資対象としたファンドは、換金申込受付日から4営業日目（外国資産を組み入れたものは5営業日目から）に支払われる。

MRFについては、キャッシングが認められている。キャッシングとは、代金を即日支払いするサービスであり、換金代金の支払いとなるまでの間、販売会社が換金代金相当額を貸し付けることである。

● MRFの換金代金の支払い

種類	MRF
解約	手数料なく常時できる。
代金の支払い	午前中に解約を請求し、当日払いを希望の場合は当日、それ以外は翌営業日に支払われる。
キャッシング	午後からの換金請求分がキャッシング扱いとなる場合、換金請求当日に解約代金を受け取ることができる。
支払い	原則、販売会社の窓口

5 償還

　償還とは、投資信託であらかじめ決められている信託期間を終了し、お金が投資家に返還されることをいう。単位型は信託期間の終了とともに償還になる。

　また、一定の信託期間を設けている追加型も、信託期間の終了とともに償還になる（追加型投資信託は、信託期間の終了時に、信託期間の延長が受益者にとって有利になると認められる場合、延長することもある）。

　ただし、単位型・追加型ともに、残存元本が減り一定水準を下回ると、信託期間中でも繰上償還できるように投資信託約款に定められている。

6 分配、換金及び償還に伴う課税

　追加型投資信託の分配金は、普通分配金と元本払戻金（特別分配金）に分けられる。

　また、公社債投資信託と株式投資信託では分配金に対する課税方法が異なる。

（1）普通分配金、元本払戻金（特別分配金）、個別元本

　個別元本とは、投資家ごとの平均取得基準価額のことであり、その投資家がファンドを取得するつど、取得口数で加重平均され、分配が行われるたびに調整される。分配金に対する課税は、それぞれの投資家の個別元本と分配をした後の基準価額の関係で普通分配金として、または、元本払戻金（特別分配金）として扱われる。

　普通分配金は課税の対象となるが、元本払戻金（特別分配金）は、各受益者の個別元本の払戻しとみなされるため非課税となる。

● 個別元本と分配金

個別元本	投資家ごとの平均取得基準価額
普通分配金	分配落後の基準価額がその受益者の個別元本と同額または上回る場合の分配金
元本払戻金（特別分配金）	分配落後の基準価額がその受益者の個別元本を下回る場合、その下回る部分に相当する分配金

（2）公社債投資信託と株式投資信託の分配金に対する課税

① 公社債投資信託の分配金に対する課税

　公社債投資信託の分配金は、債券の税制に準じて利子所得としての

取扱いになり、全額が20.315%（所得税及び復興特別所得税15.315%、住民税5％）の源泉分離課税の対象となる。

② 株式投資信託の分配金に対する課税

個人投資家の株式投資信託の分配金は、配当所得の取扱いとなる。

● 株式投資信託の分配金に対する課税

普通分配金	源泉徴収税率20.315%（所得税及び復興特別所得税15.315%、住民税5%）
元本払戻金	課税されない

(3) 株式投資信託の換金差益、償還差益に対する課税

個人投資家が、株式投資信託を解約・買取により換金した場合と、償還を受けた場合の換金差益や償還差益については、譲渡所得の取扱いとなる。換金・償還価額と取得価格（手数料を含む）の差額について、申告分離課税の対象となり、上場株式等の売買損益等と通算した上で譲渡益課税が行われる。

参考

公社債投資信託の換金差益や償還差益は譲渡所得の取扱い（申告分離課税）であり、株式の売買損益等と通算が可能。

7 ETFの分配、換金方法

ETFの分配の方法、一般投資家による換金方法は、上場株式の場合と同様である。分配金は決算日現在の受益者に支払われ、換金する場合は市場で売却（譲渡）することになる。ETFの譲渡損益、分配金に対する税制上の取扱いは、上場株式と同様であり、普通分配金と元本払戻金の区別はない。

8 証券投資信託のディスクロージャー

(1) 発行開示

発行開示とは、発行された有価証券を投資家が取得しようとする際に行われるディスクロージャー（情報開示）である。金商法と投信法においてそれぞれに規定が設けられている。以下、公募型の証券投資信託（委託者指図型投資信託）を例に説明する。

● 発行開示に関する規定

① 金商法の発行開示（公募投資信託を募集・販売するとき）
・投資信託委託会社は財務局長（内閣総理大臣）へ有価証券届出書を提出しなければならない。

参考

公募投資信託の場合、投資信託約款の内容が記載された目論見書が約款の代用となる。

- 販売会社は、投資家に投資信託を取得してもらう場合、あらかじめまたは同時に目論見書を交付しなければならない。
② 投信法の発行開示（投資信託契約を締結するとき）
  - 投資信託委託会社は、その投資信託約款を金融庁長官に届け出なければならない。
  - 投資信託委託会社は、投資信託を取得しようとする者に、投資信託約款の内容を記載した書面を交付しなければならない。

(2) 継続開示

継続開示とは、有価証券の発行後、一定期間ごとに求められるもので、ファンドを所有している投資家等に対して情報開示を行うものである。こちらも発行開示と同様、金商法と投信法において規定がある。

● 継続開示に関する規定

① 金商法の継続開示
  - 投資信託委託会社は、ファンドの決算期ごとに決算経過後3ヶ月以内に有価証券報告書を財務局長に提出しなければならない。
② 投信法の継続開示
  - 投資信託委託会社は、各投資信託財産の決算期末ごとに遅滞なく運用報告書を作成し、受益者に交付しなければならない。運用報告書には、きわめて重要な事項を記載した交付運用報告書と、運用報告書（全体版）がある。交付運用報告書に記載すべき内容には、運用経過の説明、今後の運用方針などがある。

参考

MRF及び上場されているファンドは運用報告書の作成・交付をしなくてもよい。

(3) 投信法上の継続開示

投資信託委託会社は、各投資信託財産の決算期末ごとに運用報告書を作成し、受益者に交付する。

運用報告書のうち、重要なものとして交付運用報告書があり、これに記載すべき項目は投信法で定められている。

①　当該投資信託財産の運用方針
②　当該投資信託財産の計算期間中における資産の運用の経過
③　運用状況の推移
④　当該投資信託財産の計算期間中における投資信託委託会社及び受託会社に対する報酬等並びに、当該投資信託財産に関して受益者が負担するその他の費用並びにこれらを対価とする役務の内容
⑤　株式のうち主要なものにつき、銘柄ごとに、当期末現在における時価総額の投資信託財産の純資産額に対する比率
⑥　公社債のうち主要なものにつき、銘柄ごとに、当期末現在における時価総額の投資信託財産の純資産額に対する比率
⑦　投資信託の受益証券（新投資信託の受益証券を除く）、新投資信託の受

益証券及び投資法人の投資証券のうち主要なものにつき、銘柄ごとに、当期末現在における時価総額の投資信託財産の純資産額に対する比率
⑧　デリバティブ取引のうち主要なものにつき、種類ごとに、当期末現在における評価額の投資信託財産の純資産額に対する比率
⑨　受益者が問い合わせを行うことができる部署及び電話番号
⑩　投資信託約款において運用報告書(全体版)に記載すべき事項を電磁的方法により提供する旨を定めている投資信託にあっては、その旨及び運用報告書(全体版)に記載すべき事項を閲覧するために必要な情報
⑪　運用報告書(全体版)は受益者の請求により交付される旨及び受益者が当該請求をするために必要な情報

本番得点力が高まる! 問題演習

問1　証券投資信託の業務に関する記述のうち、正しいものには○を、誤っているものには×をつけなさい。

①　受益者が信託期間中に換金する方法は解約のみである。

②　クローズド期間とは、解約請求できないと、あらかじめ投資信託約款で定めている期間である。

③　単位型投資信託、追加型投資信託において、残存元本が減り、一定水準を下回ると、信託期間中でも繰上償還できる。

④　追加型投資信託の分配金は、普通分配金と元本払戻金（特別分配金）に分けられ元本払戻金は非課税となる。

⑤　交付運用報告書の記載事項には、投資信託財産の運用方針、期中における資産の運用の経過、運用状況の推移などがある。

解答
①×　信託期間中の換金方法は、解約と買取りがある。

②○　クローズド期間は、投資された資金を安定させるために定められている。

③○　ファンドの純資産総額が小さくなると、運用が難しくなるためである。

④○　元本払戻金（特別分配金）は、分配落後の基準価額がその受益者の個別元本を下回る場合、その下回る部分に相当する分配金のことで、各受益者の個別元本の払戻しとみなされ課税されない。

⑤○　その他、期中の投資信託委託会社及び受託会社に対する報酬や受益者が負担するその他費用、株式や公社債のうち主要な銘柄ごとの、当期末現在における時価総額の投資信託財産の純資産額に対する比率などがある。

5. 投資法人

おもにJ-REITが
ある。

重要度
★★★

1 投資法人の設立・募集

投資法人は、特定資産への投資・運用を目的として投信法に基づいて設立された法人であり、資産運用以外の行為を営業とすることができない。

会社型投資信託である投資法人は、設立企画人が規約を作成し、内閣総理大臣に投資法人設立届出書を届け出ることによって設立される。投資法人は、商号中に「投資法人」という文字を用いなければならない。

(1) 設立

参考

投資法人の設立は届出制だが、業務については登録制である。

投資法人を設立するにあたって必要となる手続きの概略は以下のとおりである。

設立企画人	設立企画人のうち1名は、設立しようとする投資法人が主として投資の対象とする特定資産と同種の資産の運用事務の経験を持つことなどの資格要件がある。
規約	規約は、設立企画人が作成し、投資法人の基本的事項を定めたものである。 主な記載事項は以下のとおりである。 ・投資主の請求により投資口の払戻しをする旨、またはしない旨 ・投資法人が常時保持する最低限度の純資産額 ・資産運用の対象及び方針 ・金銭の分配の方針 ・投資法人が発行できる投資口の総口数　等
出資総額	投資法人の成立時の出資総額は、設立の際に発行する投資口の払込金額の総額で1億円以上とされている。

参考

投資法人が常時保持する純資産額は、投信法の定めにより5,000万円を下回ることはできない。

(2) 投資法人の登録

投資法人とは、資産を主に特定資産で運用することを目的とし、投信

法に基づいて設立された社団であり、業務を行うには、内閣総理大臣の登録を受けなければならない。投資法人の主な業務は次のとおりである。

・有価証券の取得・譲渡・貸借
・不動産の取得・譲渡・貸借
・不動産の管理の委託　等

(3) 投資口の募集

投資法人は規約に定められた投資口の総口数の範囲内で募集投資口を募集できる。募集を行う場合、そのつど、口数、払込金額、算定方法、払込期日と期間を役員会で承認する。投資口の引受人は払込期日または払込をした日に投資主となる。

2 投資法人の機関

(1) 投資法人の機関

会社型投資信託は、法人格を持つ投資法人であるので、法人の内部の構成も株式会社に準じた形として投信法で定められている。

投資法人の機関（法人に代わってそれぞれの行為を行う者のこと）は、次のとおりである。

投資主総会	投資主総会は、原則として執行役員が招集し、投信法または規約に定めた事項についてのみ決議する。主な決議事項は、執行役員、監督役員及び会計監査人の選任、規約の変更、資産運用会社への業務委託契約の承認などがある。
執行役員	執行役員は、投資主総会で選任され、1名または、2名以上である(1人でもよい)。投資法人の業務を執行し、投資法人を代表する。また、執行役員は、3ヶ月に1回以上業務の執行の状況を役員会に報告しなければならない。任期は2年を超えることはできない。
監督役員	監督役員は、投資主総会で選任され、執行役員の職務を監督する。執行役員との兼務は禁止されており、執行役員の数に1を加えた数以上でなければならない。任期は4年。
役員会	執行役員と監督役員からなるものである。執行役員が重要な業務執行を行う場合は、役員会の承認が必要である。

3 投資法人の運用

　投資法人は、資産運用のための器としての機能しかない。実際の資産運用業務、資産保管業務、その他の一般事務については、すべて外部委託が義務付けられている。また、資産運用会社は投資運用業を行う金融商品取引業者でなければならない。投資対象に不動産が含まれる場合には、宅地建物取引業法上の免許・認可も必要となる。

4 不動産投資法人（J-REIT）

参考

不動産投資信託は、契約型、会社型、いずれの形態でも組成可能だが、現在はすべて投資法人（会社型）で組成されている。

(1) 不動産投資法人（J-REIT）とは

　不動産投資法人（J-REIT）は、不動産や不動産関連の権利、不動産関連商品を主たる投資対象としている。不動産には換金しにくいという特徴があり、投資家からの解約請求に応じることが困難である。そのため、不動産投資法人は、通常投資家が解約できない（クローズド・エンド型）ファンドとして設立され、取引所に投資証券が上場されることによって、投資家に投資機会、換金の場が提供されている。取引所に上場している不動産投資信託は、取引所のルールにより、ファンドの投資資産全体の70％以上が不動産等で占められること、などの要件を満たさなければならない。

(2) 不動産投資法人（J-REIT）の売買

　投資家が上場不動産投資法人を売買するには、上場株式と同様、証券会社を通じて取引所で売買取引を行う。売買注文は、指値注文、成行注文が可能であり、手数料は販売会社により異なる。

(3) 金銭の分配

　原則、配当可能利益の90％超を分配すれば、支払分配金を損金に算入できるため、収益に対して法人税が課税されない。金銭の分配は、利益を超えて行うことができる。

問1 投資法人に関する次の記述のうち、正しいものには○を、誤っているものには×をつけなさい。

① 投資法人は、商号中に「投資法人」という文字を用いなければならない。

② 投資法人の成立時の出資総額は設立の際に発行する投資口の払込金額の総額で、5千万円以上とされている。

③ 投資法人は、実際の資産運用業務、資産保管業務、その他の一般事務については、すべて外部委託しなければならない。

④ 投資法人に関して、執行役員は2名以上でなければならない。

⑤ 不動産投資法人は、通常、投資家が解約できない (クローズド・エンド型) ファンドとして設立される。

⑥ 投資法人が、法人税の非課税措置を受けるためには、配当可能利益の90%超を分配する必要がある。

⑦ 投資口の譲渡は自由である。

解答

①○ 投資法人は、資産運用を目的とする社団法人である。

②× 投資法人の設立時の出資総額は、1億円以上とされている。

③○ 投資法人は、資産運用以外の行為を営業することはできない。

④× 執行役員は1名または2名以上とされているため、1名でも構わない。ただし、監督役員との兼務はできない。

⑤○ 不動産は流動性が低いという特徴があるため、投資家からの解約請求に応じることが困難であるためである。

⑥○ 投資法人は税法上、支払分配金を損金に算入する。法人段階で収益が非課税とされるためには、原則、配当可能利益の90%超を分配する必要がある。

⑦○ 投資口は、株式会社の「株式」に相当する。

投資法人のスキームは、「J-REIT（不動産投資信託）」として利用されている点がポイント！
「取引所に上場している＝指値・成行注文が可能」「法人税の非課税措置を受けるために、利益の90％超を分配する」は、覚えること！
キーワードは、「契約型の投資信託とは異なる制度」と覚えておこう。

第11章

付随業務

予想配点　10点／300点
出題形式
五肢選択方式…1問
（配点と出題形式はTACの予想です）

金融商品取引業を営むためには欠かせない、諸々の付随業務について学んでいきます。依頼人である顧客の意向を円滑に反映するためにも、証券外務員が行える付随業務の全容を理解しましょう。

関連章　　なし

付随業務とは、円滑な業務遂行のために証券外務員に許された金融商品取引業以外の業務❶を指します。

具体的な内容❷としては、有価証券取引に関して顧客の代わりに対応したり、アドバイスを行うことなどが含まれます。

証券外務員として公正な業務を実現するためにも、必ず内容を把握しておきましょう。

1. 金融商品取引業以外の業務

> MRFを解約すると、すぐお金が引き出せて便利!

金融商品取引業

ー ATM ー

1 付随業務とは

付随業務とは、金融商品取引業者の業務のうち、「金融商品取引業」の本業とは切り離すことが難しい一定の業務である。金融商品取引業以外の業務は「付随業務」、「届出業務」、「承認業務」と分類されるが、「付随業務」に関しては内閣総理大臣への届出や承認を受けることなく行うことができる。

2 付随業務の内容

金商法において「付随業務」として定められているのは次のようなものである。

① 有価証券の貸借またはその媒介もしくは代理
② 信用取引に付随する金銭の貸付け
③ 顧客から保護預りをしている有価証券を担保とする金銭の貸付け(内閣府令で定めるものに限る)
④ 有価証券に関する顧客の代理
⑤ 投資信託委託会社の発行する投資信託または外国投資信託の受益証券に係る収益金、償還金もしくは解約金の支払または当該有価証券に係る信託財産に属する有価証券その他の資産の交付に係る業務の代理
⑥ 投資法人の発行する有価証券(投資証券、新投資口予約権証券もしくは投資法人債券または外国投資証券)に係る金銭の分配、払戻金もしくは残余財産の分配または利息もしくは償還金の支払に係る業務の代理
⑦ 累積投資契約の締結(内閣府令で定めるものに限る)
⑧ 有価証券に関連する情報の提供または助言(投資顧問契約に基づく助言に該当するものを除く)
⑨ 他の金融商品取引業者等の業務の代理
⑩ 登録投資法人の資産の保管

⑪　他の事業者の事業の譲渡、合併、会社の分割、株式交換、株式移転もしくは株式交付に関する相談に応じ、またはこれらに関し仲介を行うこと

⑫　他の事業者の経営に関する相談に応じること

⑬　通貨その他デリバティブ取引(有価証券関連デリバティブ取引を除く)に関連する資産(暗号等資産を除く)として政令で定めるものの売買またはその媒介、取次ぎもしくは代理

⑭　譲渡性預金その他金銭債権(有価証券に該当するものを除く)の売買またはその媒介、取次ぎもしくは代理

⑮　投資信託及び投資法人に関する法律に規定する特定資産(不動産等を除く)、その他政令で定める資産に対する投資として、運用財産の運用を行うこと

⑯　顧客から取得した当該顧客に関する情報を、当該顧客の同意を得て、第三者に提供すること、その他当該金融商品取引業者の保有する情報を第三者に提供することであって、当該金融商品取引業者の行う金融商品取引業の高度化または当該金融商品取引業者の利用者の利便の向上に資するもの(⑧に掲げる行為に該当するものを除く)

⑰　金融商品取引業者の保有する人材、情報通信技術、設備その他の金融商品取引業者の行う金融商品取引業に係る経営資源を主として活用して行う行為であり、地域の活性化、産業の生産性の向上その他の持続可能な社会の構築に資するものとして内閣府令で定めるもの

付随業務は
「代理」「貸付け」などの
キーワードに注目する
のがポイント！

2.
主な付随業務の内容

重要度
★★☆

1 顧客から保護預りをしている有価証券を担保とする金銭の貸付け

　この業務はキャッシング（即日引出）業務が中心である。キャッシング業務とは、MRFの解約を請求した顧客に対し、解約請求当日に解約代金相当額の支払いができるように、翌営業日に行われる解約代金の支払いまでの間、解約を請求している受益権を担保として解約代金相当額を貸し付ける業務である。

（1）貸付けの方法等

● **キャッシング業務の概要**

貸付限度額	各金融商品取引業者が定めるが、MRFの残高に基づき計算した返還可能な金額、または500万円のうちいずれか少ない金額を基準とする。
貸付利息	解約請求日から翌営業日前日までのMRFの分配金手取額とする。
貸付期間	貸付けが行われた日の翌営業日までの間となる。
返済方法	貸付けが行われた日の翌営業日に顧客に支払われる解約代金により弁済充当する。
利用申込	書面による申込みは不要だが、キャッシングを利用する旨の意思確認を顧客に対して行わなければならない。

（2）貸付条件等の明示

　キャッシングを受け付ける場合、顧客に対し、貸付限度額その他貸付条件等について記載した書面を交付し、顧客の意思を確認の上、申込みを受け付ける（貸付条件等をATMのディスプレイに明示し、約款等をATM周囲に配備する等、顧客が容易に入手できるよう配慮すればATMでも受け付けられる）。

2 有価証券に関する顧客の代理

(1) 公社債の払込金の受入れ及び元利金支払の代理業務

① 公社債の払込金の受入れの代理業務とは、公社債の発行者との契約に基づき、払込金を受け入れた時は、その払込金（買付代金）を所定の場所に払い込む業務である。

② 公社債の元利金支払の代理業務は、公社債の発行者または支払代理人（銀行など）に代わり、社債権者等の請求により元利金を支払う業務である。

(2) 株式事務の取次業務

株式事務の取次業務とは、顧客からの請求に基づき、株式事務を株式の発行会社、または証券保管振替機構に取り次ぐ業務である。

株式事務の取次業務の業務内容には、新株予約権付社債、ストックオプションなどの新株予約権の行使処理の取次業務も含まれる。

(3) 有価証券に関する常任代理業務

有価証券に関する常任代理業務とは、日本国外投資者との委任契約に基づいて、事務の全部または一部を代理・代行する業務である。

(4) 顧客への各種支払金の代理受領業務

顧客への各種支払金の代理受領業務とは、有価証券の発行会社等から顧客に支払われる金銭を、金融商品取引業者名義の銀行口座で顧客に代わり受領し、顧客の証券口座を通じて顧客に受け渡す業務である。

参考

有価証券に関する常任代理業務の業務内容には、有価証券の名義書換の代行及び寄託の受入れ業務、新株予約権及び新株予約権付社債等の権利行使も含まれる。

3 累積投資契約の締結

(1) 累積投資契約

累積投資契約とは、金融商品取引業者があらかじめ顧客と累積投資契約を結び、顧客から金銭を預かり、その金銭を対価としてあらかじめ定めた期日に、その顧客に有価証券を継続的に売り付け、取得させるものである。

(2) 株式累積投資

株式累積投資とは、投資者から少額の資金を預かり、その金銭を対価として、毎月一定日に投資家が指定した銘柄の株式等を買い付ける制度である。

投資者は金融商品取引業者と株式累積投資契約等を結ぶことにより、少額の金額から株式投資を行うことができ、定期的に一定の金額で継続

して買い付けるドル・コスト平均法による買付けが可能となり、単位株に達した時点で株式累積投資口座から保護預り口座へ振り替えられて株主となる。

ドル・コスト平均法により株価が高いときには少ない株数を、安い時には多くの株数を買うことになり、長期的にみると一定株数を定期的に購入する方法に比べて1株当たりの平均取得価格が安くなる。

● ドル・コスト平均法

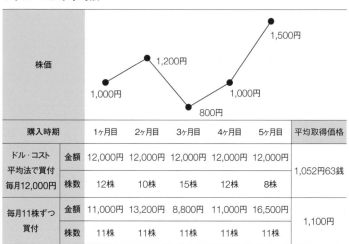

株価		1,000円	1,200円	800円	1,000円	1,500円	
購入時期		1ヶ月目	2ヶ月目	3ヶ月目	4ヶ月目	5ヶ月目	平均取得価格
ドル・コスト平均法で買付 毎月12,000円	金額	12,000円	12,000円	12,000円	12,000円	12,000円	1,052円63銭
	株数	12株	10株	15株	12株	8株	
毎月11株ずつ買付	金額	11,000円	13,200円	8,800円	11,000円	16,500円	1,100円
	株数	11株	11株	11株	11株	11株	

(3) インサイダー取引規制の適用除外

株式累積投資を通じた株式の買付けのうち、情報を知る前に締結された契約に基づき、以下の要件をすべて満たすものはインサイダー取引規制の適用を受けない。

・一定の計画に従っていること
・個別の投資判断に基づくものではないこと
・継続的に行われること
・各顧客の1銘柄に対する払込金の合計額が1ヶ月当たり100万円未満であること

4 有価証券に関連する情報の提供または助言

有価証券に関連する情報の提供または助言業務とは、金融商品取引業者が、有価証券に関連するノウハウ等を顧客に提供する業務である。

具体的には、財務戦略、資産運用等に関する情報提供、有価証券

の発行・公開の諸手続きに関する情報・助言提供等である。

本番得点力が高まる! 問題演習

問1 次の記述のうち、付随業務に該当するものはどれか、2つを選びなさい。

① 商品市場における取引に係る業務

② 貸金業その他金銭の貸付けまたは金銭の貸借の媒介に係る業務

③ 有価証券に関する顧客の代理

④ 登録投資法人の資産の保管

⑤ 有価証券またはデリバティブ取引に係る権利以外の資産に対する投資として、運用財産の運用を行うこと

⑥ 有価証券の売買の媒介、取次ぎまたは代理

解答 該当するものは、③と④

① × 商品市場における取引に係る業務は、届出業務である。

② × 貸金業その他金銭の貸付けまたは金銭の貸借の媒介に係る業務は、届出業務である。

③ ○ 有価証券に関する顧客の代理は、付随業務である。

④ ○ 登録投資法人の資産の保管は、付随業務である。

⑤ × 有価証券またはデリバティブ取引に係る権利以外の資産に対する投資として、運用財産の運用を行うことは、届出業務である。

⑥ × 「有価証券の売買の媒介、取次ぎまたは代理」は、本来の金融商品取引業務である。

問2 付随業務に関する次の記述のうち、正しいものには○を、誤っているものには×をつけなさい。

① キャッシング業務の貸付利息は、解約請求日から翌営業日までのMRF等の分配金手取額とする。

② キャッシング業務の貸付期間は、貸付けが行われた日の3営業日目の日までの間となる。

③ キャッシングを受け付ける場合は、書面による申込みは不要だが、キャッシングを利用する旨の意思確認を顧客に対して行わなければならない。

④ 株式累積投資における「ドル・コスト平均法」による買付けとは、株式を定期的に継続して一定金額ずつ購入する方法のことである。

⑤ ドル・コスト平均法は、株価が高いときには多い株数を、株価が安いときには少ない株数を購入することができる。

⑥ 株式累積投資に関するインサイダー取引規制では、その情報を知る前に結んだ契約に基づいた買付けであっても違反になる。

 解答

① × キャッシング業務の貸付利息は、解約請求日から翌営業日前日までのMRF等の分配金手取額とする。

② × キャッシング業務の貸付期間は、貸付けが行われた日の翌営業日までの間となる。

③ ○ キャッシングの利用について、取引開始時の包括契約の締結によることも可能である。

④ ○ 「ドル・コスト平均法」による買付けにより、長期的に有利な投資効果が期待できる。

⑤ × ドル・コスト平均法は、株価が高いときには少ない株数を、株価が安いときには多い株数を購入することができる。

⑥ × 情報を知る前に結んだ株式累積投資契約に基づいた買付けであればインサイダー取引規制の違反にならない。

第 **12** 章

株式会社法概論

予想配点　20点／300点
出題形式
○×方式…5問
五肢選択方式…1問
（配点と出題形式はTACの予想です）

関連章　　第9章　第13章

　証券外務員が業務上扱う会社法に基づく株式会社について見ていきましょう。株式や株主の権利、運営をするための株式会社の機関、会社の資金調達方法など多岐にわたるポイントから解説していきます。

株式会社❶の根幹となる株式❷❹や株主❸などについて学びましょう。

主要機関❺や資金の調達❼、決算に必要な計算❻などの業務面についても注目です。

当然ながら、事業がうまくいかない場合もあります。そういった際の再編❽に関する流れも把握しておきましょう。

1. 株式会社

会社の種類と特に株式会社についてみていこう。

重要度
★★★

1 会社とは

会社とは、経済社会における主な企業形態である。

(1) 会社法による分類

会社法では、会社について株式会社、合名会社、合資会社、合同会社の4形態を認めている。

● 会社の債務に関する社員の責任とその範囲

株式会社	社員(株主)は会社債務について責任を負わない。
合名会社	社員(出資者)は、会社の債務につき、無限責任(債権者に対して直接・連帯・無限)
合資会社	無限責任社員1名以上(無限) 有限責任社員1名以上(登記した限度額)
合同会社 (日本版LLC)	社員(出資者)すべてが有限責任(出資額の範囲)

(2) 持分会社

持分会社とは、合名会社、合資会社、合同会社をまとめた呼び方である。持分とは、株式会社の株式に相当するものである。

(3) 有限会社

有限会社とは、会社の債務に関する社員の責任が出資額に限られている会社である。現在、会社法のもとでは、有限会社を設立することはできない。前からある有限会社は、「特例有限会社」として存続できる。

2 株式会社の構成

株式会社は、株式と株主で構成されている。株式についての知識と株主の役割について学習しよう。

参考

会社法とは、会社の設立から解散に至る各段階の活動や会社の機関などについて規定した法律である。

参考

ここでいう「社員」とは、株主や取締役などの「出資者」のことである。

参考

もともと有限会社であった会社は「特例有限会社」として存続することができ、定款を変更して商号に「株式会社」の文字を含めば、株式会社に変更することもできる。

(1) 株式

株式会社は、社員の地位（持分）が株式の形となる。事業をするために必要な多額のお金を、株式という同じ大きさに分けられた単位を用い、広い範囲の者（投資者）から資金を集める。株式を引き受けた者は、会社の利益の一部を受ける権利などを有する。株式会社は株主の持株数に比例して、利益の配当や新株の割当て、議決権などを処理する。

(2) 株主の有限責任と資本金

株式会社の発行する株式を購入すれば、投資者（購入者）は株主となる。株主は、株式の引受価額以上は、追加出資の義務や会社債権者に対する義務はなく、対外的に何の責任も負わない（株主有限責任の原則）。これが、合資会社の有限責任社員や合同会社の社員と異なる点である。

資本金の額は、会社設立時に定款で定める。資本金が1円でも株式会社を設立することができ、金額に定めはない。

資本金の額は登記し、貸借対照表で公示する。その額は、原則、株式の払込金額×発行した株式数となる。なお、株式の発行のときに決めれば、払込金額の2分の1以内は、資本金に入れなくてもかまわない。

資本金の額は、登記し、貸借対照表に表示する。

3 株式会社の分類と設立

(1) 株式会社の分類

株式会社は規模その他により分類することができ、それぞれに会社法による規制が異なる。

●株式会社の主な分類

大会社	・資本金5億円以上、または負債総額200億円以上の株式会社である。会計監査人を必ず置かなければならない。 ・大会社は貸借対照表だけでなく、損益計算書の公告も必要である。
公開会社	・「譲渡に会社の承認が要る」という定款で定めのない会社。 ・必ず取締役会を置かなければならず、議決権制限株式は発行済株式総数の2分の1以下に抑える必要がある。

参考

すべての株式会社がこの3つに分類されるというものではない。「大会社であり、公開会社でもある」会社もあれば、3つのうちのどれにも該当しない会社もある。

参考

株式会社の機関のうち取締役と株主総会はすべての株式会社が設置しなくてはならないが、それ以外は定款で自由に定めることができる。

△△設置会社	・取締役会設置会社、指名委員会等設置会社など、ある機関を備える会社は、その機関名をとって「△△設置会社」と呼ばれる。

(2) 株式会社の設立

株式会社を設立する手順は、定款を作成してから最終的に登記できるまでいくつかのステップがある。その手順は次のとおりである。

① 定款の作成

定款とは、会社の組織活動を行う上の重要な規則のことである。ある事項を定めるには、必ず定款への記載が必要である。

・発起人(ほっきにん)が定款を作り、それに署名(記名+押印)をする。
・発起人には誰もがなることができ、1人でも法人でもよい。
・定款は公証人の認証を受けなければならない。

● 定款の記載事項

絶対的記載事項 (法定の事項)	・会社の目的 ・商号・本店所在地
相対的記載事項	定めがなくても定款の効力には影響しない。例えば、株主総会の定足数を軽減する(財産引受け)場合がそれにあたる。
任意的記載事項	・権利のある株主を確定するための基準日 ・取締役の定員や役付取締役などに関する事項

② 株式の発行

発行する株式の引受けについては、発起設立と募集設立がある。

● 株式の発行方法

発起設立	全株式を発起人だけで引き受ける方法である。
募集設立	発起人が株式の一部を引受け、残りについて株主を募集する方法である。

③ 取締役の選任と設立登記

出資額すべてが履行される(払い込まれる)と、取締役を選任し、設立が適正に行われたかの調査後、登記をする。

なお、設立手続に重大な法令違反があった場合、その無効を訴えるには株主や取締役などが、設立登記の日から2年以内に裁判所へ訴えなければならない。

本番得点力が高まる！ 問題演習

問1 会社の形態・設立に関する次の記述のうち、正しいものには○を、誤っているものには×をつけなさい。

① 会社法では、株式会社、合名会社、合資会社、合同会社の4形態を認めている。

② 合同会社は、無限責任社員と有限責任社員との両方が必要である。

③ 合名会社は、すべてが直接・連帯・無限の責任を負う無限責任社員である。

④ 株式会社は、資本金1円でも設立することができる。

⑤ 株式会社の大会社は、資本金5億円以上、または負債総額100億円以上の株式会社である。

⑥ 公開会社は、株式の譲渡について会社の承認が要るという定款の定めのある会社である。

⑦ 株式会社の設立において、発起人となることができるのは個人のみである。

⑧ 発起設立は、発起人が株式の一部を引き受け、残りの株主を募集する方法である。

⑨ 株式会社の設立の無効は、原則として、当該株式会社の株主や取締役が、設立登記の日から2年以内に裁判所へ訴えなければならない。

 解答

①○ なお、会社法では、有限会社をつくることができない。

②× 合同会社（日本版LLC）は、有限責任社員のみで事業を行うことができる。なお、合資会社は無限責任社員と有限責任社員の両方必要。

③○ 合名会社の社員は、会社の債務につき無限責任を負う。

④○ なお、資本金の額は、会社設立時に定款で定める。

⑤× 株式会社の大会社は、資本金5億円以上、または負債総額200億円以上の株式会社である。

⑥× 公開会社は、株式の譲渡について会社の承認がいらない株式をわずかでも発行できる会社である。また、公開会社は、必ず取締役会を置かなければならない。

⑦× 会社設立の発起人は、法人でも、1人でもよい。また、発起人は必ず定款を作成しなければならない。

⑧× 募集設立の説明である。発起設立は、全株式を発起人だけで引き受ける方法である。

⑨○ 設立の無効の訴えは、設立登記の日から2年以内である。

株主になるには一定の株式数が必要。

2. 株式（株券）

重要度
★★★

1 株式数の増減

2001年に額面株式制度（金額記載の株券を発行する制度）が廃止されたことで、株式の額面や株数を変えることが容易になった。その具体的な方法は以下のとおりである。

（1）株式の分割

株式の分割とは、1株を分けて複数の株式にすることである。分割することで1株当たりの価格が下がり、買いやすくなる。株式分割は、取締役会決議で決める。

（2）株式無償割当て

株式無償割当てとは、新たに発行する株式を無償で株主に割り当てることである。分割と同じ効果だが、会社自身には割当てがない。株式の無償割当ては、定款に定めがない場合、取締役会決議で決める。

（3）株式の併合

株式の併合とは、資本の減少や合併の際、複数の株式を1株にまとめることである。発行済株式数が減り、1株当たりの実質的価値が大きくなる。株式の併合は、株主総会の特別決議で決める。

（4）株式の消却

株式の消却とは、発行されている株式をなくすことである。会社がいったん株式を取得してからその株式を消却する。株式の消却は、取締役会決議で決める。

参考

投資を回収したいときは会社が単元未満株式を買い取る。定款に定めがあれば、会社から株式を買い、手持ちの分と合わせて1単元にできる。

2 単元株制度

単元株制度とは、一定の株式数（1単元）を持つ株主にだけ議決権を認める制度のことである（1単元の最大限度は1,000株）。したがって、単元未満株式しか持っていない株主（単元未満株主）に議決権はない。

3 株式の種類

　株式には、株主平等の原則があるため、すべての株主は平等であるべきだが、資金調達をしやすくするなどの目的で、あらかじめ定款に定めておけば、一部の株式について種類を変える（異なる権利内容を定める）ことができる。

　2種類以上の株式を発行する会社を種類株式発行会社という。株式の種類には、次のようなものがある。

(1) 剰余金の分配に関する種類株式

・剰余金の分配について異なる扱いを定めた株式である。
・剰余金とは、自己資本のうち資本金を上回る金額のことである。株主に配当として分配されることが多い。

● 剰余金の分配に関する種類株式

　標準となる株式は、普通株であるが、剰余金の分配に関する種類株式は次のとおりである。

| 優先株 | 配当を一般の株式（普通株）に優先して受けられる株式 |
| 後配株（劣後株） | 一般の株式に配当した残りから配当を受ける株式 |

　優先株や後配株は、配当額決定方式や配当財産の種類を定款に定めなければならないが、具体的な額等は、発行のつど、取締役会で決定できる。

(2) 残余財産の分配に関する種類株式

・会社が解散したときの残余財産の分配について異なる扱いを定めた株式である。
・残余財産とは、会社が事業を停止して解散する場合、清算手続終了後に残る財産である。
・残余財産は、出資者である株主に分配される。

(3) 議決権制限株式

・完全な議決権のある株式以外のすべての株式である。
・公開会社では、議決権制限株式の合計が発行済株式総数の2分の1を超えてはならない。

(4) 譲渡制限株式

　譲渡制限株式とは、譲渡するのに会社の承認が必要な株式である。

(5) 取得請求権付株式

・株主が請求すれば会社が買い取ることを発行時から約束している株式である。
・株主から株式を取得する対価は金銭以外の財産でもよい。
・配当優先株の取得対価を一般の株式(普通株)にして配当負担を減らしたり、一般の株式の取得対価を社債にして会社の規模縮小や株式数の減少を図ったりすることができる。

(6) 取得条項付株式

・定款や取締役会の決議で定めた日または、定款に定めた事由が発生した日が来ると、会社は株主からこの株式を取得できる。
・株式を買い取るタイミングを会社側が決める株式である。
・取得の対価は金銭以外の財産でもよい。

(7) 全部取得条項付種類株式

・会社がその種類株式を全部取得できる株式である。
・会社の再建などで100%減資をしたいときなどに利用される。
・発行に必要な理由を取締役が株主総会で説明し、取得日や取得対価を特別決議で決める。

(8) 拒否権付種類株式

・株主総会や取締役会の決議が必要な事項について、必ずその種類の株主総会(種類株主総会)の決議が必要と定款に定められた株式である。

(9) 役員選任に関する種類株式

　役員選任に関する種類株式とは、ある種類株主総会から必ず役員を出す、などのように定款で定められた株式のことである。

問1 株式に関する次の記述のうち、正しいものには○を、誤っているものには×をつけなさい。

① 株式無償割当てとは、新たに発行する株式を無償で株主に割り当てることである。

② 2種類以上の株式を発行する会社を種類株式発行会社という。

③ 譲渡制限株式とは、譲渡するのにほかの株主の承認が必要な株式である。

④ 優先株とは、普通株に優先して配当などを受けられる株式である。

⑤ 公開会社では、議決権制限株式の合計が3分の2を超えると、3分の2以下にしなければならない。

⑥ 取得条項付株式とは、会社がその種類株式を全部取得できる株式である。

⑦ 単元株制度において、1単元の株式数は最大で1,000株とされている。

解答

①○ なお、株式無償割当てでは、発行会社自身には割当てがない。

②○ あらかじめ定款に定めておけば、株式の種類を変えることができる。

③× 譲渡制限株式は、譲渡するのに会社の承認が必要な株式である。

④○ なお、普通株に剰余金などを分配した残りからしか配当をもらえない種類株式は、後配株 (劣後株) と呼ばれる。

⑤× 公開会社では、議決権制限株式が2分の1を超えてはならず、2分の1以下にしなければならない。

⑥× 取得条項付株式とは、株式を買い取るタイミングを会社側が決める株式である。

⑦○ 1単元の最大限度は1,000株である。なお、単元株制度とは、1単元の株式数を持つ株主にだけ議決権を認める制度である。

3.

株　主

株主の権利にも
いろいろあるんだね。

重要度
★★☆

1 株主の権利

　株主とは、株式会社の出資者で、株式会社の構成員である。出資者
（株主）になると、出資の見返りとして会社に対していろいろな権利を得ること
とができる。

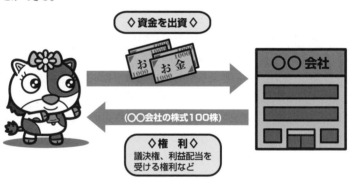

　株主が持つ様々な権利は、次のように分類することができる。

（1）自益権と共益権

　株主の権利は、自益権と共益権に分けられる。

① **自益権**…株主個人の利益のみに関係する権利

　　　　　例：剰余金や残余財産の分配を受ける権利など

② **共益権**…株主全体の利害に影響する権利

　　　　　例：議決権（議案に賛否の意見を表明する権利）や各種訴権
　　　　　（裁判を起こす権利など）

（2）単独株主権と少数株主権

　株主の権利は、乱用されることを防ぐ目的で、すべての株主に認めら
れる権利（単独株主権）と、少数の株主に限られた権利（少数株主権）に分
けられる。

① **単独株主権**…1株しか持たない株主でも行使できる権利

例：議決権や利益配当を受ける権利など

② **少数株主権**…一定割合以上の議決権（または一定割合以上の株式数）

を持つ株主だけが行使できる権利

例：株主提案権、取締役・会計参与・監査役の解

任を求める権利、帳簿閲覧権など

なお、単元未満株主は議決権を持たないので、少数株主権はない。

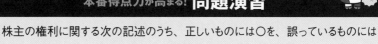

本番得点力が高まる! 問題演習

問1 株主の権利に関する次の記述のうち、正しいものには〇を、誤っているものには×をつけなさい。

① 株主の自益権は、株主全体の利害に影響する。

② 単独株主権とは、利益の配当を受ける権利のように、1株しか持たない株主でも行使できる権利をいう。

③ 少数株主権とは、一定割合以上の議決権を持つ株主だけが行使できる権利である。

解答

①× 株主全体の利害に影響するのは共益権である。共益権には、議決権や訴権がある。

②〇 なお、議決権も単独株主権である。

③〇 なお、少数株主権には、株主提案権や帳簿閲覧権がある。

株式の譲渡には
いろいろ制限が
ある！

4. 株式の譲渡に関する制限

重要度 ★☆☆

1 譲渡の自由と定款による制限

　株主が投資したお金を回収するには、株式を譲渡するしかないため、株式には強い譲渡性が認められる。ただし、定款に定めておけば、株式の譲渡に取締役会の承認が要る、というような制限を加えてよいことになっている。定款にこのような定めをする会社を譲渡制限会社といい、譲渡制限会社の株式は取引所に上場できないことになっている。

2 譲渡制限株式

　譲渡制限株式とは、発行する全部もしくは一部の種類の株式の譲渡について制限を設けている株式のことである。

　自由に譲渡できていた株式が途中から譲渡できなくなってしまうと、取引所に上場できず、評価も下がるため、譲渡制限を新たに設ける場合の定款変更手続は厳格である。

　また、全部の株式について譲渡を制限する場合は、株主総会議決権を持つ株主の頭数の2分の1以上、かつ、議決権の3分の2以上の賛成を得なければならない。

3 自己株式の規制

　自己株式とは、会社が発行した株式を自ら買い取る場合の、その取得した株式のことである。自己株式の取得は、発行した株式を買い戻すことになり、出資の払戻しと同じことになる。自己株式の取得については、以前は取得そのものが禁止されていたが、規制が緩和され、処分せずに保有することも認められている。ただし、自己株式の取得が株価操作やインサイダー取引、取締役の地位防衛手段などに悪用されないように、自己株式の取得やそれに関する処分については、手続き、財源、買付

け方法、取締役の責任などについて規制がある。

4 子会社による親会社株式の取得

子会社による親会社株式の取得は、原則として禁止されている。

本番得点力が高まる! 問題演習

問1 株式の譲渡に関する次の記述のうち、正しいものには○を、誤っているものには×をつけなさい。

① 譲渡制限会社とは、発行する株式の譲渡に制限を設ける旨が定款に定められている会社である。

② 全部の株式について譲渡を制限する場合は、株主総会議決権を持つ株主の頭数の2分の1以上、かつ、議決権の2分の1以上の賛成が必要である。

③ 自己株式は、取得及び処分せずそのまま保有することが認められている。

解答
①○ なお、譲渡制限会社は上場することができない。

②× 全部の株式について譲渡を制限する場合は、株主総会議決権を持つ頭数の2分の1以上、かつ、議決権の3分の2以上の賛成が必要である。

③○ 自己株式は、以前は取得そのものが禁止されていたが、規制が緩和され、保有が認められている。

5.

社長1人で会社のことを決定することはできないのだよ。

株式会社の機関

重要度 ★★★

1 株式会社の主な機関

　会社の基礎に関わる重要な問題などを株主の意向に従って決められるようにするため、株式会社には様々な機関や約束事が決められている。

2 株主総会

　株主総会とは、株主全員が構成する会議体の機関である。毎決算期ごとに1回開かれるのが定時株主総会、必要に応じて開かれるのが臨時株主総会である。また、株主総会の議事録は、本店に10年間（支店は5年間）備え置き、株主や会社債権者が閲覧できるようにする。

(1) 株主総会招集の流れ

　株主総会の招集の流れは次のようになっている。

① 開催日時・場所・議題を取締役会が決める。

② 代表取締役が開催日の2週間前（公開会社以外は1週間前でもよい）までに株主に招集通知を出す。

(2) 提案権

　提案権とは、総会に議題を追加できる権利である。取締役会のある公開会社の場合、議決権総数の1％以上または300個以上の議決権を引続き6ヶ月以上持っている株主に限られた権利である。

(3) 議決権

　議決権とは、株主総会の議案に対して、賛否の意思を表明する権利である。株主は出資額に比例して議決権を持つ（1株1議決権の原則）。ただし、会社が持つ自己株式には議決権はない。

　また、会社Aが会社Bの議決権総数の4分の1以上を持つ場合には、会社Bが持つ会社Aの株には議決権はない。

参考

もし会社が総会を招集しない場合は、株主が取締役に招集を請求できる。ただし、議決権総数の3％以上を所有する（公開会社では引き続き6ヶ月以上所有することが条件）少数株主に限られる。

【例】

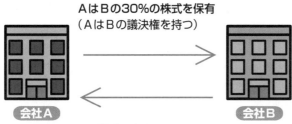

AはBの30%の株式を保有
（AはBの議決権を持つ）

会社A → **会社B**

BはAの20%の株式を保有
（AがBの議決権総数の4分の1以上を保有
しているので、BはAの議決権を持たない）

● **議決権に関して株主に許されている事項**

①総会の出席（議決権行使を含む）を代理人にさせること。
②総会に出席せずに決議に参加すること。
　議決権行使書面（書面投票用紙）に賛否を記入して送付すれば、総会に
　欠席しても決議には参加できる。

(4) 決議

株主総会の決議には、以下の3つがある。

● **株主総会決議の種類**

	定足数	成立要件	主な決議事項
普通決議	議決権の過半数を持つ株主の出席	出席株主議決権の過半数の賛成	取締役・監査役・会計参与・会計監査人の選任、監査役以外の解任など
特別決議	議決権の過半数を持つ株主の出席（定款で3分の1まで下げてよい）	出席株主議決権の3分の2以上の賛成	監査役の解任、特定の株主からの自己株式の取得、資本金の減少、金銭以外の財産による配当、定款変更・事業譲渡・解散・清算、組織変更・合併・会社分割・株式交換・株式移転など
特殊決議	普通決議、特別決議よりもさらに細かい規定あり		株式譲渡を制限する場合の定款変更など

(5) 違法な決議

決議の内容が定款に違反するなど著しく不当な場合、株主・取締役・

参考

定足数は定款で変えてよいので、多くの会社が排除し流会にならないようにしている。なお、定款によっても定足数を議決権総数の1／3未満にはできない。

参考

招集通知に議題として掲げていない事項については、不意打ちに決議をしてはいけない。

監査役・執行役が訴訟で取消しを求めることができる。ただし、決議の日から3ヶ月以内に訴えを起こさないと効力を争うことはできない。

3 取締役

取締役とは、会社の業務執行に関する意思決定や監督を行う者のことである。社外取締役は、執行部に対して直言できる取締役である。社外取締役には、その会社等の業務執行取締役・執行役・従業員、過去10年間にそのような地位についた者などは、なることができない。

● 取締役の特徴

人数規定	取締役会を置く会社には、取締役が3名以上必要(置かない会社は1人でよい)
選任・解任	株主総会で決議 任期は原則2年以内(委員会を設置する会社は任期が1年になることがある。)
報酬	原則として定款か株主総会で決議
責任	任務を怠って会社に損害が生じた場合、その賠償責任がある(ただし株主全員の同意があれば免除) また、賠償責任について上限の設定も可能

監査等委員会設置会社の監査等委員以外の取締役と、指名委員会等設置会社の全取締役は、任期が1年である。

4 取締役会

取締役会とは、取締役全員により組織される会議体で、会社の経営(重要な業務執行)を決め、取締役の職務を監督する責任を持っている。また、議事録は10年間本店に備え置く必要がある。

● 取締役会の主な決議事項

株主総会の招集、代表取締役の選定・解職、募集株式の発行、新株予約権の発行、社債の発行、株式の分割などである。

5 代表取締役

代表取締役とは、取締役の中から選ばれた、対外的に会社の代表者として行動する者のことで、会社の業務に関する一切の行為について権限を持つ。

人数規定	取締役会設置会社では最低1名必要
選任・解任	選任も解任も取締役会による
その他	代表取締役の住所・氏名は登記が必要

6 監査役

　監査役とは、会社のお目付け役となり、取締役や会計参与の不正行為がないか（業務監査）、会計処理に問題がないか（会計監査）などを監査する者のことである。

● 監査役の特徴

人数規定	・会計監査人設置会社、取締役会設置会社では最低1名いればよい（例外あり）
選任・解任	・株主総会で決議 ・任期は4年（全株式に譲渡制限をつけた会社は、定款で10年まで延長可能）
責任	・任務を怠って会社に損害が生じた場合、その賠償責任あり ・ただし賠償責任について上限の設定可能（報酬の2年分まで）
その他	・監査等委員会設置会社、指名委員会等設置会社には、監査役を置くことができない

7 監査役会

　監査役会とは、監査役全員による組織のことである。

・監査役会を置く会社の監査役は3名以上、その半数以上は社外監査役でなければならない。
・公開会社である大会社には、監査役会が不可欠である。

8 会計監査人

　会計監査人とは、会社の計算書類とその附属明細書の監査を行う（決算監査）者のことである。

● **会計監査人の特徴**

人数規定	・大会社や監査等委員会設置会社、指名委員会等設置会社では最低1名以上 ・公認会計士か監査法人に資格が限定
選任・解任	・株主総会で決議 ・任期は1年(ただし、定時株主総会で不再任とならない限り自動更新される)
責任	・任務を怠って会社に損害が生じた場合、その賠償責任あり

9 会計参与

　会計参与は、取締役と共同して計算書類などを作成する者で、会社法のもとに新しく作られた役員ポストである。

● **会計参与の特徴**

人数規定	・なし(どの会社も設置は強制ではなく、定款で定める) ・公認会計士・監査法人・税理士・税理士法人に資格が限定
選任・解任	・株主総会で決議 ・任期は2年(株式全部に譲渡制限を付けた会社は、定款に定めれば10年まで延長可能)

10 指名委員会等設置会社

　指名委員会等設置会社は、執行役が実際の経営にあたり(業務の執行)、取締役会は経営方針の策定や役員人事などの重要事項だけを決める。取締役も執行役も任期は1年で、執行役は取締役会が選任する。取締役は使用人を兼務できない。また、執行役を兼ねない取締役は業務執行に関与できない。

参考

このほか、監査役会設置会社と指名委員会等設置会社の中間形態といえる監査等委員会設置会社がある。取締役会の内部に監査等委員会があるので、監査役は置かない。

● **指名委員会等設置会社の委員会**

　3つの委員会を置くこととなっている。

監査委員会	取締役や執行役の職務執行の監査、会計監査人の選任・解任・不再任の議案決定
指名委員会	取締役の選任・解任の総会提出議案決定

| 報酬委員会 | 取締役や執行役が受ける報酬内容を個人別に決定 |

なお、各委員会のメンバーは、取締役会が選ぶ3名以上の取締役で、過半数は社外取締役でなければならない。また、監査委員会があるので、指名委員会等設置会社に監査役は置かない。

本番得点力が高まる! 問題演習

問1 株主総会や取締役会に関する次の記述のうち、正しいものには〇を、誤っているものには×をつけなさい。

① 株主総会では、株主1人につき1議決権を持つ。

② 会社Aが会社Bの議決権総数の4分の1以上を持つ場合には、会社Bが持つ会社Aの株には議決権はない。

③ 株主総会の特別決議では、議決権の過半数を持つ株主が出席し、かつ、出席株主議決権の3分の2以上が賛成することが必要である。

④ 株主総会の議事録は、本店に5年備え置くことが必要である。

⑤ 取締役会を置かない会社は、取締役が1名でよい。

⑥ 取締役会の主な決議事項には、株主総会の招集、代表取締役の選定・解職などがある。

⑦ 株主総会の決議が定款に違反している場合には、株主は決議の日から6ヶ月以内に訴えを起こさないと効力を争うことができない。

⑧ 取締役が任務を怠ったために会社に損害が出た場合、その賠償責任を負わなければならないが、原則として、株主全員の同意があれば、賠償責任を免除することができる。

 解答

①× 株主総会では、1株につき1議決権を持つ。

②〇 議決権とは、株主総会の議案に対して賛否の意思を表明する権利である。

③〇 資本金の減少や定款変更などのように、重要な議案は株主総会の特別決議事項である。

④× 株主総会の議事録は、本店に10年、支店に5年備え置き、株主や会社債権者が閲覧できるようにする。

⑤〇 なお、取締役会を置く会社は、取締役が3名以上必要である。

⑥○ なお、新株予約権の発行や株式の分割なども、取締役会での主な決議事項である。

⑦× 違法な決議の場合、株主・取締役・監査役・執行役は取り消しを求めることができるが、その場合、決議の日から３ヶ月以内に訴えを起こす必要がある。

⑧○ 取締役が任務を怠ったことによる損害賠償責任を免れることができるのは、原則として、株主全員の同意を得た場合である。

問2 次の文章は「代表取締役」に関する記述である。それぞれの（　）に当てはまる語句の組み合わせのうち、正しいものはどれか、１つを選びなさい。

代表取締役は、（　イ　）の中から選ばれた、対外的に会社の代表者として行動する者のことであり、選任も解任も（　ロ　）による。また、代表取締役の住所・氏名は（　ハ　）。

① イ：株主　　ロ：株主総会　　ハ：登記が必要である
② イ：取締役　ロ：取締役会　　ハ：登記が必要である
③ イ：取締役　ロ：株主総会　　ハ：個人情報のため伏せられている

解答 正しいものは、②
代表取締役は、取締役の中から選ばれた、対外的に会社の代表者として行動する者のことで、選任も解任も取締役会による。また、代表者の住所・氏名は登記が必要である。

問3 監査役と監査役会に関する次の記述のうち、正しいものには○を、誤っているものには×をつけなさい。

① 監査役の原則的な任期は４年である。
② 会計監査人設置会社と取締役会設置会社には、原則として、監査役が必要である。
③ 監査役会を置く会社の監査役は１名以上、かつその過半数は社外監査役でなければならない。

解答 ①○ なお、全株式に譲渡制限をつけた会社は、定款で定めれば10年まで延長できる。

②○　監査役は株主総会の決議によって選任される。

③×　監査役会設置会社の監査役は 3 名以上必要である。

問4　会計監査人と会計参与、指名委員会等設置会社に関する次の記述のうち、正しいものには○を、誤っているものには×をつけなさい。

① 　会計監査人は、大会社では最低 1 名以上いなければならない。

② 　会計監査人の任期は 1 年だが、定款で定めれば10年まで延長できる。

③ 　指名委員会等設置会社が設置する委員会のメンバーは、取締役会が選ぶ 3 名以上の取締役で、過半数は社外取締役でなければならない。

解答

①○　会計監査人は、大会社や指名委員会等設置会社、監査等委員会設置会社では最低 1 名以上いればよい。

②×　会計監査人の任期は 1 年で、定時株主総会が特に不再任を決議しない限り、自動的に更新される。

③○　なお、指名委員会等設置会社には、監査委員会、指名委員会、報酬委員会の 3 つがある。

6.

会社の計算

1年間の活動の成果を決算としてまとめるぞ。

重要度 ★★★

1 計算書類

用語

決算
通常、会社が1年間活動して得た利益と、その時点の資産状況を計算することである。

会社法では、毎年決算期に作成を義務付けている書類があり、それらの作成から開示までの流れも決められている。

(1) 会社法で作成が定められている計算書類

貸借対照表	ある時点における会社の財政状態を表した書類
損益計算書	一定期間の会社の収益と費用の状態を表した書類
事業報告	会社の事業活動(財務情報以外のもの)の概要を記した報告書 公告する必要はない
株主資本等変動計算書	会社の純資産の変動を表した書類
個別注記表	各計算書類に関する注記を一覧にした表
附属明細書	各計算書類の内容を補足する書類

（2）書類作成から開示までの流れ

① 計算書類の作成

▼

② 監査機関による監査

▼

③ 取締役会の承認

▼

④ 計算書類、事業報告、監査報告を株主へ提供
・定時株主総会の招集通知の際に提供する

▼

⑤ 定時株主総会で、計算書類の承認
・取締役会設置会社は、会計監査人とその他の監査機関の監査報告すべてが適法と認める場合は計算書類も内容報告のみでよい

▼

⑥ 貸借対照表を公告（電子公告も可能）
・大会社は損益計算書も公告する
・もととなる帳簿書類の閲覧権は、議決権または発行済株式の３％以上を持つ少数株主に限る

2 法定準備金

　法定準備金とは、会社の資産が資本金を下回らないために、会社法の規定により強制される積立金のことである。法定準備金には次のようなものがある。

● **法定準備金の種類**

利益準備金	・配当などを剰余金から支出するたびに積み立てなければならない積立金のことである。 ・積立額は、配当などの支出額の10分の１以上である。 ・資本準備金との合計が資本金の４分の１に達したあとは、積み立てなくてもよい。
資本準備金	・株式の払込金額のうち資本金に組み入れない払込剰余金や、合併・会社分割・株式交換・株式移転の差益金を積み立てる。 ・積立額には限度がない。

　法定準備金の額は、株主総会の普通決議によって減少できる。なお、資本金の額を減少するときは、株主総会の特別決議が必要である。

参考

会社設立時や増資の際、払込金額の２分の１以内は資本金に入れなくてよい。そのため、それ以外の分は資本準備金となる。

3 剰余金の配当

配当とは、保有株式数に応じて株主に分配される、会社の利益の一部のことである。

(1) 配当の財源

- 株式会社は、剰余金があるときのみ配当が認められる(分配可能額範囲内に限る)。
- 分配可能額がないにもかかわらず行われた配当は無効であり、会社債権者は株主に対して会社へ返還するよう要求できる。

参考

純資産額とは、貸借対照表の資産総額から負債総額を引いた額である。

分配可能額 ＝ 純資産額 － 資本金 － 法定準備金ほか法令で定める額

(2) 配当の決定

剰余金の配当は、原則として、そのつど、株主総会で決議する。定時株主総会である必要はなく、年に何度でも配当することができる。中間配当や四半期配当が代表的な例である。

本番得点力が高まる! 問題演習

問1 会社の計算に関する次の記述のうち、正しいものには○を、誤っているものには×をつけなさい。

① 法定準備金の額は、株主総会の普通決議によって減少できる。

② 定時株主総会終了後、貸借対照表について公告しなければならない。

③ 分配可能額がないにもかかわらず行われた配当は無効である。

④ 剰余金の配当は、年に2回と決められている。

解答

①○ なお、資本金の額を減少させるときには、株主総会の特別決議が必要である。

②○ なお、大会社は損益計算書も公告しなければならない。

③○ なお、分配可能額がないにもかかわらず配当が行われた場合は、会社債権者は株主に対し、会社へ返還するよう要求できる。

④× 配当は年に何度も行うことができる。代表的なものは、中間配当や四半期配当である。

7. 会社の資金調達

新株を発行すると新たな資金調達ができるけど…。

重要度 ★☆☆

1 新株発行による増資

　会社は、増資の手段として新株を発行できる。そして新株の発行に関しては、可能な数、手続き、その他条件が会社法に定められている。

(1) 授権資本制度

　株式は、会社設立時には、定款に定めた発行可能株式総数の4分の1以上を発行すればよく、残りは取締役会の決議で随時発行することができる。取締役が株主から増資の権限を授かっているので、この制度は授権資本制度と呼ばれる。公開会社の場合、定款を変更し、発行可能株式総数を広げることによって、さらに増資が可能となる。ただし発行可能株式総数は、発行済株式数の4倍までしか増やせない。

　全部の株式に譲渡制限を付ける会社では、設立時の発行が4分の1未満でよく、定款変更で4倍超にしてもよい。

(2) 新株発行の手続き

● 新株発行の手続き

株主割当て	・現在の株主に、持株数に比例して新株を割り当てる方法 ・発行価額が時価より低いことが多い
公募	・申込人のうち誰にでも新株を割り当てられる方法(割当て自由の原則) ・発行価額は公正な額(時価)であることが必要(時価発行)
第三者割当て	・提携先・取引先・従業員などの第三者に割り当てる方法 ・著しく低い価額で発行する場合は、その理由を示した上で株主総会の特別決議が必要

(3) 発行決議と効力の発生

　新株発行の具体的な内容は取締役会決議で決め、払込期日の2週間前までに通知または公告する。

株主割当ての場合は、申込期日までに株主が申し込めば、それで新株を引き受けたことになる。それ以外の場合は、申込みに対し、会社が割当てを行って初めて引受けとなる。引受け・払込みをした新株引受人は、払込期日から株主となる。

(4) 違法な新株発行

新株発行の手続きに重大な違法があった場合、その新株は無効となるが、取引に混乱が生じるおそれがある。そのため、発行の日から6ヶ月以内に、株主・取締役・監査役・執行役が訴える方法でしか発行の無効を主張できない。また新株発行の無効が確定されても、それまでに行われた取引は影響を受けない。会社が株券の回収などをし、払込金を返還することになる。

2 新株予約権

新株予約権とは、新株をあらかじめ予約する権利、つまり新株予約権を持っている者が権利を行使すると、その会社の株式の交付を受けられる権利のことである。会社は新株を発行するか、手持ちの自己株式を移転するか、いずれかの方法で株式を交付しなければならない。権利行使の際の払込金額（権利行使価格）が決まっているため、株価がそれより高いときに行使すれば利益を得られる。

新株予約権は公開会社では取締役会の決議で発行され、株式と同じように譲渡することができる。全部の株式に譲渡制限を付ける会社では、株主総会で決議するが、取締役会や取締役に委任することもできる。

また、権利を行使できる期間は決められている。

3 社債の発行

株式と比較される資金調達手段として、社債がある。

(1) 社債の発行

参考

会社が解散したときは、社債権者は会社財産から弁済を受け、その残りがあるときは株主に分配される。

社債とは、長期借入金の一種（会社の債務）である。資金の出し手である社債権者は、株主とは違い、経営には関与できない。社債の発行は取締役会決議で決める。

社債を募集するときは、社債管理者（銀行など）または、社債管理補助者を設置しなければならない。

(2) 新株予約権付社債

新株予約権付社債とは、その名のとおり、新株予約権が付された社

債のことである。

　新株予約権付社債は譲渡できるが、新株予約権と社債のどちらかが消滅するまでは、両方一体としてしか譲渡できない。

　新株予約権付社債には、2つのタイプがある。

① 　社債権者が新株予約権を行使する際に株式の出資金（株金）を払い込み、社債を保有し続けたまま株主になるもの。

② 　新株予約権が行使されたときに、満期を繰り上げて社債が償還され、その金額を新株の払込みに充当するもの。転換社債型新株予約権付社債ともいう。

本番得点力が高まる! 問題演習

問1 会社の資金調達に関する次の記述のうち、正しいものには〇を、誤っているものには×をつけなさい。

① 　株式は、会社の設立時には、発行可能株式総数の4分の1までしか発行できない。

② 　公募・第三者割当てによる新株発行では、新株を引受け、払込みをした者は、会社が割当てを行って初めて株主となる。

③ 　新株予約権を持っている者が権利を行使すると、会社は新株を発行するか、自己株式を移転するか、いずれかの方法で株式を交付しなければならない。

 解答

①× 　株式は、会社の設立時には、発行可能株式総数の4分の1以上の発行が必要である。

②× 　公募、第三者割当てによる新株発行では、新株を引受け、払込みをした者は、払込期日から株主となる。

③〇 　なお、権利行使の際の払込金額が決まっているため、株価がそれより高いときに行使すれば利益を得られる。

8. 会社組織の再編

会社を再編して、経営の多角化や、合理化、業績不振の会社を救済するぞ。

重要度 ★★☆

1 会社の合併と分割

会社は、規模の拡大や縮小などの目的のために、合併や分割を行う。合併や分割の手続きには、株主総会の特別決議が必要である（簡略化できる例外あり）。

（1）会社の合併

会社の合併とは、2つ以上の会社が1つになることである。

● 合併の種類

新設合併	当事会社の全部が解散して新会社を設立すること
吸収合併	当事会社の1つが存続して他の会社を吸収すること

（2）会社分割の手続

会社の分割とは、1つの会社が2つ以上の会社になることである。

事業譲渡と違い、その部門を構成する権利義務が個別に移転されるのではなく、部門ごとに一括して承継される。

● 分割の種類

新設分割	事業の1部門を切り離し、別会社として独立させる方法
吸収分割	切り離した部門を既存の別会社に継承させる方法

2 株式の交換と移転

会社は、親会社と子会社の関係を作るために、株主総会の特別決議を経て株式交換や株式移転を行う。

（1）株式交換

株式交換とは、両社間で株式交換契約を結び、すべての発行済株式を別会社に取得させ、代わりにその会社の新株、または自己株式を取得

することである。

(2) 株式移転

　株式移転とは、完全親会社となる会社を新しく設立し、その会社にすべての発行済株式を取得させることである。

3 事業の譲渡と譲受け

　会社は事業を譲り受けることもできる。事業全部の譲渡の場合は、正式な手続きとしては、譲渡側も譲受け側も株主総会の特別決議による承認が必要となる（簡略化できる例外あり）。

　なお、会社がすべての事業を譲渡した場合、譲渡側はその対価で別の事業をすることもできるため、当然に解散はしない。

4 会社の倒産

　会社の事業が失敗し、債務が払いきれなくなったとき、再建策である更生や再生の手続きが迅速に進むように法律で定められている。

5 会社の解散

　会社は、合併や破産、株主総会の特別決議などが原因で解散となる。解散の場合は清算手続に入るが、清算手続に入ると取締役の権限はなくなり、清算人が清算事務を行う。資産の処分、債務の弁済、残余財産の株主への分配を行い、清算結了の登記が済むと、会社は消滅する。

問1 組織の再編、会社の解散に関する次の記述のうち、正しいものには○を、誤っているものには×をつけなさい。

① 新設合併とは、当事会社の全部が解散して新会社を設立することである。

② 新設分割とは、当事会社の1つが解散し、別会社に移転する分割方法である。

③ 株式移転とは、すべての発行済株式を別会社に取得させ、代わりにその会社の新株や自己株式を取得することである。

④ 会社は、事業全部を譲渡した場合、当然に解散する。

⑤ 会社が解散する原因の一つに、株主総会の特別決議によるものがある。

解答

①○ なお、会社の合併には、新設合併の他に吸収合併がある。

②× 新設分割とは、事業の1部門を切り離し、別会社として独立させる方法のことである。

③× 株式移転とは、完全親会社となる会社を新しく設立し、その会社にすべての発行済株式を取得させることである。

④× 会社が事業のすべてを譲渡しても、譲渡側はその対価で別の事業をすることもできるので、当然に解散するわけではない。

⑤○ 会社は、合併や破産、存続期間の満了のほか、株主総会の特別決議によって解散をする。取締役会の決議では解散できない。

第 **13** 章

財務諸表と企業分析

予想配点　20点／300点
出題形式
○×方式…5問
五肢選択方式…1問
（配点と出題形式はTACの予想です）

関連章　　第8章

　　株式会社の財務諸表の見方と分析について見ていきます。証券外務員として、企業の健康診断書といえる各諸表から財務状況を分析し、顧客への情報提供に活かすために、財務諸表の概要や各諸表の内容、さらには企業分析の手法を理解することは必須知識と言えます。

財務諸表❶❷は企業の経営状態を表す重要な指標です。

そこから情報を読み取るためには収益性❸、安全性❹、などの企業分析❺の手法を知ることがとても重要なポイントになります。

的確に分析し、キャッシュ・フロー❻を把握できれば、その企業の成長性❼、配当❽などについても見通しを立てるヒントにできます。

財務諸表は、企業の
経営状態を知るため
の重要な書類なんだ。

1. 企業分析と財務諸表

重要度
★★☆

1 企業分析の目的

財務諸表（会社法上の計算書類）を利用し、そこに含まれる情報を加工・分析することを一般に企業分析または、経営分析（財務諸表分析）という。財務諸表によって開示された情報をその利用目的に応じて分析することにより、企業の経済活動の良し悪しを判断することができる。

2 財務諸表と企業分析の関係

財務諸表とは、企業の一定期間の経営成績や財務状態等を明らかにするために作成される書類である。企業の財政状態と経営成績の良し悪しを判定することができる。企業の経済活動は商品を売ってその収益や売上から給料などの経費を差し引いて手元に残ったものを利益とし、そのお金は次の活動のために使われる。この経済活動をお金という数値に表したものが、損益計算書、貸借対照表、キャッシュ・フロー計算書の3つの財務諸表である。

3 3つの財務諸表

3つの財務諸表の内容は以下のようになる。

● 3つの財務諸表の概要

損益計算書	一定期間において、企業がいくらの収益を獲得し、いくらの費用が支払われたかを示すもの。これにより、企業の経営成績や収益性を分析することができる。
貸借対照表	一定時点(決算日)における資金の源泉と使途の関係を一覧表示するもの。これにより、企業の財政状態を把握でき、企業の安全性や流動性の程度を判断することができる。

キャッシュ・フロー計算書	一定期間におけるキャッシュの出入りの状況を企業活動と関連づけて示すもの。これにより、キャッシュの変動状況を把握し、企業の安全性や流動性の程度を判断することができる。

● **3つの財務諸表の関係**

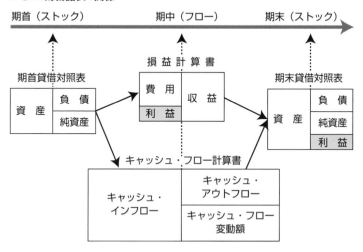

　期首貸借対照表から、損益計算書の「利益」の金額分だけ、期末貸借対照表の純資産の部の金額が増加している。期首と期末の純資産の増加分の明細を一覧表示したものが損益計算書であるといえる。

4 連結財務諸表制度

　企業内容開示制度には、個別財務諸表による開示と連結財務諸表による開示がある。

　個別財務諸表は、個々の会社の財政状態等を明らかにするために作成されるものである。

　連結財務諸表は、支配従属関係にある子会社などを企業集団として1つの会計単位としてまとめ、その財政状態等を明らかにするために作成される。

　従来は、個別財務諸表による開示が中心であったが、現在では連結財務諸表に重きが置かれている。

問1 財務諸表及び連結財務諸表制度に関する次の記述のうち、正しいものには〇を、誤っているものには×をつけなさい。

① 企業の経済活動は、最終的に損益計算書、貸借対照表、キャッシュ・フロー計算書の3つの財務諸表に集約される。

② キャッシュ・フロー計算書は、一定期間における企業の経営成績を表したものである。

③ 損益計算書は、一定時点（決算日）における資金の源泉と使途の関係を一覧表示するものである。

解答
①〇 財務諸表とは、企業の一定期間の経営成績や財務状態等を明らかにするためのものである。

②× 記述は損益計算書のものである。キャッシュ・フロー計算書は、一定期間におけるキャッシュの出入りの状況を企業活動と関連づけて示すものである。

③× 記述は貸借対照表のものである。各財務諸表の説明の入替え問題に注意しよう。

2. 財務諸表のしくみと読み方

B/S（貸借対照表）、P/L（損益計算書）、連結F/S（財務諸表）とC/F（キャッシュ・フロー計算書）について細かくみていこう。

重要度
★★☆

1 貸借対照表のしくみと読み方

（1）貸借対照表のしくみ

貸借対照表では、企業が事業を行うために必要な資金をどこから調達したか、また、それを資産としてどのように投資、運用しているかが一覧表示されている。資金の調達が金融機関からの借入れによる場合をデット・ファイナンス（Debt finance）、株式の発行による調達の場合をエクイティ・ファイナンス（Equity finance）という。貸借対照表は、資金の調達源泉と使途との均衡状況を示す一覧表であるためバランスシートと呼ばれる。

参考

デット・ファイナンスは、借入れなので負債が増加し、エクイティ・ファイナンスは株主資本が増えるので純資産が増加する。

● 貸借対照表のしくみ

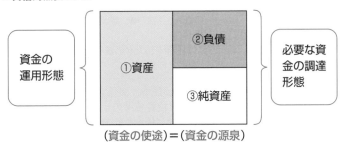

資金の使途と資金の調達源泉は同じ金額で釣り合う（バランスがとれる）。

(2) 貸借対照表項目の分類

資産は、流動資産、固定資産に分類され、負債は流動負債及び固定負債に分類される。「流動」か「固定」、どちらに分類されるのかは「営業循環基準」と「1年基準」に当てはめて区別する。

① 資産の分類
● 資産の分類一覧

資産は、流動資産、固定資産及び繰延資産に分類される。

流動資産 (およそ1年 以内に現金 化・費用化で きる資産等)	当座資産	・現金、預金、受取手形、売掛金等 販売過程を経ることなく比較的短期間に容易に現金化する資産
	たな卸資産 (在庫)	・製品・商品、半製品、仕掛品、貯蔵品等 商品や製品の他、販売資産となるために生産過程の途中にある資産(仕掛品)や販売資産の生産のために消費される資産(原材料や消耗品)
	その他の流動資産	・前渡金、短期前払費用等
固定資産 (販売目的で はない財産 等)	有形固定資産	・建物・構築物、機械及び装置、船舶・車両、土地・建設仮勘定等 実体価値を有する使用資産
	無形固定資産	・のれん、特許権、借地権、商標権、意匠権等 実体価値を持たない法律上の権利、あるいは事実上の権利
	投資その他の資産	投資有価証券、関係会社株式・社債、出資金など投資資産のほか、長期前払費用、退職給付に係る資産(前払年金費用)、繰延税金資産など処分価値を持たない計算上の資産も含まれる
繰延資産		・創立費、開業費、社債発行費、開発費等

② 負債の分類

● 負債の分類一覧

流動負債 （おおむね1年以内に支払期限の到来する債務）	短期金銭債務	・支払手形、買掛金、短期借入金、未払法人税等
	短期性引当金	・返品調整引当金等 損失の補填のための準備額
	その他流動負債	・前受金、預り金、未払費用等
固定負債 （支払期限の到来が1年を超える債務）	長期金銭債務	・社債、長期借入金、関係会社長期借入金等
	長期性引当金	・退職給付に係る負債※ 将来の特定の費用のための準備額
	その他固定負債	・繰延税金負債等

※　個別貸借対照表の場合は退職給付引当金

用語

支払手形
期日が来たらこの券面に書かれた金額を支払う、という義務を証明する証券。

③ 純資産の分類

純資産は、株主資本と株主資本以外に大別できる。

株主資本は、資本金、資本剰余金、利益剰余金で構成される。

資本金は、原則的に株式の発行価額となる。ただし、発行価額の2分の1を超えない額を資本準備金とすることができる。

資本剰余金の資本準備金及び利益剰余金の利益準備金を法定準備金という。法定準備金とは、企業の財務基盤を保つために積み立てることを会社法で義務付けられたものである。

〈株主資本以外の資産〉

株主資本以外の資産の項目には、主に以下のようなものがある。

(イ) 個別貸借対照表の評価・換算差額等（連結貸借対照表のその他の包括利益累計額）

評価・換算差額等は、その他有価証券評価差額金、繰延ヘッジ損益の評価差額がある。連結貸借対照表では、為替換算調整勘定や退職給付に係る調整累計額等がある。

(ロ) 新株予約権

企業は新株予約権を与える代わりに、投資家からお金を受け取る。投資家は、この権利を使うことで新しく株式の交付を受けることができる。

参考

本試験では、株主資本＝自己資本＝純資産とされるケースもあるので、その指示に従うこと。

参考

資本準備金は本来的に株主の払込資本の一部としての性格を持っている。

第13章

財務諸表と企業分析／財務諸表のしくみと読み方

(八) 非支配株主持分

非支配株主持分は、連結貸借対照表の項目に表示される。

親会社が資本を100%出資していない子会社は、子会社の自己資本のうち、親会社以外が出資した株主の持分がある。その部分を非支配株主持分といい、連結貸借対照表の純資産の部に計上することになっている。自己資本は、純資産から株式引受権、新株予約権、非支配株主持分を除いた金額である。

● 純資産の分類一覧

純資産	株主資本	資本金	自己資本
		資本剰余金：資本準備金・その他資本剰余金	
		利益剰余金：利益準備金・その他利益剰余金	
		自己株式	
		その他の包括利益累計額(連結貸借対照表)	
	株主資本以外	株式引受権	
		新株予約権	
		非支配株主持分(連結貸借対照表)	

用語

株式引受権
取締役や執行役の報酬として株式を無償交付される権利のこと。

自己資本 ＝ 純資産 －(株式引受権 ＋ 新株予約権 ＋ 非支配株主持分)

2 損益計算書のしくみと読み方

(1) 損益計算書のしくみ

損益とは、売上高 (収益) から費用を引いたもので以下の式で表される。

損益 (利益または損失) ＝ 売上高 (収益) － 費用

損益計算書は、次の4種の利益を段階的に区分して表すことによって、一定期間の企業の経営成績を表示している。

参考

営業外収益には、受取利息や受取配当金の他に、副業の収益なども含まれる。

① **売上総利益**…売上高から費用である売上原価を差し引いたもの (粗利益)

② **営業利益**…①から販売費及び一般管理費を差し引いたもの

③ **経常利益**…②に営業外収益 (受取利息、受取配当金等) を加え、営

298

業外費用（支払利息、為替差損等）を差し引いたもの

④　当期純**利益**…③に通常の企業活動以外で発生した特別利益を加え、特別損失を差し引き、法人税等の税金を控除した最終の利益

段階的に示した損益の関係は次のとおりである。

● **損益計算書の構造**

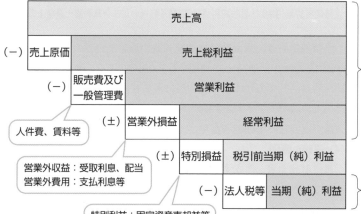

	業 績 利 益	：企業の期間的業績の消費が判定できる利益 （売上総利益、営業利益、経常利益）
	処分可能利益	：配当金など社外分配及び社内留保などの対象となる利益（当期純利益）

損益計算書は、「どのくらい儲けているか？損をしているか？」「本業から？それとも副業から儲けているか？」などがわかるんだね！

3 連結財務諸表のしくみと読み方

（1）連結財務諸表

　連結財務諸表とは，資金の出資関係などで密接につながっている企業集団を一つの組織として、その財政状態、経営成績を明らかにするものである。

　連結財務諸表が必要とされる理由は、子会社を通じて多様な事業を展開する企業の場合、子会社も含めた財務諸表でなければ実態を正しく反映することができないためである。連結財務諸表の作成にあたっては、一定の連結決算手続に基づき、グループ内の資産や損益の重複を取り除くことになっている。

第13章

財務諸表と企業分析／財務諸表のしくみと読み方

(2) 連単倍率

連単倍率は、連結財務諸表を親会社単独の財務諸表と比較して、グループ全体の売上高や利益、資産等の規模が親会社単独の場合の何倍あるかを示すものである。総資産、売上高、経常利益の連単倍率は、景気拡大期には高まり、景気後退期には低下する傾向にある。

(3) 連結純損益

> 連結純損益 ＝ 親会社単独純利益 ＋ 連結子会社の正味合算利益±連結上の調整

連結純損益は、親会社の単独純利益、連結子会社の正味合算利益を合計した上で、連結上の調整を行ったものである。通常、連結子会社が利益会社であれば連結純利益は親会社の純利益を上回る。しかし、連結上の調整でマイナス調整が多いと、子会社が利益会社でも連結純利益が親会社の単独純利益を上回るとはいえない。

(4) 連結の範囲

連結財務諸表を作成する場合、グループ企業の中でどこまでを連結の範囲に含めるかについては、一定の基準がある。

① 持株基準と支配力基準

連結財務諸表に含まれる企業の範囲を決定する基準には、持株基準と支配力基準がある。ある会社の議決権の過半数を所有する場合、「持株基準」によってその会社を連結の範囲に含める。しかし、議決権が50%以下の保有率でもその会社を事実上支配している場合は、「支配力基準」においてこのような支配されている会社も連結の範囲に含めることになっている。

② 親会社・子会社・非連結子会社・関連会社

● **親会社・子会社・非連結子会社・関連会社の基準**

親会社	・他の会社を支配している会社 ・原則、すべての子会社を連結の範囲に含まなければならない。
子会社	・50%超の議決権を支配されている会社 ・議決権の支配割合が50%以下であっても、高い比率の議決権を持ち、かつ株主総会における議決権の過半数を継続して占めている会社 ・間接所有関係(子会社が更に他の子会社を支配している関係)にある会社

非連結 子会社	子会社において、以下の場合は連結の範囲には含めない。 ・支配が一時的であると認められる会社 ・連結することにより、利害関係者の判断を著しく誤らせるおそれのある会社
関連会社	・子会社以外で、財務や営業の方針決定に対して重要な影響を与える会社 　例）議決権20%以上を実質的に所有している場合など

③ 非支配株主持分

　非支配株主持分とは、子会社の資本のうち親会社に帰属しない部分である。例えば、親会社が子会社に60%出資している場合、残りの40%は親会社以外の株主による出資となる。この親会社以外の株主を非支配株主といい、子会社の資本の40%は非支配株主持分ということになる。このような持分も、連結財務諸表では純資産の部に記載することになっている。

(5) 連結財務諸表の作成

　連結財務諸表の作成は、親会社が他の会社を支配するに至った日（支配獲得日）において行われる。なお、支配獲得日に作成される連結財務諸表は、連結貸借対照表のみである。

4 キャッシュ・フロー計算書のしくみと読み方

(1) キャッシュ・フロー計算書とは

　キャッシュ・フロー計算書とは、一会計期間における現金の流れの状況を表示するものである。企業活動の状況を①営業活動、②投資活動、③財務活動の3領域に区分し、企業活動の全体を対象とする重要な情報を提供するものである。具体的には、企業がどれくらいキャッシュ（現金）を獲得し、どれくらい投資や債務弁済に充てることができ、最終的に手元にいくら残っているかを示すものである。

(2) キャッシュ・フロー計算書の読み方

　キャッシュ・フロー計算書では、現金のみならず現金同等物も含まれる。
　具体的には、簡単に換金でき、かつ価格変動リスクがほとんどない短期投資（定期預金など）が含まれる。

本番得点力が高まる! 問題演習

問1 貸借対照表に関する次の記述のうち、正しいものには○を、誤っているものには×をつけなさい。

① 当座資産とは、販売課程を経ることなく比較的短期間に容易に現金化する資産である。

② 有形固定資産には、のれんや特許権、借地権などが含まれる。

③ 自己資本とは、純資産から株式引受権、新株予約権、非支配株主持分を除いた金額である。

解答
①○ 当座資産は流動資産に分類される。

②× 有形固定資産には、建物・構築物、機械及び装置などが含まれる。

③○ 自己資本は、株主資本にその他包括利益累計額を含めたものでもある。

問2 損益計算書に関する次の記述のうち、正しいものには○を、誤っているものには×をつけなさい。

① 売上総利益とは、売上高から売上原価を差し引いた粗利益のことである。

② 営業利益は、売上総利益に対し、営業外収益を加算し、営業外費用を差し引いたものである。

③ 損益計算書において、支払利息は特別損失に分類される。

④ 損益計算書において、受取配当金は営業外収益に分類される。

解答
①○ 売上高と売上総利益は、売上原価分だけ金額が異なる。

②× 営業利益とは、売上総利益から販売費、一般管理費を差し引いたものである。

③× 支払利息は営業外費用に分類される。

④○ 営業外収益には、受取利息等も含まれる。

問3 連結財務諸表に関する次の記述のうち、正しいものには○を、誤っているものには×をつけなさい。

① 連結財務諸表制度では、子会社は例外なくすべて連結の範囲に含めなければならない。

② 子会社の資本のうち親会社に帰属しない部分を非支配株主持分という。

③ 連結貸借対照表の作成は、親会社が他の会社を支配するに至った日において行われる。

①× 支配が一時的であると認められる会社等、連結することにより利害関係者の判断を著しく誤らせるおそれのある会社は、連結の範囲に含めてはならない（非連結子会社）。

②○ 親会社以外の株主の持分という意味である。

③○ 親会社が他の会社を支配するに至った日（支配獲得日）に作成する連結財務諸表は、連結貸借対照表である。

問4 キャッシュ・フロー計算書のしくみと読み方に関する次の記述のうち、正しいものには○を、誤っているものには×をつけなさい。

① キャッシュ・フロー計算書とは、一会計期間におけるキャッシュ・フローの状況を一定の活動区分別に表示するものである。

② キャッシュ・フロー計算書における「キャッシュ」とは、現金のみを指している。

③ キャッシュ・フロー計算書は、営業活動、投資活動、決算活動という３つの活動領域に関連づけて区分し、それぞれの領域での資金の流れを把握できるよう表示している。

①○ 実際のお金の流れを知ることができる計算書である。

②× 価格変動リスクがほとんどない定期預金などの短期投資（現金同等物）も含まれる。

③× 営業、投資、財務活動に区分されている。

3. 収益性に関する分析

ここから企業分析が続くよ。まずはどれだけもうけられているのかの分析！

重要度 ★★☆

1 収益性分析とは

収益性分析とは、企業の収益力をはかるため、損益計算書をもとに様々な分析を行うことである。

企業の収益力をはかるには、利益の数値を用いるのが一般的である。規模の異なる企業を比較するために、利益を生み出す元になるベースとの比率を比較する。収益性分析には、資本（ストック）をベースとして利益との割合を求める資本利益率、売上高（フロー）をベースとして利益との割合を求める売上高利益率がある。

2 資本利益率

資本利益率とは、資本の利用によって、どれほどの利益を上げることができたかを表すものである。分母の資本、あるいは分子の利益にどのようなものを使うかによっていろいろな資本利益率が求められる。分母として一般的なのは総資本、自己資本、資本金であり、分子として一般的なのは当期（純）利益、経常利益である。

（1）総資本（純）利益率（ROA）

参考

ROAとは、Return On Assetの略である。

企業に投下された資本全体の効率性を判定する基本的比率である。総資本とは、自己資本、他人資本（負債）、非支配株主持分などの合計であり、負債も含めた企業全体の立場から、資本利用の効率性を示している。

$$総資本（純）利益率（ROA）（\%）= \frac{当期（純）利益}{総資本（期首・期末平均）} \times 100$$

（2）自己資本利益率（ROE）

参考

ROEとは、Return On Equityの略である。

ROAが自己資本と他人資本（負債）を合わせて総資本に対する収益性

304

を問うのに対し、ROEは株主のために利益をどれだけ上げたかを把握できる。

$$自己資本利益率（ROE）（\%）＝\frac{当期純利益}{自己資本（期首・期末平均）}×100$$

なお、ROEはROAと財務レバレッジに分解することができ、これにより株主が投資した資金により企業がどれほど資産を活用したかを見ることができる。財務レバレッジとは、総資本の中に占める負債の割合・負債への依存度を示すものであり、自己資本比率の逆数として表される。

$$ROE＝ROA×財務レバレッジ＝\frac{当期純利益}{総資本}×\frac{総資本}{自己資本}$$

資金の調達がすべて自己資本で賄われている会社は、財務レバレッジが低いが、借入金の割合が高くなるほど財務レバレッジも高くなるので、ROAは低いのにROEの値が高くなることがある。

(3) 資本金（純）利益率

資本金（純）利益率とは、分母に資本金を用いた資本利益率である。どの程度の割合の配当ができるかを大まかに示すことができる。この数値が高いほどよいとされ、規模が大きい企業、内部留保（剰余金）の割合が低い企業は数値が低下する傾向にある。

$$資本金（純）利益率（\%）＝\frac{当期純利益}{資本金（期首・期末平均）}×100$$

(4) 資本経常利益率

資本経常利益率は、分子に経常利益を用いる。分母にどのような資本をとるかによって、次のような利益率が求められる。

$$総資本経常利益率（\%）＝\frac{経常利益}{総資本（期首・期末平均）}×100$$

$$自己資本経常利益率（\%）＝\frac{経常利益}{自己資本（期首・期末平均）}×100$$

$$資本金経常利益率（\%）＝\frac{経常利益}{資本金（期首・期末平均）}×100$$

3 売上高利益率

売上高利益率とは、売上高に対して、どの程度の利益を上げたのかを示す指標である。

(1) 売上高 (純) 利益率

売上高 (純) 利益率とは、売上高に対し、当期の正味利益がどの程度得られたかを表すものである。

$$売上高（純）利益率（\%）= \frac{当期（純）利益}{（純）売上高} \times 100$$

(2) 売上高総利益率

売上高総利益率とは、売上高に対する売上総利益 (粗利益) の割合を示し、企業の購買・製造活動の良し悪しを判断できる。

$$売上高総利益率（\%）= \frac{売上総利益}{（純）売上高} \times 100$$

(3) 売上高営業利益率

売上高営業利益率とは、売上総利益から営業費 (販売費・一般管理費) を差し引いた営業利益と売上高との比率を求め、これによって企業本来の営業活動による収益力を表すものである。

$$売上高営業利益率（\%）= \frac{営業利益}{（純）売上高} \times 100$$

(4) 売上高経常利益率

分子の経常利益は、事業の本来の営業活動に関連して生じた利益に、資金調達や借入金の返済 (財務活動) といった付随的な営業活動からの収益・費用を加減して得られる利益である。企業の普段行っている操業活動の収益力を表しているといえる。

$$売上高経常利益率（\%）= \frac{経常利益}{（純）売上高} \times 100$$

問1 収益性分析における資本利益率に関する次の記述のうち、正しいものには○を、誤っているものには×をつけなさい。

① 総資本（純）利益率（ROA）とは、企業に投下された資本全体の効率的利用を判定する比率であり、当期（純）利益を期首・期末平均の総資本で割って求める。

② 当期純利益が200百万円、自己資本（期首・期末平均）が5,250百万円の会社の自己資本利益率（ROE）は3.80％である（小数点第3位以下切り捨てること）。

③ ROAが1.25％、財務レバレッジが4.6であるとき、ROEは3.68％である。

解答

①○ 総資本とは、自己資本、他人資本、非支配株主持分などの合計である。

②○ 自己資本利益率（ROE）＝ $\dfrac{\text{当期純利益}}{\text{自己資本（期首・期末平均）}} \times 100$ なので

$$= \frac{200\text{百万円}}{5{,}250\text{百万円}} \times 100 = 3.809$$

≒ 3.80％（小数点第3位以下切捨て）

③× ROE＝ROA×財務レバレッジなので

1.25（％）×4.6＝5.75

したがって、ROEは5.75％である。

- -

問2 ある会社の当期の損益計算書の内容が以下の場合であるときの、自己資本経常利益率はいくらになるか答えなさい（小数点第3位以下を切り捨てること）。

●損益計算書の内容

（単位　百万円）

売上高	35,000
売上原価	15,000
販売費・一般管理費	3,000
営業外損益	▲400

自己資本の期首・期末平均は94,500（百万円）とする。

解答 正解は、自己資本経常利益率17.56%

まず、経常利益を求めると、

35,000（売上高）－ 15,000（売上原価）－ 3,000（販売費・一般管理費）

－ 400（営業外損益※）＝ 16,600（百万円）

※営業外損益なので、問題によってプラスの場合もマイナスの場合もある点に
注意すること。表中に▲や△とあったらマイナスという意味である。

よって解答は、自己資本経常利益率の公式より、

$$\frac{経常利益}{自己資本（期首・期末平均）} \times 100 = \frac{16,600}{94,500} \times 100$$

$$≒ 17.56（\%）（小数点第3位以下切捨て）$$

問3 ある会社の当期の損益計算書の内容が以下の場合であるときの、売上高経常
利益率はいくらになるか答えなさい。

●損益計算書の内容

（単位　百万円）

売上高	40,000
売上原価	18,000
販売費・一般管理費	2,700
営業外損益	▲1,300

解答 正解は、売上高経常利益率45%

まず、経常利益を求めると、

40,000（売上高）－ 18,000（売上原価）－ 2,700（販売費・一般管理費）

－ 1,300（営業外損益）＝ 18,000（百万円）

したがって、売上高経常利益率の公式より、

$$\frac{経常利益}{（純）売上高} \times 100 = \frac{18,000}{40,000} \times 100 = 45（\%）$$

4. 安全性に関する分析

続いて会社の健康
状態はどうかな?の
分析!

重要度
★★☆

1 安全性分析とは

　安全性分析とは、企業が長期的に事業を継続させていくことが可能かどうかを判断するために行うものである。安全性分析には、「流動性分析」と「財務健全性分析」がある。

2 流動性分析

　流動性分析とは、企業が資金繰りの観点から債務弁済能力を持っているかどうかを表すものであり、具体的には以下の比率がある。

(1) 流動比率

　流動比率とは、1年以内に返済しなければならない流動負債を、現預金や短期有価証券などの流動資産でどれだけ賄えるかを分析するものである。企業の短期の返済能力を判定するために利用される比率で、数値が高いほどよく、200%以上が望ましいとされる（2対1の原則）。

$$流動比率（\%）＝ \frac{流動資産}{流動負債} \times 100$$

(2) 当座比率

　当座比率は、流動資産のうち短期間に現金化される当座資産に注目し、当座資産による流動負債の返済能力を見ようとするもので、一般に100%以上が望ましいとされる。すぐに現金化される当座資産を分子にとることで、より短期の流動性を表現しようとするものである。

$$当座比率（\%）＝ \frac{当座資産}{流動負債} \times 100$$

第13章
財務諸表と企業分析／安全性に関する分析

309

3 財務健全性分析

　財務健全性分析とは、調達した資金が適切な使い道で運用されているかどうか、資金の調達方法は資本全体からみて適切かどうかを表すものである。

(1) 固定比率

　固定比率とは、固定資産に投資した金額と自己資本の額との関係を示すものであり、1年以上の長期にわたり使用される固定資産を返済期限のない安定した自己資本で賄うことができれば財務的に安定しているといえる。その意味でこの比率は100%以下が理想的である。

$$固定比率（\%）= \frac{固定資産}{自己資本} \times 100$$

(2) 固定長期適合率

　固定長期適合率とは、固定資産に投資した金額と長期性資本（自己資本+非支配株主持分+固定負債）の額との関係を表すものである。固定比率と同様に100%以下が望ましく、低いほどよいとされる。

$$固定長期適合率（\%）= \frac{固定資産}{自己資本 + 非支配株主持分 + 固定負債} \times 100$$

(3) 負債比率

　負債比率とは、自己資本に対する負債の割合を示すものである。この比率は100%以下であることが必要とされ、低いほど財務の安全性が高いといえる。

$$負債比率（\%）= \frac{負債}{自己資本} \times 100 = \frac{流動負債+固定負債}{自己資本} \times 100$$

(4) 自己資本比率

　自己資本比率とは、総資本、つまり負債（他人資本）と自己資本との合計に占める自己資本の割合を示すものである。企業の安全性を判定する上で基本的な指標の1つであり、この比率が高いほど企業財務は安定しており財務内容がよい会社といえる。

$$自己資本比率（\%）= \frac{自己資本}{総資本} \times 100$$

$$= \frac{自己資本}{自己資本＋株式引受権＋新株予約権＋非支配株主持分＋負債} \times 100$$

本番得点力が高まる! 問題演習

問1 安全性分析に関する次の記述のうち、正しいものには○を、誤っているものには×をつけなさい。

① 当座比率は、当座資産を流動資産で除して求められる。

② 当座比率は、100%以下が理想的である。

③ 固定比率は、100%以上が理想的である。

④ 自己資本比率は、高いほど財務内容がよい。

解答

①× 当座比率は、当座資産を流動負債で除して求める。

②× 当座比率は、100%以上が理想的である。

③× 固定比率は、100%以下が理想的である。

④○ 自己資本比率とは負債と自己資本との合計に占める自己資本の割合であるため、高いほど企業財務は安定し財務状況が良い会社といえる。

問2 ある会社の当期の貸借対照表の内容が以下の場合であるときの記述として、正しいものには○を、誤っているものには×をつけなさい（小数点第3位以下を切り捨てること）。

●貸借対照表の内容

（単位　百万円）

流動資産	90,000
固定資産	70,000
流動負債	40,000
固定負債	30,000
純資産（自己資本）※	90,000

※純資産は自己資本と同一であるものとする。

① 当期の流動比率は225%である。

② 当期の固定長期適合率は58.33%である。

③ 当期の自己資本比率は56.25%である。

④ 当期の負債比率は43.75%である。

 解答

① ○ 流動比率の公式より、

$$\frac{流動資産}{流動負債} \times 100 = \frac{90{,}000}{40{,}000} \times 100 = 225\,(\%)$$

② ○ 固定長期適合率の公式より、

$$\frac{固定資産}{自己資本 + 非支配株主持分 + 固定負債} \times 100$$

$$= \frac{70{,}000}{90{,}000+30{,}000} \times 100 ≒ 58.33\,(\%)\,(小数点第3位以下切捨て)$$

純資産は自己資本と同一としているので、非支配株主持分は0として計算する。

③ ○ 自己資本比率の公式より、

$$\frac{自己資本}{総資本} \times 100 = \frac{90{,}000}{40{,}000+30{,}000+90{,}000} \times 100$$

$$=56.25\,(\%)$$

純資産を自己資本と同一としているので株式引受権、新株予約権、非支配株主持分は0として計算する。

④ × 正しくは、負債比率の公式より、

$$\frac{流動負債+固定負債}{自己資本} \times 100 = \frac{40{,}000+30{,}000}{90{,}000} \times 100$$

$$≒ 77.77\,(\%)\,(小数点第3位以下切捨て)$$

5. 資本の活動状況・売上高と費用・利益に関する分析

どれだけ効率よく動けてるかの分析、そして損益の分岐点の分析をおさえよう。

重要度
★★★

1 資本効率性分析

資本効率性分析とは、投資を行った資本がどのくらい効率よく運用されているか（資本の活動状況）を判定するものであり、回転率や回転期間を用いて表される。

(1) 総資本回転率

回転率とは、分子に年間の売上高をとり、分母に対象となる資本や資産の平均有高（簡易的には期末有高）をとって計算するものである。分母に総資産をとったものを総資本回転率という。

$$総資本回転率（回／年）＝ \frac{（年間）売上高}{総資本（期首・期末平均）}$$

総資本回転率は、企業に投下された平均的な総資本有高（残高）が、売上高を通じて何回転するかをはかるものであり、総資本の何倍の売上げがあったかということである。回転率が高いということは少ない資本でより多くの売上げがあったことを意味する。例えば、売上高（純）利益率が一定である場合、総資本回転率が高くなるにつれて総資本（純）利益率も高くなる（資本効率が高くなる）という関係が成り立つ。

(2) 総資本回転期間

総資本回転期間とは、総資本回転率の逆数として計算され、資産または資本が1回転するのに要する期間を表す。回転期間が短いほど少ない資本で多くの売上げがあることになり、資産効率が高いといえる。資産の効率性を表す方法としては、この回転期間を用いることもできる。

$$総資本回転期間（月）= \frac{総資本（期首・期末平均）}{（年間）売上高} \times 12 \cdots ①$$

$$= \frac{総資本（期首・期末平均）}{（年間）売上高 \div 12} \cdots ②$$

売上高（純）利益率を一定とした場合、総資本回転率を高めることにより、総資本（純）利益率が高まる。したがって、回転率は収益率を高める大きな意味を持つ。

2 損益分岐点分析

損益分岐点分析とは、売上高の増減によって費用と利益がどのように変動するかを把握するための分析である。

(1) 損益分岐点とは

損益分岐点とは、売上高と費用とが釣り合い、損益がゼロとなるときの売上高をいう。売上高が損益分岐点を上回れば利益になり、下回れば損失になる。

損益分岐点を求めるには、すべての費用を固定費と変動費に分ける。固定費は労務費や減価償却費、支払利息等のことであり、売上高の増減に関係なく発生する。変動費は原材料費や販売手数料等であり、売上高の増減に比例して変化する。

(2) 変動費率と限界利益率

売上に占める変動費の割合を変動費率といい、$\frac{変動費}{売上高}$ で表せる。

また、売上高から変動費を差し引いたもの（売上高−変動費）を限界利益といい、売上高単位あたりの限界利益を限界利益率という。限界利益率は、以下の式で表すことができる。

$$限界利益率 = \frac{限界利益}{売上高} = \frac{売上高−変動費}{売上高} = 1 - \left(\frac{変動費}{売上高} \right) = 1 - 変動費率$$

(3) 損益分岐点の売上高

損益分岐点では、売上高と費用が等しくなり、

損益分岐点の売上高＝変動費＋固定費

という関係式が成り立つ。損益分岐点売上高から変動費を除いた残りが固定費ということになるので、損益分岐点では売上高と固定費に以下

のような関係がある。

損益分岐点売上高 ×（1 − 変動費率）= 固定費

この式を変形させると、損益分岐点の売上高を求める計算式は以下のとおりとなる。

$$損益分岐点の売上高 = \frac{固定費}{1-変動費率} = \frac{固定費}{1-（変動費 ÷ 売上高）}$$

(4) 損益分岐点比率

損益分岐点比率とは、損益分岐点売上高を売上高で割ったものである。損益分岐点比率が100%を上回ると損失となり、100%を下回ると利益となる。利益を出すために損益分岐点を引き下げるには、売上高を増加させたり、費用を削減させるといった対策が必要となる。

$$損益分岐点比率（\%）= \frac{損益分岐点売上高}{売上高} × 100$$

本番得点力が高まる! 問題演習

  問1 資本効率性分析に関する次の記述のうち、正しいものには○を、誤っているものには×をつけなさい。

① 総資本回転率とは、企業に投下された平均的な総資本有高が、売上高を通じて何回転するかをはかるものであり、数値が低いほど資産効率が高い。

② ある会社の総資本（期首・期末平均）が750億円、年間売上高600億円であるとき、総資本回転率は1.25回である。

③ ある会社の総資本（期首・期末平均）が600億円、年間売上高が480億円であるとき、総資本回転期間は15月である。

解答

①× 数値が高いほど、総資本に対してより効率的に利益を上げたことになる。

②× 正しくは、総資本回転率の公式より、

$$\frac{（年間）売上高}{総資本（期首・期末平均）} = \frac{600億円}{750億円} = 0.8（回）$$

③○ 総資本回転期間の公式より、

$$\frac{総資本（期首・期末平均）}{（年間）売上高} × 12 = \frac{600億円}{480億円} × 12 = 15（月）$$

ある会社（年1回決算）の期末現在の損益計算書から抜粋した科目及び金額は次のとおりである。（　）に当てはまる数字として正しいものはどれか。

（単位：百万円）

科　目	金　額
（経常損益の部） 営業損益 　売上高 　売上原価 　販売費及び一般管理費 　営業利益 営業外損益 　営業外収益 　営業外費用	 150,000 80,000 10,000 （　イ　） 6,000 3,000
経常利益	（　ロ　）
（特別損益の部） 　特別利益 　特別損失	 500 400
税引前当期利益	（　ハ　）
法人税等	20,000
当期利益	（　ニ　）

① イは70,000

② ロは73,000

③ ハは72,100

④ ハは63,100

⑤ ニは52,100

正しいものは、④

（イ）営業利益＝売上高－売上原価－販売費及び一般管理費

　　　営業利益＝150,000－80,000－10,000

　　　　　　　＝60,000

(ロ) 経常利益＝営業利益＋営業外収益－営業外費用

経常利益＝60,000＋6,000－3,000

＝63,000

(ハ) 税引前当期利益＝経常利益＋特別利益－特別損失

税引前当期利益＝63,000＋500－400

＝63,100

(ニ) 当期利益＝税引前当期利益－法人税等

当期利益＝63,100－20,000

＝43,100

6. キャッシュ・フローに関する分析

現金の流れで分析!!

1 キャッシュ・フロー分析とは

　キャッシュ・フロー分析とは、損益計算書に示された利益に加え、実際の現金の出入りを重視する分析である。キャッシュ・フローを企業がいかに有効に獲得し、配当や借入金の原資となるキャッシュ・フローを確保しているかを明らかにするものであり、この分析は大きく3つの側面から考えられる。

● **キャッシュ・フロー分析の3つの側面**

収益性分析	一定期間の売上高に対してどの程度のキャッシュ・フローを生み出したかの分析
支払能力の分析	その年度に生み出されたキャッシュ・フローによって、負債がどの程度返済できるかの分析
配当性向の分析	その年度に生み出されたキャッシュ・フローから、どの程度配当金として支払われるかの分析

2 売上高営業キャッシュ・フロー比率

　売上高営業キャッシュ・フロー比率とは、一定期間の売上高に対して営業活動によってどの程度のキャッシュ・フローを生み出したかを示すものである。

　現金販売でない場合は、売上があったとしても現金が入ってくるわけではないので会計上の利益と実際の現金の出入りが一致しない。損益計算書からでは把握できないこのようなミスマッチを補い、企業における資金の流れの実態を把握することができる指標であり、数値が高いほどよい。

$$\text{売上高営業キャッシュ・フロー比率 (\%)} = \frac{\text{営業活動によるキャッシュ・フロー}}{\text{売上高}} \times 100$$

3 営業キャッシュ・フロー有利子負債比率

　営業キャッシュ・フロー有利子負債比率とは、その年度の営業活動によるキャッシュ・フローによって、有利子負債をどの程度返済することができるかという企業の支払能力を示すものである。数値が高いほど支払能力に優れていると判断できる。

$$\text{営業キャッシュ・フロー有利子負債比率 (\%)} = \frac{\text{営業活動によるキャッシュ・フロー}}{\text{有利子負債残高}} \times 100$$

本番得点力が高まる! 問題演習

問1 キャッシュ・フロー分析に関する次の記述のうち、正しいものには○を、誤っているものには×をつけなさい。

① キャッシュ・フロー分析においては、損益計算書に示された利益と、実際の現金の出入りは必ず一致する。

② 営業キャッシュ・フロー有利子負債比率は、企業がその年度の営業活動によるキャッシュ・フローによって有利子負債をどの程度返済できるのかを示す比率である。

解答

①× 会計上の利益とキャッシュ・フローは必ずしも一致するものではない。実際の現金の動きに注目することが必要となる。

②○ 営業キャッシュ・フロー有利子負債比率は、高いほど有利子負債に対する支払能力があると判断できる。

7. 成長性に関する分析

大きく成長するかな？
を分析！

重要度
★★★

1 成長性分析とは

　成長性分析は、企業の成長性を把握するために、企業規模の拡大の側面、利益の大きさの側面の2つからアプローチする分析である。

2 企業規模の拡大の側面からの把握

　売上高成長率、自己資本成長率とは、企業の成長性を企業規模の拡大の側面から把握するものである。それぞれ以下の公式により算出される。

$$売上高成長率（\%）= \frac{当期売上高}{前期売上高} \times 100$$

$$自己資本成長率（\%）= \frac{当期自己資本}{前期自己資本} \times 100$$

3 利益の大きさの側面からの把握

　利益成長率とは、企業の成長性を利益の大きさの側面から把握するものであり、以下の公式により算出される。

$$利益成長率（\%）= \frac{当期利益}{前期利益} \times 100$$

4 増収率と増益率

　増収率、増益率とは、企業の成長性を表現するためのものである。増収率は前期からの売上高の伸び率を表し、増益率は経常利益等の利益の対前年度伸び率を表している。

$$増収率（\%）= \left(\frac{当期売上高}{前期売上高} - 1 \right) \times 100$$

$$増益率（\%）= \left(\frac{当期経常利益}{前期経常利益} - 1 \right) \times 100$$

本番得点力が高まる! 問題演習

問1 成長性分析に関する次の記述のうち、正しいものには○を、誤っているものには×をつけなさい。

① ある会社の前期売上高が100億円、当期売上高が120億円であった場合、売上高成長率は120%である。

② ある会社の前期自己資本が300億円、当期自己資本が450億円であった場合、自己資本成長率は150%である。

③ ある会社の前期の売上高が80億円、当期の売上高が100億円であった場合、増収率は125%である。

解答

①○ 売上高成長率の公式より、

$$\frac{当期売上高}{前期売上高} \times 100 = \frac{120億円}{100億円} \times 100 = 120（\%）$$

②○ 自己資本成長率の公式より、

$$\frac{当期自己資本}{前期自己資本} \times 100 = \frac{450億円}{300億円} \times 100 = 150（\%）$$

③× 売上高の伸び率を表すものなので、正しくは、増収率の公式より、

$$\left(\frac{当期売上高}{前期売上高} - 1 \right) \times 100 = \left(\frac{100億円}{80億円} - 1 \right) \times 100 = 25（\%）$$

である。

8. 配当に関する分析

最後は配当について
の分析！

重要度
★★★

1 配当率・配当性向とは

企業の配当の良し悪しを判定するものとして、配当率と配当性向がある。

● 配当率

$$配当率（\%） = \frac{配当金（年額）}{資本金（期中平均）} \times 100$$

株主が拠出した資本金に対してどれだけの配当金を支払ったかがわかる。

● 配当性向

$$配当性向（\%） = \frac{配当金（年額）}{当期（純）利益} \times 100$$

当期（純）利益に対する配当金の割合。利益のうちどれだけ配当金を支払ったかがわかる。
・配当が一定であるとすれば、好況期→配当性向が低く、不況期→高くなる特徴がある。
・配当性向が高いと、株主に利益を積極的に還元しているといえる。
・配当性向が低いと、内部留保が高いことを意味する。

> 両方とも
> 利益を「どれだけ株主に
> 還元したか」がわかる

本番得点力が高まる! 問題演習

問1 資料から抜粋した金額が、次のとおりである会社の配当率及び配当性向の組み合わせとして正しいものはどれか、1つを選びなさい（小数点第2位以下を切り捨てること）。

●資料

配当金額（年間）　38百万円

資本金　　　　　250百万円

（単位　百万円）

売上高	55,000
売上原価	49,500
販売費及び一般管理費	3,750
営業外損益	▲250
特別損益	▲500
法人税等	500

	配当率	配当性向
①	2.5%	15.2%
②	7.6%	15.2%
③	15.2%	3.8%
④	15.2%	7.6%
⑤	50%	7.6%

 解答

正しいものは、④

まず、配当率を求める。

$$配当率（\%）= \frac{配当金（年額）}{資本金} \times 100 = \frac{38百万円}{250百万円} \times 100 = 15.2\%$$

次に、配当性向を求める。配当性向は配当金（年額）を当期純利益で割って求めるので、まず資料から当期純利益を求める。

当期純利益

＝ 売上高 − 売上原価 − 販売費及び一般管理費 ＋ 営業外損益

＋ 特別損益−法人税等

＝55,000 − 49,500 − 3,750 ＋（▲250）＋（▲500）− 500 = 500（百万円）

したがって、配当性向の公式より、

$$配当性向（\%）＝\frac{配当金（年額）}{当期純利益} \times 100 ＝ \frac{38百万円}{500百万円} \times 100 ＝ 7.6\%$$

第 **14** 章

証券税制

予想配点　20点／300点
出題形式
○×方式…5問
五肢選択方式…1問
（配点と出題形式はTACの予想です）

証券業務に関する税制について紹介します。所得税からは、主に関係する利子所得、配当所得、株式等の譲渡による所得（譲渡所得）を中心に解説していきます。また法人税、相続税や贈与税などについても見ていきましょう。

関連章　第8章　第10章

取引によって利益が出たら、利益に対し所得税❶が掛かります。

利子❷、配当❸、譲渡など❹の所得の種類ごとにその特徴や適用も異なってくるので、整理して理解することが必要です。

その他、法人税❺、相続税や贈与税❻などについても基本的なことは押さえておきましょう。

1. 所得税

所得税のうち証券に
関する税制をおさえよ
う。

重要度
★★★

1 所得税のしくみ

　税金には、国に納める国税と地方自治体（都道府県・市町村）に納める
地方税の2種類がある。国税には、所得税、法人税、相続税、贈与
税、消費税などがあり、その1つである所得税は、個人の1年間の所
得に応じて負担する税金のことである。この所得とは、総収入から必要
経費を差し引いた残りである。

（1）所得税の特徴

① 　所得の種類は、「利子所得」「配当所得」「不動産所得」「事業所得」
「給与所得」「退職所得」「山林所得」「譲渡所得」「一時所得」「雑
所得」の10種類に分類される。

② 　所得税は、個人の儲けに対して課税される。

③ 　所得税の計算期間は、その年1年（1月1日から12月31日まで）を単
位として計算される。

（2）納税義務者

　所得税の課税対象となる者（納税義務者）は、国内に住所があり1年
以上住んでいる居住者と、それ以外の非居住者に分けられる。

2 所得の種類と各所得の金額計算

(1) 所得の種類と各種所得金額の計算

① 所得の種類

種類	所得の内容
利子所得	預貯金・公社債の利子、公社債投資信託及び公募公社債等運用投資信託の収益の分配による所得等
配当所得	株式の配当、投資信託(公社債投資信託などを除く)の収益の分配による所得等
不動産所得	アパートの貸付け等
事業所得	株式など有価証券の譲渡や先物・オプション取引を事業的な規模で行う継続的取引から生じる所得、小売、製造など営業から生じる所得等
給与所得	給与、賞与等
退職所得	退職金、一時恩給、社会保険制度に基づく退職一時金等
山林所得	山林の伐採・譲渡による所得等
譲渡所得	株式など有価証券の譲渡による所得(事業所得や雑所得になることもある)、土地の譲渡による所得等
一時所得	生命保険の一時金、懸賞当選金や競馬の払戻金等
雑所得	株式などの継続的取引による所得、先物取引やオプション取引から生じる所得等

② 主な所得の所得金額の計算

　源泉徴収された所得税額があった場合には、源泉徴収された所得金額が差し引かれる前の収入金額で所得金額を計算する。

　証券税制に関わる主な所得金額の計算方法は次のとおりである。

● 各所得金額の計算方法

種類	所得金額の計算
利子所得	収入金額そのまま(負債利子などの経費は控除されない)

配当所得	収入金額−負債利子(負債利子控除) 負債とは、例えば株を買うためにお金を借りたときの利子など配当所得としての必要経費として認められているもの。
事業所得	収入金額−必要経費
譲渡所得	収入金額−(取得費+譲渡費用)
雑所得	収入金額−必要経費

(2) 課税方法

　所得税には課税方法として総合課税と分離課税の2種類の方法がある。

① 総合課税

　各所得の金額を計算した後、これらの所得金額(損益通算した後の金額)を合算して課税する方法である。総合課税では累進税率が適用される。累進税率は、課税所得金額の階級に応じた課税となっている。

② 分離課税

　総合課税の対象とは別にして、個々の所得ごとに税率を適用して課税する方法である。分離課税には、確定申告を通じて納税する「申告分離課税」と、源泉徴収された税額を負担するだけで確定申告の必要がない「源泉分離課税」がある。

● 分離課税となる所得

利子所得	源泉分離課税
特定公社債の利子等に係る利子所得	申告分離(選択)課税
上場株式等の配当所得	申告分離(選択)課税
株式等または公社債等の譲渡所得 (割引債の償還差益を含む)	申告分離課税
土地・建物等の譲渡所得	申告分離課税
山林所得、退職所得金額	申告分離課税
金融商品の収益による雑所得	源泉分離課税
商品先物取引、有価証券等先物オプション取引による所得	申告分離課税

用語

特定公社債
公社債のうち、国債、地方債、外国国債、公募公社債、上場公社債など。特定公社債以外を一般公社債(私募債など)という。

納税者が確定申告をする際に、対象となる所得について、総所得金額等に含めて課税所得金額及び税額を計算して確定申告書を提出するか、含めないで確定申告書を提出するかを選択することができる（確定申告不要制度）。対象となるものには、非上場株式等の少額配当等や源泉徴収選択口座内保管上場株式等の譲渡による所得などがある。

本番得点力が高まる! 問題演習

問1 所得税に関する次の記述のうち、正しいものには○を、誤っているものには×をつけなさい。

① 公募株式投資信託の収益の分配は、配当所得となる。

② 源泉徴収された所得税額があった場合には、源泉徴収された所得金額が差し引かれた後の収入金額で所得金額を計算する。

③ 株式など有価証券の譲渡による所得は、譲渡所得に分類されるが、事業所得または雑所得として分類されることもある。

④ 分離課税には、確定申告を通じて納税する「申告分離課税」と、源泉徴収された税額を負担するだけで確定申告の必要がない「源泉分離課税」がある。

⑤ 特定公社債等の利子等に係る利子所得は、源泉分離課税で源泉徴収される。

解答

①○ なお、配当所得には、株式の配当も含まれる。

②× 源泉徴収された所得税額があった場合には、源泉徴収された所得金額が差し引かれる前の収入金額で所得金額を計算する。

③○ 株式など有価証券の譲渡による所得は、一般的には譲渡所得となるが、継続的取引による所得は雑所得、事業的規模で継続的取引による所得は事業所得に分類される。

④○ 分離課税とは、総合課税の対象とは別にして、個々に税率を適用して課税する方法である。

⑤× 特定公社債等の利子等に係る利子所得は、申告分離（選択）課税である。

2. 利子所得

利子が付いた！
所得税いくらだろう？

重要度
★★☆

1 利子所得とその特徴

利子所得とは、公社債、預貯金の利子、合同運用信託（貸付信託・指定金銭信託）、公社債投資信託、公募公社債等運用投資信託の収益の分配等のことである。

例えば、学校債や組合債の利子、抵当証券の利息、知人や会社に対する貸付金、金貯蓄口座の収益金の利子などは、利子所得にはあたらない。

2 利子所得の課税

居住者が国内において支払いを受ける利子等の課税は、その利子の種類によって「源泉分離課税」と「申告分離課税」に分けられる。

源泉分離課税	一般利子等に対して20.315%の税率により源泉徴収され課税関係が完結する（一律源泉分離課税）。
申告分離課税	特定公社債等の利子に対して20.315%の税率により他の所得と区別して課税される。確定申告不要の特例を適用できる。

(1) 一般利子等の源泉分離課税

預貯金や貸付信託、公社債、公社債投資信託、公募公社債等運用投資信託の利子・収益の分配のうち、申告分離課税の対象となる特定公社債等の利子等以外のもの（一般利子等）は、他の所得と分離し、一律に源泉分離課税とされる。

(2) 上場株式等に係る配当所得等（利子所得）の申告分離課税

特定公社債等に係る利子については、株式や公社債等の譲渡損失との損益通算が適用される。これに伴い、特定公社債等は、「上場株式等」の範囲に含まれる。

3 利子等の非課税制度

　利子所得には、一定の要件を満たすと、非課税とされる特例制度がある。

① マル優制度と特別マル優制度

	障害者等の少額預金の 利子所得等の非課税 （マル優）	障害者等の少額公債の 利子の非課税 （特別マル優）
対象 商品	預貯金、貸付信託、利付公社債、公社債投資信託、公募公社債等運用投資信託など	国債、公募地方債
非課税 限度額	1人につき元本350万円まで	1人につき元本350万円まで

② 財形住宅、財形年金貯蓄の非課税制度

	勤労者財産形成住宅貯蓄の 利子所得の非課税	勤労者財産形成年金貯蓄の 利子所得の非課税
要件	1人1契約、55歳未満の勤労者	
非課税 限度額	財産形成年金貯蓄と合わせて、1人元本550万円まで	財産形成住宅貯蓄と合わせて、1人元本550万円まで（保険型商品は、掛金または預入総額385万円かつ財産形成住宅貯蓄と合わせて550万円まで）

4 利子所得とならない金融商品等

　次にあげる金融商品・金融類似商品などについては、利子所得とならない。課税方法は、収益に対して利子と同様に15.315%（居住者については、このほかに住民税5%）の源泉分離課税となる。

● 金融商品などに対する課税方法

抵当証券の利息	雑所得
金貯蓄口座等の利益	譲渡所得または雑所得
定期積金の給付補填金	雑所得
相互掛金の給付補填金	雑所得

外貨建定期預金の為替収益	雑所得
懸賞金付公社債・公社債投資信託の受益権の懸賞金	一時所得
懸賞金付定期預金等の懸賞金品	一時所得

本番得点力が高まる! 問題演習

問1 利子所得に関する次の記述のうち、正しいものには〇を、誤っているものには×をつけなさい。

① 公募公社債投資信託の収益の分配に係る所得は利子所得である。

② 勤労者財産形成年金貯蓄の利子所得の非課税限度額は、財産形成住宅貯蓄と合わせて、1人元本550万円までである。

③ 外貨建定期預金の為替収益は、一時所得に分類される。

 解答

①〇 なお、公募公社債投資信託の利子所得は、申告分離課税である。

②〇 ただし、保険型商品は掛金または預入総額385万円かつ財形住宅貯蓄と合わせて550万円までである。

③× 外貨建定期預金の為替収益は、雑所得に分類される。

3.

配当が出たらいくら
課税されるの？

配当所得

1 配当所得とその特徴

配当所得には、株式の配当や株式投資信託の収益の分配などがある。

（1）配当所得の範囲

配当所得とは、法人から受ける剰余金の配当や利益の配当、出資に
係る剰余金の分配、相互保険会社から受ける基金利息、証券投資信
託の収益の分配（公社債投資信託の収益の分配は除く）のことである。外国
株式の配当、外国の投資信託の収益の分配なども含まれる。

（2）配当所得の金額の計算と課税方法

配当所得の金額の原則的な計算は次のとおりである。

配当所得の金額 ＝ 収入金額（源泉徴収税額の控除前）－ 負債利子

配当所得は、原則として他の所得と合算して総合課税となる。

配当の支払いを受ける際には20.42%（所得税及び復興特別所得税）が
源泉徴収される。なお、上場株式等の配当等は20.315%（所得税及び
復興特別所得税15.315%、住民税5％）の税率となる（大口株主等が支払いを
受けるものを除く）。

（3）上場株式等に係る配当等

上場株式等の配当等に係る配当所得については、総合課税と申告分
離課税のいずれかを選択できる。

（4）配当所得の確定申告不要の特例

投資の奨励等の観点から、次に掲げる上場株式等の配当等について
は納税者の判断により確定申告をしなくてもよいとされている。

用語

大口株主等

発行済株式の総数等の3%以上に相当する数または金額の株式等を有する個人のことである。

①上場株式等の配当等（大口株主等が受けるものを除く）
②公募証券投資信託の収益の分配
③特定投資法人の投資口の配当等
④非上場株式の少額配当等

　　　　　　　　　　　　　　　　　　　　　　　　　　　等

　確定申告をするかしないかは、銘柄ごと、かつ支払いを受ける配当等の額ごとに選択適用することができる。

● **上場株式等の配当等に関する課税関係の概要**

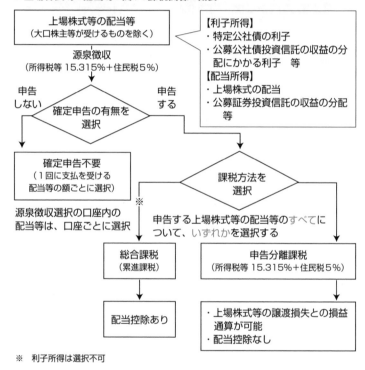

※　利子所得は選択不可

2 配当控除

（1）配当控除とは

　株式や出資に係る剰余金の配当や利益の配当、剰余金の分配、外国法人から受けるもの以外の証券投資信託の収益の分配については、その原資となる法人の収益に対して法人税が課税されている。個人株主に配当課税されると、法人税との二重課税になってしまうため、その調整

334

として、「配当控除」が認められる。配当控除は、総合課税を選択し確定申告をすることで適用を受けることができる。

（2）配当控除の対象にならないもの

外国法人から受ける配当や投資法人から受ける配当などは、配当控除の対象とならない。また、申告分離課税や確定申告不要制度の適用を選択したものについても配当控除を受けることはできない。

（3）株式等及び特定株式投資信託の配当額に係る配当控除率

配当控除率は、課税総所得の金額によって異なる。

● 株式等及び特定株式投資信託の配当額に係る配当控除率

課税総所得金額等	1,000万円	配当控除率	
1,000万円以下の場合	配当所得以外の所得　配当所得	所得税　　10% 住民税　　2.8%	
配当所得を加えて1,000万円超の場合	配当所得以外の所得　配当所得　ⓐ　ⓑ	所得税 ⓐの部分　10% ⓑの部分　5% 住民税 ⓐの部分　2.8% ⓑの部分　1.4%	
配当所得以外の所得が1,000万円超の場合	配当所得以外の所得　配当所得	所得税　　5% 住民税　　1.4%	

本番得点力が高まる! 問題演習

問1 配当所得に関する次の記述のうち、正しいものには〇を、誤っているものには×をつけなさい。

① 配当所得には、外国株式、外国の投資信託の配当なども含まれる。

② 個人が受け取る公募株式投資信託の収益の分配は、20.42%（所得税及び復興特別所得税）の税率で課税される。

③ 大口株主ではない居住者が支払いを受ける上場株式等の配当等は、20.315%（所得税及び復興特別所得税15.315%、住民税5%）の税率で源泉徴収される。

④ 上場株式の配当金について、配当控除の適用を受けたい場合には、その配当所

得について申告分離課税を選択する。

① ○ 配当所得とは、法人から受ける剰余金の配当や利益の配当、出資に対する剰余金の分配、基金利息、投資信託の収益の分配（公社債投資信託の収益の分配は除く）のことである。

② × 個人が受け取る公募株式投資信託の収益の分配は、20.315%（所得税及び復興特別所得税15.315%、住民税5%）の税率で課税される。

③ ○ 配当所得は、原則的には20.42%（所得税及び復興特別所得税）の税率で課税されるが、上場株式等については税率が異なる。

④ × 配当控除の適用を受けるには、総合課税を選択し、確定申告をしなければならない。外国法人や投資法人から受ける配当等は、配当控除の対象外である。

問2 課税総所得金額等が1,020万円で、そのうち配当所得の金額が50万円（源泉所得税控除前）の場合の所得税の配当控除の額で正しいものはどれか、1つを選びなさい。

① 25,000円
② 35,000円
③ 40,000円
④ 50,000円
⑤ 75,000円

正しいものは、③
課税総所得金額等が1,020万円、配当所得が50万円なので、配当所得控除率は1,000万円超の20万円について5%、残りの30万円について10%の所得税額が控除される。

20万円×5%＋30万円×10%＝40,000円

4.

譲渡所得など

譲渡所得にいくら課税
されるのか見ていこう

重要度
★★★

1 株式等の譲渡所得等とその計算

　譲渡所得には、株式など有価証券の譲渡による所得や、土地の譲渡
による所得がある。譲渡所得は、原則、総合課税であるが、株式等の
譲渡による所得は、上場株式等と一般株式等に区分し、別々に課税さ
れ、それぞれ申告分離課税が適用される。

● 株式等の範囲

【株式等】

【上場株式等】	【一般株式等】
・金融商品取引所に上場されている株式等 ・店頭売買登録銘柄として登録されている株式 ・店頭転換社債型新株予約権付社債 ・店頭管理銘柄株式 ・日本銀行出資証券 ・外国金融商品市場において売買されている株式等 ・公募投資信託（特定株式投資信託を除く）の受益権 ・特定投資法人の投資口 ・公募特定受益証券発行信託の受益権 ・公募特定目的信託の社債的受益権 ・国債、及び地方債 ・外国またはその地方公共団体が発行し、または保証する債券 ・公社債でその発行の際の有価証券の募集が一定の公募により行われたもの ・外国法人が発行し、または保証する債券 ・2015年12月31日以前に発行された公社債　等	上場株式等以外

(1) 上場株式等に係る譲渡所得等の金額の計算

譲渡による譲渡所得等の金額の計算は次のとおりである。

$$
\begin{array}{c}
\text{上場株式等に係る} \\
\text{譲渡所得等の金額}
\end{array}
=
\begin{array}{c}
\text{総収入金額} \\
\text{(譲渡価額)}
\end{array}
-
\begin{array}{c}
\text{必要経費} \\
\text{(取得価額+委託手数料等)}
\end{array}
$$

同一銘柄を2回以上取得し、譲渡所得または雑所得に該当するときには「総平均に準ずる方法」により計算する。総平均法に準ずる方法とは、株式等の同一種類・銘柄を取得のつどに平均する方法のことである。

● 「総平均法に準ずる方法」の計算式

$$
1\text{単位当たりの平均取得額} = \frac{\text{取得合計額}}{\text{取得株数}}
$$

相続や贈与により取得した株式等の取得価額は、被相続人または贈与者の取得価額が引き継がれる。

(2) 一般株式等の譲渡所得等の申告分離課税における税率

一般株式等の譲渡による所得は、他の所得と区分して、原則として20.315%（所得税及び復興特別所得税15.315%、住民税5%）の税率による申告分離課税である。

(3) 上場株式等に係る譲渡所得等の申告分離課税

上場株式等の譲渡による所得は、他の所得と区分して原則として20.315%（所得税及び復興特別所得税15.315%、住民税5%）の税率による申告分離課税である（課税のしくみは一般株式等に係る譲渡所得等の申告分離課税制度とほぼ同様）。なお、一般株式等の譲渡による所得との間の通算はできない。

(4) 上場株式等の譲渡損失と配当所得等との損益通算の特例

上場株式等に係る譲渡損失の金額がある場合は、確定申告により、その年の上場株式等の利子所得、配当所得の金額（申告分離課税を選択したものに限る）と損益通算することができる。

● 損益通算の概要

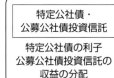

```
┌────────────────────┐                    ┌────────────────────┐
│  特定公社債・        │                    │  特定公社債・        │
│  公募公社債投資信託   │   ←─損益通算○─→    │  公募公社債投資信託   │
│                    │                    │                    │
│  特定公社債の利子    │                    │  譲渡益・譲渡損      │
│  公募公社債投資信託の │                    │  解約益・解約損      │
│  収益の分配         │                    │  償還益・償還損      │
└────────────────────┘                    └────────────────────┘
          ↖                                        ↗
            損益通算○              損益通算○
          ↙                                        ↘
┌────────────────────┐                    ┌────────────────────┐
│  上場株式・         │                    │  上場株式・         │
│  公募株式投資信託    │   ←─損益通算○─→    │  公募株式投資信託    │
│                    │                    │                    │
│  上場株式の配当     │                    │  譲渡益・譲渡損      │
│  公募株式投資信託の  │                    │  解約益・解約損      │
│  収益の分配         │                    │  償還益・償還損      │
└────────────────────┘                    └────────────────────┘
```

(5) 上場株式等の譲渡損失の繰越控除の特例

　上場株式等に係る譲渡損失の金額がある場合、損益通算してもなお
控除しきれない金額については、翌年以後3年間にわたって、上場株
式等に係る譲渡所得の金額及び上場株式等に係る配当所得の金額から
繰越控除することができる。

　なお、この適用を受けるためには、取引がない年も含め確定申告をす
る必要がある。

用語

損益通算
譲渡益などの利益か
ら、譲渡などによる損
失を差し引くこと。

● 上場株式等の譲渡損失の繰越控除の特例

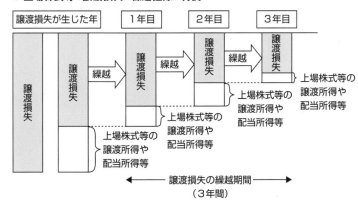

第**14**章

証券税制／譲渡所得など

2 特定口座制度の特例

　特定口座制度とは、金融商品取引業者等が顧客の株式等の譲渡所得の計算を行う制度である。特定口座内に保管している上場株式等は、他の上場株式と区別して、計算、源泉徴収、申告の方法について特例が適用される。この特例により顧客は納税手続を簡単に行うことができる。

(1) 特定口座の開設

　特例を受けるには、特定口座を開設しなければならない。このとき、証券会社などの金融商品取引業者の営業所に「特定口座開設届出書」を提出し、「上場株式等保管委託契約」を締結する。

　特定口座は、個人1人につき1つの口座とされている。なお、金融商品取引業者ごとに開設することはできる。

● 特定口座内保管上場株式等の特例

　特定口座に保管されている上場株式等の譲渡による所得は、他の上場株式等と区別して、次のような特例が適用される。

参考

特定口座内保管上場株式等とは、一定の要件を満たす特定口座に保管の委託等をしている上場株式等をいう。

> ①特定口座内保管上場株式等の譲渡による所得金額の計算は、金融商品取引業者から交付を受けた「特定口座年間取引報告書」に記載された収入金額、取得費及び経費から計算することができる。
> ②「特定口座源泉徴収選択届出書」を提出すると、その特定口座内保管上場株式等の譲渡益について源泉徴収される。
> ③源泉徴収が適用された特定口座内保管上場株式等の譲渡による所得金額は、確定申告不要である。確定申告に含めて申告する場合は、源泉徴収された所得税額は申告所得税額から控除される。

　特定口座では、他の上場株式等の譲渡所得と区分し、それぞれの特定口座ごとに特定口座内の上場株式等の譲渡だけについて、金融商品取引業者等が計算を行う。

① 源泉徴収なしの口座（簡易申告口座）

　金融商品取引業者等から送られる「特定口座年間取引報告書」に基づいて、顧客が確定申告を行う。

② 源泉徴収ありの口座（源泉徴収選択口座）

参考

確定申告の際に「特定口座年間取引報告書」の添付は不要。

　特定口座内保管上場株式等の譲渡益などがあった場合は、源泉徴収される。確定申告不要を選択できる。

　ただし、複数の特定口座や一般口座で生じた損益との通算や損失の繰越控除を受ける場合は、確定申告が必要となる。

(2) 特定口座に組み入れる上場株式等

特定口座に組み入れられる上場株式等は、上場株式等の譲渡所得等の申告分離課税の適用対象とされる上場株式等である。

(3) 特定口座年間取引報告書の交付

金融商品取引業者等は、特定口座年間取引報告書を2通作成し、翌年1月31日までに、1通を税務署に提出し、他の1通をその特定口座開設者に交付しなければならない。

3 その他の譲渡や償還に伴う課税

(1) ストック・オプション制度における課税の特例

ストック・オプションにより株式を取得した場合の経済的利益（株価とストック・オプションによる権利行使価額との差額）については、次のすべての要件を満たせば非課税となる。

● 課税の特例を受けるための要件

・権利行使は、付与決議の日から2年経過後10年を経過する日までに行う
・年間の権利行使価額が、1,200万円を超えないこと
・1株当たりの権利行使価額は、契約締結時の時価以上であること

等

(2) 割引債の償還差益に対する課税

割引債（同族会社が発行したものを除く）は、公社債等の譲渡所得等として15.315%（他に住民税5％）の税率で申告分離課税の対象となる。なお、割引債の源泉徴収は発行時ではなく、償還時に行う。

4 NISA

NISAは、その年の1月1日において18歳以上の居住者等が、金融商品取引業者等において非課税口座（NISA口座という）を開設した際に、そのNISA口座内で受け入れた投資対象商品に係る配当等や譲渡益を、非課税とする制度である。

● **NISA制度の概要（2024年以後）**

	つみたて投資枠	成長投資枠
年間投資枠	120万円	240万円
非課税保有期間	無期限化	
非課税保有限度額（総枠）	1,800万円 ※簿価残高方式で管理（枠の再利用が可能）	
		1,200万円（内数）
口座開設期間	恒久化	
投資対象商品	長期の積立・分散投資に適した一定の投資信託 （金融庁が認めた投資信託及びETF）	上場株式・投資信託等 （①整理・監理銘柄②信託期間20年未満、高レバレッジ型及び毎月分配型の投資信託等を除外）
対象年齢	18歳以上	

出典：金融庁ホームページ

本番得点力が高まる! 問題演習

問1 譲渡所得や特定口座制度などに関する次の記述のうち、正しいものには○を、誤っているものには×をつけなさい。

① 株式等の譲渡による所得は、他の所得と区別され、申告分離課税である。

② 公募株式投資信託の中途解約において、損失が発生した場合には、上場株式等の売買益との損益通算ができる。

③ 特定公社債の利子や公募公社債投資信託の収益の分配は、上場株式等の譲渡損失と損益通算ができない。

④ 上場株式等を譲渡して損失が発生した場合、一定の要件を満たせば、その年の翌年以後5年間にわたって損失を繰越控除することができる。

⑤ 特定口座は、同一の金融商品取引業者においては個人1人につき1つの口座と

されている。

⑥　金融商品取引業者が特定口座を開設している個人に対し作成する「特定口座年間取引報告書」は、特定口座開設者のみに交付する。

⑦　割引債の償還差益は、18％源泉分離課税である。

解答

①○　なお、土地・建物の譲渡も申告分離課税である。

②○　なお、公募公社債投資信託の中途解約も同様に、上場株式等の売買益との損益通算ができる。

③×　特定公社債の利子や公募公社債投資信託の収益の分配は、上場株式等の譲渡損失と損益通算が可能である。

④×　上場株式等を譲渡して損失が発生した場合、翌年以後３年間にわたって、上場株式等に係る譲渡所得の金額及び上場株式等に係る配当所得の金額から繰越控除することができる。

⑤○　なお、特定口座は金融商品取引業者ごとに開設できる。

⑥×　金融商品取引業者は、特定口座を開設している個人に対し、「特定口座年間取引報告書」を２通作成し、１通を特定口座開設者に交付し、もう１通は税務署へ提出する。

⑦×　2016年１月１日以後に発行された割引債の償還差益は、譲渡所得等として15.315％（他に個人住民税５％）の税率で申告分離課税となる。

問2　下表は、A銘柄株式の売買状況である。2024年８月の譲渡に対する所得税及び復興特別所得税、住民税のそれぞれの税額として、正しいものはどれか、１つを選びなさい。

個人投資家が、上場銘柄A社の株式の売買を金融商品取引業者に委託して行った。この取引は、現金取引による。

ただし、2024年度は他には取引がなく、手数料や諸費用等、住民税についての基礎控除などは考えないものとする。

●A銘柄株式の売買状況

売買の年月	取引	株価	株数
2024年1月	買	1,200円	2,000株
2024年6月	買	800円	2,000株
2024年8月	売	1,300円	1,000株
2024年10月	買	1,250円	1,000株

① 所得税及び復興特別所得税　45,945円　住民税　15,000円
② 所得税及び復興特別所得税　45,945円　住民税　15,315円
③ 所得税及び復興特別所得税　45,000円　住民税　15,000円
④ 所得税及び復興特別所得税　45,000円　住民税　15,315円

 解答

正しいものは、①

同一銘柄を2回以上にわたって取得した場合、「総平均法に準ずる方法」により、1株の取得金額を計算する。

$$\frac{(1,200円 \times 2,000株)+(800円 \times 2,000株)}{2,000株 + 2,000株}=1,000円 \cdots 1株の取得金額（平均取得価額）$$

売却価格は1,300円であるので、平均取得単価を差し引いた後に売却株数を乗じると、譲渡益が求められる。

譲渡益＝（1,300円 － 1,000円）× 1,000株 ＝ 300,000円の益である。

上場株式等に係る譲渡所得等の金額の税率（20.315%）により計算する。

所得税及び復興特別所得税15.315%、住民税5%の税率を乗じて求める。

・300,000円 × 15.315% ＝ 45,945円…所得税及び復興特別所得税
・300,000円 × 5 %　　　＝ 15,000円…住民税

 問3

「非課税口座内の少額上場株式等に係る配当所得及び譲渡所得等の非課税措置（2024年以後の制度）」（以下、NISAという）に関する次の記述のうち、正しいものには〇を、誤っているものには×をつけなさい。

① NISA口座内の「つみたて投資枠」と「成長投資枠」の非課税投資枠の範囲内で受け入れた投資対象商品から生じる配当等及び譲渡益は非課税となる。
② 「つみたて投資枠」の年間投資枠は120万円、「成長投資枠」の年間投資枠は240万円であり、非課税となる保有額には限度はない。

解答 ① ○ 非課税保有期間は、無期限である。

② × 非課税となる保有額には限度があり、非課税保有限度額は1,800万円である。なお、「成長投資枠」の非課税保有限度額は1,800万円のうち1,200万円までとなる。

5. 法人税

企業が受け取る利子や配当も、原則、課税の対象だよ。

重要度
★★★

1 法人税の概要

法人税とは、法人の所得を対象として課税される税金のことである。法人税の納税義務者は、法人及び人格のない社団等で、課税の対象（課税標準）は法人の各事業年度の所得である。

2 法人税に関する制度

法人税においては、預貯金の利子、公社債の利子、株式の配当や投資信託の収益の分配、有価証券の譲渡益等も、原則として課税の対象となる。ただし、配当等については、法人間の配当等について二重課税を排除するために「受取配当等の益金不算入」という制度がある。

（1）受取配当等の益金不算入

法人が各事業年度において、内国法人から剰余金の分配、利益の配当、出資に係る剰余金の分配、特定信託の収益の分配、一定の証券投資信託の収益の分配を受けた場合、受取配当等は、一定の範囲内で益金に算入しないこととされる。

参考

配当を支払う法人側ですでに法人税が課税されているので、配当を受け取る法人側で法人税が課税されると二重に課税されることになってしまう。

参考

益金不算入できる割合は、配当を受け取る会社に対する持ち株比率に応じて20〜100%となっている。

6. 相続税と贈与税

わしの株式をあげるけど
税金ははらっておくれ

1 相続税と贈与税の特徴

(1) 相続税

相続税は、相続や遺贈（死因贈与を含む）によって取得した財産の価額に応じて課税される税金である。

(2) 贈与税

贈与税は、個人が他の個人から贈与（死因贈与を除く）によって取得した財産に課税される税金である。なお、法人からの贈与による取得財産の価額は、一時所得として所得税及び住民税が課税される。

2 相続税及び贈与税の課税価格となる証券の評価

相続や遺贈・贈与によって財産を取得した場合の財産評価については、以下のように定められている。

(1) 上場株式の評価

上場株式の評価は、相続または遺贈・贈与があった日の株式が上場されている金融商品取引所における課税時期の最終価額（終値）によって評価する。

ただし、その最終価額が課税時期の属する月以前3ヶ月間の毎日の最終価額の各月ごとの平均額のうち、最も低い価額を超える場合には、その最も低い価額で評価する。

(2) 気配相場等のある株式の評価

登録銘柄または店頭管理銘柄の株式は、日本証券業協会の発表する課税時期の取引価格によって評価する。

ただし、取引価格が課税時期の属する月以前3ヶ月間の毎日の取引価額の各月ごとの平均額のうち最も低い価額を超えるときは、最も低い価額によって評価する。

> **用語**
>
> **死因贈与**
> 贈与者の死亡によって効力が生じる贈与契約である。

(3) 取引相場のない株式の評価

取引相場のない (非公開) 株式の評価は、発行会社の規模、株主の構成状況、取得者の株主構成上の地位の区分によって評価する。具体的には、類似業種比準方式、純資産価額方式、配当還元方式等による。

本番得点力が高まる! 問題演習

問1 法人税、相続税、贈与税に関する次の記述のうち、正しいものには〇を、誤っているものには×をつけなさい。

① 法人税とは、法人の所得を対象として課税される税金のことである。

② 贈与税は、個人が他の個人または法人から贈与 (死因贈与を除く) によって取得した財産に課せられる税金である。

③ 相続によって取得した上場株式の評価は、原則として、相続の発生した日の、株式が上場されている証券取引所における最終価額によって評価する。

解答
①〇 法人税の納税義務者は、法人及び人格のない社団等である。

②× 贈与税は、個人が他の個人から贈与 (死因贈与を除く) によって取得した財産に課せられる税金である。法人からの贈与による取得財産の価額は、一時所得として所得税及び住民税が課税される。

③〇 ただし、最終価額が課税時期の属する月以前3ヶ月間の毎日の最終価額の各月ごとの平均額のうち最も低い額を超える場合には、その最も低い額で評価する。

問2 9月1日に相続が発生した場合、取引所における株価が次のような場合、相続税の評価額で、正しいものはどれか、1つを選びなさい。

当該株式の課税時期は9月1日とする。

上場銘柄A社株式の1株当たりの9月1日の終値、最近3ヶ月の最終価額の月平均が以下のとおりである。

① 6月中の終値平均株価　570円

② 7月中の終値平均株価　620円

③　8月中の終値平均株価　610円

④　9月中の終値平均株価　590円

⑤　9月1日の終値　　　　600円

 正しいものは、④

上場株式の評価は、その株式が上場されている取引所における課税時期の最終価額によって評価する。ただし、その最終価額が、課税時期の属する月以前3ヶ月間の毎日の最終価額の各月ごとの平均額のうち、最も低い価額を超える場合にはその最も低い価額で評価する。

・課税時期の最終価額600円

・課税時期の属する月以前3ヶ月間の毎日の最終価額の各月ごとの平均額のうち、最も低い価額は、9月中の終値平均株価590円。

よって、相続税の評価額は1株590円となる。

索 引

さ行

た行

【監修】

SAKU株式会社

金融に強い！クリエイターチームが運営する編集プロダクション。「未来を生きる力～FP技能士～」（一般社団法人金融財政事情研究会）原作・FP監修を担当。各種テキストの制作・編集をはじめ、企画から取材・執筆・編集まで一貫して行う。小・中・高等・大学校、地方自治体、金融広報委員会（日銀）などで講演や企業研修なども行う。

【執筆協力】

今津多佳子（いまづ　たかこ）

大和証券退職後、日本証券業協会と、全国銀行協会の金融・証券インストラクターとして、全国各地の企業、小・中・高校、大学、資産運用EXPO等で講師を行う。のんびりHAPPYライフプラン設計をモットーとする。J-FLEC認定アドバイザー（金融経済教育推進機構）。

スッキリわかるシリーズ

2024-2025年版　スッキリわかる　証券外務員二種

2024年9月15日　初版　第1刷発行

監　　　修	S A K U 株 式 会 社	
編　　　者	T A C 株 式 会 社	
	（出版事業部編集部）	
発 行 者	多　　田　　敏　　男	
発 行 所	TAC株式会社　出版事業部	
	（TAC出版）	

〒101-8383
東京都千代田区神田三崎町3-2-18
電話　03(5276)9492（営業）
FAX　03(5276)9674
https://shuppan.tac-school.co.jp

イラスト	佐　藤　雅　則	
印　　刷	株式会社　光　　邦	
製　　本	株式会社　常　川　製　本	

© TAC 2024　　　Printed in Japan

ISBN 978-4-300-11351-6
N.D.C. 338

乱丁・落丁による交換、および正誤のお問合せ対応は、該当書籍の改訂版刊行月末日までといたします。なお、交換につきましては、書籍の在庫状況等により、お受けできない場合もございます。また、各種本試験の実施の延期、中止を理由とした本書の返品はお受けいたしません。返金もいたしかねますので、あらかじめご了承くださいますようお願い申し上げます。

TAC出版 書籍のご案内

TAC出版では、資格の学校TAC各講座の定評ある執筆陣による資格試験の参考書をはじめ、資格取得者の開業法や仕事術、実務書、ビジネス書、一般書などを発行しています!

TAC出版の書籍

*一部書籍は、早稲田経営出版のブランドにて刊行しております。

資格・検定試験の受験対策書籍

- ✪日商簿記検定
- ✪建設業経理士
- ✪全経簿記上級
- ✪税 理 士
- ✪公認会計士
- ✪社会保険労務士
- ✪中小企業診断士
- ✪証券アナリスト

- ✪ファイナンシャルプランナー(FP)
- ✪証券外務員
- ✪貸金業務取扱主任者
- ✪不動産鑑定士
- ✪宅地建物取引士
- ✪賃貸不動産経営管理士
- ✪マンション管理士
- ✪管理業務主任者

- ✪司法書士
- ✪行政書士
- ✪司法試験
- ✪弁理士
- ✪公務員試験(大卒程度・高卒者)
- ✪情報処理試験
- ✪介護福祉士
- ✪ケアマネジャー
- ✪電験三種 ほか

実務書・ビジネス書

- ✪会計実務、税法、税務、経理
- ✪総務、労務、人事
- ✪ビジネススキル、マナー、就職、自己啓発
- ✪資格取得者の開業法、仕事術、営業術

一般書・エンタメ書

- ✪ファッション
- ✪エッセイ、レシピ
- ✪スポーツ
- ✪旅行ガイド (おとな旅プレミアム/旅コン)

TAC出版

書籍のご購入は

1 全国の書店、大学生協、ネット書店で

2 TAC各校の書籍コーナーで

資格の学校TACの校舎は全国に展開！
校舎のご確認はホームページにて

→ 資格の学校TAC ホームページ
https://www.tac-school.co.jp

3 TAC出版書籍販売サイトで

CYBER TAC出版書籍販売サイト
BOOK STORE

24時間
ご注文
受付中

TAC 出版　で　検索

https://bookstore.tac-school.co.jp/

- 新刊情報を いち早くチェック！
- たっぷり読める 立ち読み機能
- 学習お役立ちの 特設ページも充実！

TAC出版書籍販売サイト「サイバーブックストア」では、TAC出版および早稲田経営出版から刊行されている、すべての最新書籍をお取り扱いしています。

また、会員登録（無料）をしていただくことで、会員様限定キャンペーンのほか、送料無料サービス、メールマガジン配信サービス、マイページのご利用など、うれしい特典がたくさん受けられます。

サイバーブックストア会員は、特典がいっぱい！（一部抜粋）

 通常、1万円（税込）未満のご注文につきましては、送料・手数料として500円（全国一律・税込）頂戴しておりますが、1冊から無料となります。

 専用の「マイページ」は、「購入履歴・配送状況の確認」のほか、「ほしいものリスト」や「マイフォルダ」など、便利な機能が満載です。

 メールマガジンでは、キャンペーンやおすすめ書籍、新刊情報のほか、「電子ブック版TACNEWS（ダイジェスト版）」をお届けします。

 書籍の発売を、販売開始当日にメールにてお知らせします。これなら買い忘れの心配もありません。

書籍の正誤に関するご確認とお問合せについて

書籍の記載内容に誤りではないかと思われる箇所がございましたら、以下の手順にてご確認とお問合せをしてくださいますよう、お願い申し上げます。

なお、正誤のお問合せ以外の**書籍内容に関する解説および受験指導などは、一切行っておりません。**
そのようなお問合せにつきましては、お答えいたしかねますので、あらかじめご了承ください。

1 「Cyber Book Store」にて正誤表を確認する

TAC出版書籍販売サイト「Cyber Book Store」の
トップページ内「正誤表」コーナーにて、正誤表をご確認ください。

CYBER TAC出版書籍販売サイト
BOOK STORE

URL:https://bookstore.tac-school.co.jp/

2 **1の正誤表がない、あるいは正誤表に該当箇所の記載がない**
⇒ 下記①、②のどちらかの方法で文書にて問合せをする

★ご注意ください★

お電話でのお問合せは、お受けいたしません。
①、②のどちらの方法でも、お問合せの際には、「お名前」とともに、
「対象の書籍名(○級・第○回対策も含む)およびその版数(第○版・○○年度版など)」
「お問合せ該当箇所の頁数と行数」
「誤りと思われる記載」
「正しいとお考えになる記載とその根拠」
を明記してください。
なお、回答までに1週間前後を要する場合もございます。あらかじめご了承ください。

① ウェブページ「Cyber Book Store」内の「お問合せフォーム」より問合せをする
【お問合せフォームアドレス】

https://bookstore.tac-school.co.jp/inquiry/

② メールにより問合せをする
【メール宛先　TAC出版】

syuppan-h@tac-school.co.jp

※土日祝日はお問合せ対応をおこなっておりません。
※正誤のお問合せ対応は、該当書籍の改訂版刊行月末日までといたします。

乱丁・落丁による交換は、該当書籍の改訂版刊行月末日までといたします。なお、書籍の在庫状況等により、お受けできない場合もございます。
また、各種本試験の実施の延期、中止を理由とした本書の返品はお受けいたしません。返金もいたしかねますので、あらかじめご了承くださいますようお願い申し上げます。

(2022年7月現在)